CLASSIQUES LAROUSSE
Collection fondée en 1933 par FÉLIX GUIRAND
continuée par
LÉON LEJEALLE (1949 à 1968) et JEAN-POL CAPUT (1969 à 1972)
Agrégés des Lettres

VOLTAIRE

LETTRES PHILOSOPHIQUES

texte intégral

avec une Notice biographique, une Notice historique et littéraire, des Notes explicatives, une Documentation thématique, des Jugements, un Questionnaire et des Sujets de devoirs,

par
JEAN-POL CAPUT
Agrégé de Lettres modernes

LIBRAIRIE LAROUSSE
17, rue du Montparnasse, 75298 PARIS

RÉSUMÉ CHRONOLOGIQUE DE LA VIE DE VOLTAIRE 1694-1778

1694 — **Baptême** en l'église Saint-André-des-Arts à **Paris,** le **22 novembre,** de **François Marie Arouet,** « né le jour précédent », fils de Mᵉ François Arouet, conseiller du roi, ancien notaire au Châtelet de Paris, et de Marguerite Daumart de Mauléon. Le parrain est François de Castagnier de Châteauneuf, abbé commendataire de Varenne. — Les Arouet descendaient d'une famille poitevine de tanneurs et de drapiers. François Marie avait un frère de dix ans et une sœur de neuf ans, qui deviendra Mᵐᵉ Mignot. — Mᵐᵉ Arouet, fille d'un greffier criminel au parlement de Paris, avait brillé à Versailles et se distinguait par son esprit mordant. Les réceptions de Mᵉ Arouet étaient brillantes : on y rencontrait le chansonnier Rochebrune, Ninon de Lenclos, le duc de Richelieu, Saint-Simon, l'abbé de Châteauneuf et Boileau, voisin de la famille.

1701 — Mort de sa mère. C'est l'abbé de Châteauneuf, l'oncle « libertin », qui se charge de l'éducation du futur Voltaire.

1704 — François Marie Arouet entre au **collège Louis-le-Grand,** tenu par les **jésuites,** alors que son frère aîné avait été mis à Saint-Magloire, maison d'enseignement janséniste. L'établissement accueille les héritiers des plus hautes familles : d'Argental et Pont de Veyle, Cideville (futur conseiller au parlement de Rouen), Fyot de La Marche (qui sera président au parlement de Bourgogne), les deux frères d'Argenson (destinés l'un et l'autre à devenir ministres).

1706 — L'abbé de Châteauneuf l'introduit dans la **société du Temple :** il y a là le grand prieur Philippe de Vendôme et son frère le maréchal de Vendôme, l'abbé de Chaulieu, le marquis de La Fare, l'abbé Servien, le duc de Sully, l'abbé de Courtin. Il amuse la marquise de Mimeure avec la chronique du collège, fait rire la duchesse de Richelieu avec ses propos libertins. — Il n'en poursuit pas moins des **études solides,** s'intéressant beaucoup à l'histoire contemporaine et aux choses de la politique : parmi ses maîtres éminents, le père Tournemine, le futur abbé d'Olivet. De son éducation, il conservera une vive admiration pour les grands auteurs de l'Antiquité et un **goût** étroitement, mais fermement **classique.**

1711 — Au sortir du collège, une charge d'avocat du roi attend le brillant sujet. Il se dégoûte très vite des études de droit et surtout ne veut pas d'« une considération qui s'achète ». Il veut « s'en faire une qui ne coûte rien ». Le révolté fait si bien qu'on doit l'éloigner quelque temps à Caen.

1713 — Le marquis de Châteauneuf, frère de l'abbé, étant devenu chargé d'affaires à La Haye, rejoint son poste et emmène Arouet avec lui : peut-être l'intéressera-t-il à la diplomatie. A peine **arrivé dans la capitale hollandaise,** le jeune homme fréquente le salon de Mᵐᵉ du Noyer, réfugiée protestante, qui avait fondé un périodique satirique, *la Quintessence.* Il collabore à cette publication et s'intéresse à la fille de la maison, Olympe; il rêve de fuir avec elle à Paris et va jusqu'à intéresser le père Tournemine à cet enlèvement, en le persuadant qu'il s'agit d'arracher une âme à la religion protestante. — En décembre, Arouet revient, seul, à Paris et commence un **stage** dans l'**étude d'un procureur,** Mᵉ Alain; il y fait la connaissance de Thiriot (ou Thieriot), à qui une longue amitié le liera.

1714 — **Publications satiriques :** *le Bourbier,* dirigé contre Houdar de La Motte, et *l'Anti-Giton.* L'imprudent qui **commence à signer Voltaire** doit chercher asile chez M. de Caumartin, au château de Saint-Ange, sur les bords du Loing.

ISBN 2-03-870188-1

1716 — De retour à Paris, Voltaire se mêle aux intrigues contre le Régent. Après en avoir ri, celui-ci l'envoie à Sully-sur-Loire.

1717 — Retour à Paris (janvier). Deux nouveaux **poèmes satiriques** lui sont attribués; le second *(Puero regnante)* est de lui. **Le Régent envoie Voltaire à la Bastille** (mai), où il compose un chant de *la Henriade.*

1718 — Sortie de prison (avril), mais obligation pour lui de résider à Châtenay; jusqu'en octobre, chacun de ses séjours à Paris sera soumis à une autorisation spéciale. — **Triomphe d'*Œdipe*,** tragédie (novembre) qui a quarante-cinq représentations successives. Le Régent, à qui est dédiée la pièce, accorde une pension.

1719-1722 — Voltaire mène une vie de plaisirs : il assiste aux Nuits de Sceaux, chez la duchesse du Maine. Il dédie à une aventurière, Mme de Rupelmonde, l'*Epître à Uranie,* qui deviendra *le Pour et le contre.* — En 1722, il séjourne, par prudence, en Hollande.

1723 — Mort de son père. Lui-même manque d'être emporté par la petite vérole. — Publication, sans autorisation de la censure, par les soins de l'abbé Desfontaines, de *la Ligue ou Henri le Grand,* poème épique.

1724 — Première représentation de *Mariamne* (mars), qui sera reprise avec *Œdipe* et la comédie de *l'Indiscret* lors des fêtes données à l'occasion du mariage de Louis XV l'année suivante.

1725 — Voltaire fréquente des amis du duc d'Orléans, fait quelques avances au cardinal Dubois. Il est assez lié avec Mme de Prie, « fée de la Bourse ». — Voltaire et le chevalier de Rohan s'étant pris de querelle (décembre), ce dernier le fait bâtonner.

***

1726-1727 — Un duel était prévu entre Voltaire et son antagoniste (avril 1726), quand on incarcère l'écrivain à la **Bastille;** au début de mai, Voltaire **part pour l'Angleterre,** où il est reçu par lord Bolingbroke en son hôtel de Pall Mall, à Londres. Il fait là de nombreuses connaissances : le duc de Newcastle, Bubb Dodington (futur lord Melcombe); il fréquente chez Pope, à Twickenham. Il rencontre Swift, qui publiait un journal humoristique, le *Graftsman,* et John Gay, auteur dramatique et poète. Il prend connaissance de l'*Essai sur l'entendement humain* de Locke, fréquente Young, Berkeley et Clarke. Il admire non sans réserve le théâtre de Shakespeare : *Julius Caesar* lui inspirera *la Mort de César,* tandis qu'*Othello* lui donne l'idée de *Zaïre.* — Vite familiarisé avec la langue du pays, il fait paraître en anglais deux ouvrages revus par Young : *Essai sur les guerres civiles de France* et *Essai sur la poésie épique.* Tous les thèmes familiers à Voltaire s'y trouvent déjà et ils plaisent aux Anglais : antipapisme; hommage à l'Angleterre, reine des arts, des armes et des lois; égards dus aux gens de lettres.

1728 — Édition remaniée de *la Ligue,* sous le titre de ***la Henriade,*** dédiée à la reine d'Angleterre. — **Retour en France** (fin de l'année); période de travail : Voltaire rédige l'*Histoire de Charles XII,* met au point les *Lettres anglaises* et les autres œuvres qui paraîtront les années suivantes.

1729-1730 — Reprise d'une vive activité : Voltaire se lance dans des **spéculations financières,** qui lui permettront d'avoir l'aisance nécessaire à son confort et à son indépendance. — Mort d'Adrienne Lecouvreur (15 mars 1730), titulaire du rôle de Jocaste dans *Œdipe :* l'Eglise refuse à l'actrice la sépulture chrétienne; Voltaire protestera plus d'une fois contre cette indignité. — Succès de *Brutus,* tragédie (11 décembre 1730).

1731-1732 — Saisie du premier volume de l'***Histoire de Charles XII;*** interdiction de *la Mort de César.* — Éclatant succès de ***Zaïre*** (13 août 1732).

1733 — *Le Temple du goût,* œuvre de critique littéraire favorable aux grands classiques du XVIIe siècle, soulève des polémiques. — Rencontre de Mme du Châtelet : c'est le début d'une longue liaison.

1734 — *Adélaïde du Guesclin* (18 janvier). — La **publication des *Lettres philosophiques,*** auxquelles sont jointes les *Remarques sur Pascal,* met Voltaire sous la menace d'une arrestation. Celui-ci se réfugie au **château de Cirey, en Lorraine, chez Mme du Châtelet** : tout en ayant dès l'année suivante la permission de revenir à Paris, il trouvera pendant de longues années à Cirey l'abri qui lui permettra de se tenir à distance des menaces de l'autorité.

1735-1736 — Représentations de *la Mort de César* (11 août 1735), d'*Alzire* (27 janvier 1736); publication du poème ***le Mondain*** (novembre 1736); nouvelles menaces d'arrestation.

1737-1739 — Voyages aux Pays-Bas, en Belgique, avec, de nouveau, quelques passages à Paris. Les longs séjours à Cirey sont surtout consacrés à des études scientifiques, qui passionnent Mme du Châtelet. Publication des *Eléments de la philosophie de Newton* (1737), des *Discours en vers sur l'homme* (1738).

1740 — Première rencontre de Voltaire et de Frédéric II, à Clèves (11 septembre); court voyage à Berlin (novembre).

1741-1744 — Voltaire joue un **rôle actif dans la diplomatie officieuse :** il accomplit deux missions (septembre 1742 et septembre 1743) auprès de Frédéric II, qui ne se laisse cependant pas ramener dans l'alliance française. — Succès de ***Mahomet*** (1742) et de ***Mérope*** (1743).

1745-1746 — Années de gloire officielle : représentation de *la Princesse de Navarre* à l'occasion des noces du Dauphin; composition du *Poème de Fontenoy* (1745). Voltaire est nommé historiographe du roi (mars 1745) et **élu à l'Académie française (mai 1746).** Le pape Benoît XIV accepte la dédicace de *Mahomet.*

1747-1748 — Les relations avec le pouvoir sont moins bonnes; Voltaire se retire à Sceaux, chez la duchesse du Maine, pour écrire ***Zadig,*** dont la première version paraît à Amsterdam (septembre 1747). — Séjours à la cour du roi Stanislas, à Lunéville. — *Sémiramis,* tragédie (août 1748), a peu de succès.

1749 — *Nanine,* comédie; *Memnon,* conte. — **Mort de Mme du Châtelet** (10 septembre) : désarroi de Voltaire.

1750-1753 — Départ pour la Prusse (28 juin 1750). Les bonnes relations entre Voltaire et Frédéric II s'altèrent assez vite. Le pamphlet de Voltaire *(Diatribe du docteur Akakia)* contre le savant Maupertuis, directeur de l'Académie de Berlin, envenime les choses; Voltaire quitte Berlin le 27 mars 1753. — Publication du ***Siècle de Louis XIV* (1751)** et de ***Micromégas* (1752).**

1755 — Après une année passée à Colmar, Voltaire s'installe **à Genève et y achète les Délices** (février); dès le mois de juillet, il se voit refuser par le Consistoire l'autorisation de donner des représentations théâtrales. — La Comédie-Française représente *l'Orphelin de la Chine* (août). — Voltaire rédige des articles pour l'*Encyclopédie* : il remercie Rousseau de lui avoir envoyé le *Discours sur l'origine de l'inégalité* (lettre du 30 août 1755).

1756 — L'*Essai sur l'histoire générale et sur les mœurs et l'esprit des nations depuis Charlemagne jusqu'à nos jours,* qui deviendra, en 1759, l'*Essai sur les mœurs et l'esprit des nations.* — Publication en France du *Poème sur la loi naturelle* (écrit en 1751) et du *Poème sur le désastre de Lisbonne* (tremblement de terre de 1755), auquel Rousseau rétorque par sa lettre du 17 août 1756.

1757 — Voltaire sert d'intermédiaire entre le gouvernement français et Frédéric II, qui cherche à faire la paix; mais le parti de la guerre l'emporte à Paris.

***

1758 — Voltaire est accusé, non sans raison, d'avoir inspiré à d'Alembert l'article « Genève » de l'*Encyclopédie* : protestation des pasteurs genevois et de Rousseau *(Lettre à d'Alembert)*. — **Achat de la terre de Ferney** (octobre), dans le pays de Gex, où Voltaire, secondé par sa nièce, Mme Denis, s'installe et commence de grands travaux. — *Le Pauvre Diable*, satire contre Fréron, adversaire des philosophes.

1759-1761 — Publication de ***Candide*** (janvier 1759). — Désormais, sûr de son indépendance et décidé à user de toute son influence, Voltaire intensifie les polémiques contre les adversaires des philosophes (*Relation de la maladie du jésuite Berthier*, 1759). — *La Vanité*, satire contre Lefranc de Pompignan, auteur de poésies sacrées. — La rupture avec Rousseau est complète : les *Lettres sur la Nouvelle Héloïse* (1761), sous la signature du marquis de Ximénès, ridiculisent le roman de Rousseau.

1762-1764 — Tout en continuant à améliorer l'organisation et l'économie de son domaine de Ferney, Voltaire **entreprend de réhabiliter Calas,** protestant toulousain condamné à mort et exécuté après avoir été faussement accusé du meurtre de son fils. Le ***Traité sur la tolérance*** (1763) est destiné à cette campagne. Le ***Dictionnaire philosophique portatif*** (1764) est un instrument de propagande largement diffusé. — ***Jeannot et Colin,*** conte (1764). — *Commentaires sur Corneille* (1764), dont l'édition est donnée au profit d'une descendante de Corneille, adoptée par Voltaire.

1765 — *La Philosophie de l'histoire*. — **Réhabilitation de Calas.** Voltaire se charge de la défense de la **famille Sirven :** le roi de Prusse, Catherine de Russie, les rois de Pologne et de Danemark aident financièrement Voltaire dans son action judiciaire, qui sera finalement gagnée en 1771.

1766-1773 — Action directe : Voltaire entreprend la **procédure en réhabilitation du chevalier de La Barre,** condamné et exécuté (juillet 1766) pour manifestations libertines sur le passage d'une procession : l'attitude du chevalier, pour certains parlementaires, trouverait sa source dans les ouvrages des philosophes. Il fait réhabiliter également Montbailli et dresse le front philosophique contre la candidature du président de Brosses à l'Académie. Il entreprend enfin la réhabilitation de Lally-Tollendal, condamné et décapité en 1766 à la suite de la capitulation de Pondichéry. — Publication de contes : *l'Ingénu* (1767), *la Princesse de Babylone* et *l'Homme aux quarante écus* (1768). — *Les Guèbres*, tragédie (1769). — *Epître à Horace* (1772).

1775 — Voltaire affranchit le pays de Gex de la gabelle; grande admiration pour Turgot, dont un édit a permis cette réforme demandée par Voltaire. — *Histoire de Jenni*, conte.

1778 — Il se rend, très malade, à Paris chez le marquis de Villette; c'est un défilé ininterrompu pour voir le patriarche : délégations de l'Académie, de la Comédie-Française, personnalités françaises et étrangères (Franklin). — Première d'*Irène* (16 mars), devant toute la Cour. Directeur de l'Académie, après avoir traversé en carrosse d'azur semé d'étoiles d'or Paris en délire (30 mars), Voltaire est couronné à la Comédie-Française. Le 7 avril, par les bons offices de Condorcet, en présence de Franklin, se déroule son initiation maçonnique. — Mai : révision du procès Lally-Tollendal. — **Mort de Voltaire à Paris, le 30 mai.**

Voltaire avait cinq ans de moins que Montesquieu; treize ans de plus que Buffon; dix-huit ans de plus que J.-J. Rousseau; dix-neuf ans de plus que Diderot.

VOLTAIRE ET SON TEMPS JUSQU'EN 1749

	la vie et l'œuvre de Voltaire	le mouvement intellectuel et artistique	les événements historiques
1694	Naissance à Paris de F. M. Arouet (21 novembre).	Réception de La Bruyère à l'Académie. Réconciliation de Boileau et de Perrault après la querelle des Anciens et des Modernes.	Victoire de Jean Bart sur les Hollandais.
1704	Entrée au collège Louis-le-Grand.	Regnard : *les Folies amoureuses*. Début de la traduction française des *Mille et Une Nuits*, par Galland.	
1713	Voyage en Hollande avec le marquis de Châteauneuf.	Destouches : *l'Irrésolu*. Succès à Londres du *Caton* d'Addison. Découverte des ruines d'Herculanum. Naissance de Diderot.	Traité d'Utrecht : fin de l'hégémonie française en Europe. Bulle *Unigenitus*, contre le jansénisme.
1717	Accusé d'avoir écrit des poèmes satiriques contre le Régent, il est incarcéré à la Bastille.	Destouches : *l'Envieux*. Crébillon père : *Sémiramis*.	Voyage du tsar Pierre le Grand à Paris. Rapprochement franco-anglais.
1718	Première tragédie : *Œdipe*. Reçoit une pension du Régent, puis du roi.	Traduction française de *Mérope*, de l'Italien Maffei.	Mort de Charles XII, roi de Suède. La banque de Law devient banque royale.
1723	*La Ligue*, poème épique.	Marivaux : *la Double Inconstance*. J.-B. Rousseau : *Odes*. Saint-Simon commence la rédaction de ses *Mémoires*.	Mort du cardinal Dubois (août) et du Régent (décembre).
1726	Suites de la querelle avec le chevalier de Rohan; seconde incarcération. Départ pour l'Angleterre (mai).	Rollin : *Traité des études*. Ouverture du salon de Mme de Tencin.	Fleury, Premier ministre. Politique pacifique de la France.
1728	*La Henriade*, version remaniée de *la Ligue*. Retour en France.	J.-J. Rousseau à Turin. Marivaux : *la Seconde Surprise de l'amour*.	Avènement de George II en Grande-Bretagne.
1730	*Brutus*, tragédie.	Marivaux : *le Jeu de l'amour et du hasard*. Succès des peintres Lancret et Boucher, du musicien F. Couperin.	Début du ministère Walpole en Angleterre. Avènement d'Anna Ivanovna en Russie.
1731	*Histoire de Charles XII*.	Abbé Prévost : *Manon Lescaut*. Mort de Daniel Defoe.	Dupleix, gouverneur de Chandernagor.

1732	*Zaïre. Initiation à la mathématique*, de Newton.	Marivaux : *les Serments indiscrets*. Destouches : *le Glorieux*. Abbé Pluche : *Spectacle de la nature*.	Difficultés diplomatiques, qui vont provoquer la guerre de Succession de Pologne.
1734	Les *Lettres philosophiques*, publiées et condamnées. Départ pour Cirey chez Mme du Châtelet.	Montesquieu : *Considérations sur les causes de la grandeur des Romains et de leur décadence*. J.-S. Bach : *Oratorio de Noël*.	Opérations militaires de la guerre de Succession de Pologne. Victoires françaises à Parme et à Guastalla.
1735	*La Mort de César*, tragédie.	La Chaussée : *le Préjugé à la mode*. Marivaux : *le Paysan parvenu* (roman). Mesure du méridien par La Condamine.	Guerre russo-turque.
1736	*L'Enfant prodigue*, comédie. *Le Mondain*.	Le Sage : *le Bachelier de Salamanque*. Premier séjour de J.-J. Rousseau aux Charmettes chez Mme de Warens.	
1738	*Discours en vers sur l'homme*.	Deuxième séjour de Rousseau aux Charmettes. Fondation de la manufacture de porcelaine de Vincennes (transférée à Sèvres).	Traité de Vienne, qui conclut la guerre de Succession de Pologne.
1740	Premier voyage à Berlin. *Zulime*, tragédie.	Marivaux : *l'Epreuve*. Richardson : *Pamela*.	Avènement de Frédéric II en Prusse; avènement de l'impératrice Marie-Thérèse. Invasion de la Silésie par Frédéric II.
1742	*Mahomet ou le Fanatisme*, tragédie.	Arrivée de J.-J. Rousseau à Paris. Abbé Prévost : traduction de *Pamela*, de Richardson.	Traité de Berlin entre la Prusse et l'Autriche : annexion de la Silésie par Frédéric II.
1743	*Mérope*, tragédie.	J.-J. Rousseau à Venise.	Mort de Fleury. 2e pacte de Famille.
1745	Rentrée en grâce. Nommé historiographe du roi. Le *Poème de Fontenoy*.	Montesquieu : *Dialogue de Sylla et d'Eucrate*.	Guerre de Succession d'Autriche : victoire française à Fontenoy (11 mai).
1746	Elu à l'Académie française.	Diderot : *Pensées philosophiques*. Condillac : *Essai sur l'origine des connaissances humaines*.	Prise de Bruxelles par les Français. Mort de Philippe V d'Espagne. Prise de Madras par La Bourdonnais.
1747	Disgrâce; séjour à Sceaux. *Zadig*, conte.	Découverte du principe du paratonnerre par Franklin. Fondation de l'Ecole des ponts et chaussées de Paris par Trudaine. Mort de Lesage.	

VOLTAIRE ET SON TEMPS DE 1749 À 1778

	la vie et l'œuvre de Voltaire	le mouvement intellectuel et artistique	les événements historiques
1749	Mort de Mme du Châtelet. Retour à Paris.	Diderot : *Lettre sur les aveugles;* emprisonnement à Vincennes. Buffon : *Histoire naturelle* (t. I, III); sa *Théorie de la terre* condamnée par la Sorbonne.	Création de l'impôt du vingtième en France.
1750	Départ pour la Prusse (28 juin).	J.-J. Rousseau : *Discours sur les sciences et les arts.*	Dupleix obtient le protectorat de Carnatic.
1751	*Le Siècle de Louis XIV.*	Premier volume de l'*Encyclopédie*. Polémiques autour du *Discours sur les sciences et les arts.*	
1752	*Micromégas.*	Première condamnation de l'*Encyclopédie*. Construction de la place Stanislas à Nancy.	Kaunitz est nommé chancelier d'Autriche; il pratiquera une politique de rapprochement avec la France.
1753	Brouille avec Frédéric II. Départ de Berlin (mars).	J.-J. Rousseau : *le Devin de village.* Réception de Buffon à l'Académie française *(Discours sur le style).*	Affaire des billets de confession. Exil et rappel du parlement de Paris.
1755	Installation aux Délices, sur le territoire de Genève.	J.-J. Rousseau : *Discours sur l'inégalité;* polémique sur ce discours. Morelly : *Code de la nature.* Klopstock : *le Messie.* Mort de Montesquieu.	Tremblement de terre de Lisbonne. Premiers actes d'hostilité de la flotte anglaise contre les bateaux français.
1756	*Poème sur le désastre de Lisbonne. Essai sur les mœurs et l'esprit des nations.*	J.-J. Rousseau s'installe à l'Ermitage; *Lettre à Voltaire sur la Providence* (18 août).	Début de la guerre de Sept Ans : prise de Minorque par les Français. Montcalm au Canada.
1758	Achat de la propriété de Ferney.	Diderot : *Discours sur la poésie dramatique.* Helvétius : *De l'esprit.* J.-J. Rousseau : *Lettre sur les spectacles.* Quesnay : *Tableau économique.*	Choiseul, secrétaire d'Etat aux Affaires étrangères. Les Russes s'emparent de la Prusse orientale.
1759	*Candide. Relation de la maladie du jésuite Berthier.*	Diderot : premier « Salon ». Deuxième condamnation de l'*Encyclopédie*. Traduction des *Saisons*, de Thomson. Fondation du British Museum.	Capitulation de Québec; mort de Montcalm.

1760	*L'Ecossaise*, comédie. *Tancrède*, tragédie. Installation définitive à Ferney.	Palissot : *la Comédie des philosophes*. Diderot : *la Religieuse*.	Occupation de Berlin par les Austro-Russes. Occupation de Montréal par les Anglais.
1762	Premiers écrits de Voltaire pour réhabiliter Calas, exécuté en mars.	J.-J. Rousseau : *Du contrat social; Emile*; condamnation de cet ouvrage par le parlement et l'Eglise. Gluck : *Orphée*.	Avènement de Catherine II de Russie; proclamation de la neutralité russe.
1763	*Traité sur la tolérance*.	Mably : *Entretiens de Phocion sur le rapport de la morale avec la politique*. Polémique à propos de l'*Emile*. Mort de Marivaux.	Traités de Paris et d'Hubertsbourg, qui concluent la guerre de Sept Ans.
1764	*Dictionnaire philosophique portatif*. Edition du théâtre de Corneille. *Jeannot et Colin*, conte.	J.-J. Rousseau : *Lettres écrites de la montagne*. Soufflot commence la construction du Panthéon.	Suppression de l'ordre des Jésuites en France. Mort de Mme de Pompadour.
1766	*Relation de la mort du chevalier de La Barre*.	J.-J. Rousseau en Angleterre. Turgot : *Réflexions sur la formation et la distribution des richesses*.	Rattachement de la Lorraine à la France. Voyage de Bougainville dans les mers australes.
1767	*L'Ingénu*, conte.	Beaumarchais : *Eugénie*, drame bourgeois, avec préface contre la tragédie classique. Expérience de Watt sur la machine à vapeur.	
1768	*La Princesse de Babylone* et *l'Homme aux quarante écus*, contes.	J.-J. Rousseau en Dauphiné. Carmontelle : premiers *Proverbes dramatiques*. Quesnay : *la Physiocratie*.	Achat de la Corse. Premier voyage de Cook dans les mers australes.
1772	*Epître à Horace*.	Ducis : *Roméo et Juliette*, tragédie d'après Shakespeare.	Premier partage de la Pologne. Deuxième voyage de Cook.
1778	Retour à Paris. Représentation d'*Irène*. Mort le 30 mai.	Mort de J.-J. Rousseau (2 juillet). Diderot : *Essai sur les règnes de Claude et de Néron*. Buffon : *les Epoques de la nature*.	Alliance entre la France et les Etats-Unis d'Amérique. Création d'une assemblée provinciale en Berry. Mort du premier Pitt.

BIBLIOGRAPHIE SOMMAIRE

OUVRAGES GÉNÉRAUX

Gustave Lanson	*Voltaire* (Paris, Hachette, 1906).
André Maurois	*Voltaire* (Paris, Gallimard, 1935).
Raymond Naves	*Voltaire, l'homme et l'œuvre* (Paris, Boivin-Hatier, 1942).
René Pomeau	*Voltaire par lui-même* (Paris, Éd. du Seuil, 1955). — *La Religion de Voltaire* (Paris, Nizet, 1956). — *Politique de Voltaire* (Paris, A. Colin, 1963).
Charles Dedayan	*Voltaire et la pensée anglaise* (Paris, S. E. D. E. S., 1957).
Marie-Margareth H. Bart	*Quarante Ans d'études voltairiennes. Bibliographie* (Paris, A. Colin, 1958).
Jean Orieux	*Voltaire ou la Royauté de l'esprit* (Paris, Flammarion, 1966).

ÉDITION CRITIQUE

Gustave Lanson	*les « Lettres philosophiques »* (Paris, Hachette, 1930).

Voltaire : *Correspondance* (notes de l'édition définitive établies par Théodore Besterman, trad. fr. par Frédéric Deloffre, Paris, Éd. Gallimard, coll. « la Pléiade », 8 vol. parus, 1983).

LETTRES PHILOSOPHIQUES
1734

NOTICE

CE QUI SE PASSAIT VERS 1734

■ ***EN POLITIQUE :*** *L'ancien précepteur du roi Louis XV, le cardinal Fleury, est Premier ministre. Il pratique avec le contrôleur général Orry — après la banqueroute de Law — une politique d'économies. Son ministère est marqué par d'incessantes querelles religieuses : affaire des convulsionnaires de Saint-Médard (1731). Déclaration royale imposant au clergé la bulle* Unigenitus. *Guerre de la Succession de Pologne. Siège et prise de Philippsbourg, où est tué Berwick. Capitulation de Dantzig, assiégée par les Russes. Défaite des Impériaux à Guastalla.*

■ ***EN LITTÉRATURE :*** Histoire critique de l'établissement de la monarchie française dans les Gaules, *par l'abbé Du Bos; Montesquieu publie les* Considérations sur les causes de la grandeur des Romains et de leur décadence; *Marivaux :* la Méprise, le Petit-Maître corrigé, le Paysan parvenu, *roman inachevé.*

■ ***DANS LES ARTS :*** *Servandoni travaille depuis 1733 à la façade de Saint-Sulpice. Lemoyne travaille à Versailles au salon d'Hercule. On tisse aux Gobelins, de 1735 à 1745, la tenture des chasses de Louis XV, sur les cartons d'Oudry. Premiers travaux de Buffon. Lancret disciple de Watteau. Débuts de Boucher. Chardin maître dans le genre familier, Quentin de La Tour dans le pastel. Musique de clavecin par Couperin; J.-S. Bach :* Oratorio de Noël.

CONCEPTION ET PUBLICATION

Le succès d'*Œdipe*, tragédie terminée à la Bastille, permet à Voltaire d'être reçu avec faveur dans les milieux aristocratiques (1718-1726). Mais cette situation est déjà caractéristique de l'état de la société du temps, non moins que l'issue qu'elle aura avec l'affaire de Rohan : la bourgeoisie accède aux honneurs, fait sentir le poids de son dynamisme économique et, dans le cas présent, intellectuel; toutefois, l'inégalité demeure entre noblesse et bourgeoisie : un incident suffit pour le rappeler. C'est ainsi qu'en 1726 Voltaire, s'étant pris de querelle avec le chevalier de Rohan, est bastonné sur l'ordre de ce dernier sans obtenir une réparation par les armes — c'est-à-dire un duel —, réservée à des adversaires de même naissance. La royauté, dont le pouvoir repose sur cette structure sociale, envoie très logiquement Voltaire à la Bastille, ce qui clôt la querelle; mais le pouvoir accomplit une faute grave ensuite en l'embarquant pour l'Angleterre. Cette erreur est encore relativement excusable si l'on tient compte de la date : 1726. En effet, l'opposition faite par les penseurs et les hommes de lettres marquants de l'époque n'a pas encore l'impact qu'elle aura vingt-cinq ans plus tard. D'autre part, Voltaire n'a pas encore révélé, comme il le fera avec les *Lettres philosophiques* précisément, les lignes de force de sa pensée et le talent de pamphlétaire qui donnera toute sa force percutante à ses idées.

Voltaire ne découvre pas l'Angleterre pendant son séjour : sa fréquentation de Bolingbroke lui a déjà appris beaucoup, notamment sur la nécessité de la tolérance lorsque l'État contrôle la religion établie. Mais, de 1726 à 1729, ayant passé la trentaine, il peut à la fois observer, vérifier et corriger ce qu'il savait déjà, nouer des relations, interroger. L'expérience directe lui apporte beaucoup. Accueilli par lord Bolingbroke et le négociant Falkener, Voltaire manifeste une curiosité très vive pour tout ce qui l'entoure. Il s'initie à la politique anglaise et voit vivre les différentes sectes religieuses, mais il recueille le jugement des Anglais sur ces deux points; il apprend l'anglais et lit des œuvres littéraires (Shakespeare, Pope, Butler, Swift), des philosophes (Locke, Toland, Tindau, etc.); il assiste aux funérailles de Newton et découvre la pensée de celui-ci. Rien d'étonnant si, animé à l'égard du système français des sentiments qu'on devine, il fait des comparaisons — avec une impartialité parfois discutable. De là sortiront les *Lettres philosophiques*. Pourtant, il faudra attendre cinq ans après son retour pour voir paraître l'ouvrage, dont l'aspect définitif ne date, en fait, que des années 1730-1733. Le travail essentiel de rédaction est de 1729-1730. Dans le même ordre d'idées, les *Lettres* de Voltaire ne sont pas sans prédécesseur : si les *Lettres persanes* sont une tentative différente, visant à prendre une vue extérieure sur la France, les lettres et les dissertations de Saint-Évremond de même que les *Mémoires* du chevalier de Gramont sont des informations sur l'Angleterre et invitent à une comparaison.

En avril 1734 paraissent — sans l'assentiment de Voltaire — les *Lettres philosophiques*. Dans le public, c'est un succès retentissant; mais la réaction du pouvoir est à sa mesure : le 10 juin 1734, le parlement prend un arrêt condamnant l'ouvrage comme « propre à inspirer le libertinage le plus dangereux pour la religion et pour l'ordre de la société civile »; le livre est lacéré et brûlé; l'éditeur Jorre est arrêté; une lettre de cachet est lancée contre Voltaire, qui s'enfuit en Lorraine, puis s'installe près de la frontière, à Cirey, chez Mme du Châtelet. Voltaire écrira à d'Argental : « Vraiment, puisqu'on crie tant sur ces fichues *Lettres*, je me repens bien de n'en avoir pas dit davantage! » De nombreuses rééditions clandestines auront lieu jusqu'à l'insertion de l'ouvrage, en 1742, dans les *Œuvres complètes* de Voltaire. Jusqu'à la fin de sa vie, l'auteur y apportera retouches et compléments.

STRUCTURE DES *LETTRES PHILOSOPHIQUES*

On peut distinguer dans cette œuvre cinq centres d'intérêt successifs.

1. Les questions religieuses (lettres I à VII).

Les quatre premières lettres sont consacrées aux quakers, non que ces derniers aient en Angleterre une place prédominante, mais parce que Voltaire les aime bien : sans doute sont-ils ridicules par certains aspects, mais ils sont humbles, honnêtes et tolérants; de plus, ils n'ont pas de dogmes — pas plus que de prêtres. En somme, par là, ils se rapprochent du déisme cher à Voltaire. Les lettres V et VI sont, elles, hostiles aux anglicans et aux presbytériens, auxquels Voltaire fait des reproches assez voisins de ceux qu'il formulerait contre l'Église catholique : rigidité dogmatique, intolérance, ambitions temporelles. La lettre VII concerne les « sociniens, ou ariens, ou anti-trinitaires », présentés avec sympathie; ce sont presque des déistes, ce qui explique l'attitude de Voltaire.

2. La politique et l'économie (lettres VIII à X).

La lettre VIII, « Sur le Parlement », présente un tableau du régime politique anglais, dont l'équilibre fait l'admiration de Voltaire, qui y voit le moyen d'assurer la liberté civile et la paix religieuse. La lettre suivante, « Sur le gouvernement », est historique et retrace dans ses grandes lignes l'évolution politique de l'Angleterre jusqu'à ce stade satisfaisant que la lettre précédente vient de décrire. La lettre X, « Sur le commerce », insiste sur deux aspects complémentaires : ce sont les négociants qui enrichissent leur pays; en Angleterre, un marchand est un homme considéré.

3. Les sciences et la philosophie (lettres XI à XVII).

La lettre XI porte sur l'« insertion de la petite vérole »; Voltaire y montre les premières tentatives de vaccination contre la variole (dont mourra Louis XV) et témoigne de son admiration pour l'esprit ouvert et pratique des Anglais en ce domaine. Dans la lettre XII, il fait l'éloge de Bacon, « le père de la philosophie expérimentale ». Les lettres suivantes sont une attaque contre Descartes et le système cartésien. La lettre XIII, « Sur M. Locke », faisant suite en cela au développement sur Bacon, insiste sur le rôle capital de l'expérience et s'oppose à la métaphysique cartésienne, notamment à la théorie des idées innées. Les lettres XIV à XVII sont consacrées à Newton; la première oppose Descartes (à qui Voltaire reconnaît cependant un rôle d'initiateur dans le domaine scientifique) à Newton; la lettre XV tente un effort de vulgarisation en exposant et en expliquant le « système de l'attraction » de Newton. La lettre XVI porte sur les découvertes de ce dernier en optique; enfin, la lettre XVII, « Sur l'infini et sur la chronologie », présente en particulier le calcul infinitésimal.

4. La littérature (lettres XVIII à XXIV).

La lettre XVIII, « Sur la tragédie », permet à Voltaire de présenter Shakespeare en donnant quelques traductions de sa main. La lettre suivante, « Sur la comédie », oppose à Molière le théâtre comique anglais et fait une place importante à Wicherley et à Congreve. Les lettres XX à XXII concernent la poésie, notamment Pope, à qui est consacrée une part importante de la lettre XXII; mais c'est aussi l'occasion pour Voltaire, notamment dans les lettres XX et XXI, de faire passer, sous couleur de traductions destinées à faire connaître la manière des écrivains dont il traite, des critiques contre la religion. Le même procédé est d'ailleurs repris dans la lettre XXII. La lettre XXIII, « Sur la considération qu'on doit aux gens de lettres », témoigne de l'estime et du respect qu'en Angleterre on porte aux écrivains, aux artistes et notamment aux comédiens, ce qui entraîne Voltaire à trouver la France illogique dans sa manière de traiter ces derniers et à faire la critique de ceux qui condamnent le théâtre au nom de la religion. La lettre XXIV compare la situation de la France et de l'Angleterre concernant les académies et leurs occupations.

5. La lettre XXV « Sur les *Pensées* de M. Pascal ».

Sans qu'apparemment des liens très étroits rattachent ces remarques au reste de l'ouvrage, Voltaire termine les *Lettres philosophiques* avec des commentaires critiques sur quelques Pensées de Pascal. Le procédé est le suivant : Voltaire cite, précédé de sa référence dans l'édition qu'il détient, la Pensée ou le Fragment de Pascal. Puis il propose un commentaire critique dans lequel il s'inscrit en faux. C'est à la fois le conflit de deux tempéraments et l'opposition radicale de deux conceptions de la vie. Jusqu'à la fin de sa vie, Voltaire a complété cette section des *Lettres philosophiques*.

COHÉRENCE INTERNE

La technique utilisée par Voltaire — une suite de lettres — offre l'avantage d'une grande souplesse : l'ordre des thèmes traités est indifférent; chaque problème, entièrement et seul étudié dans chaque lettre, peut être parcouru rapidement, ce qui n'exclut pas une longueur de développement différente selon les sujets abordés. Cette liberté de structure s'harmonise bien à la fois avec la personnalité de Voltaire, peu fait pour écrire un traité approfondi et en forme sur un sujet, et avec l'objectif qu'il visait : éveiller l'esprit critique du lecteur, être un « inquiéteur ». Toutefois, comme la brève analyse précédente le montre, la structure des *Lettres philosophiques* est moins lâche qu'on n'aurait pu le penser. Plutôt que de lettres, il s'agit de courtes dissertations, groupées par thèmes, dont l'ensemble propose une sorte de panorama sur l'essentiel. Sans doute est-il banal de reprendre à propos de ce texte l'expression de *reportage;* pourtant, c'est bien celle qui rendrait le mieux compte de ces *Lettres* : compte rendu d'un observateur qui cherche à comprendre les choses de l'intérieur, mais aussi d'un observateur étranger écrivant pour ses compatriotes; une sélection de faits correspondant à la fois aux goûts personnels de l'« envoyé spécial », au besoin de viser à l'essentiel et aussi à son souci critique. Raymond Naves, dans son édition cr tique des *Lettres* à la librairie Garnier, écrit sur ce plan : « To cela, dont le détail peut sembler hétérogène, est commandé par même souci, qui est de rendre aux hommes confiance en eux-mê de leur montrer qu'avant de désespérer, ou de s'exaspérer le contre les autres, ou d'abdiquer au profit d'absolus mystiq d'arbitraires vaniteux, ils ont, dans la limite de leur puissan belles choses à faire : organiser leur vie confortablement, prendre et se tolérer les uns les autres, préférer à la recherc vérité inaccessible celle d'une beauté, ou plus exactement par lequel l'homme atteint le maximum de finesse et de dont il est capable. » Les mêmes considérations qui pe voir dans les *Lettres philosophiques* un ensemble cohérent justifient, du moins expliquent, la stylisation que Voltaire fait subir à la réalité qu'il peut observer en Angleterre. En effet, l'auteur cherche moins à faire une description objective, mettant en relief défauts et qualités, qu'à suggérer un modèle idéal, mais réalisable, dont l'Angleterre réelle est assez proche.

LES IDÉES DE VOLTAIRE DANS LES *LETTRES PHILOSOPHIQUES*

En 1734, Voltaire laisse apparaître déjà dans cette œuvre les lignes de force de ce qui constituera, jusqu'à la fin de sa vie, sa pensée militante. Sur un certain nombre de points, sans doute, il évoluera : une comparaison entre les *Lettres philosophiques, Zadig* et *Candide* pourra, dans cet esprit, être conduite utilement. Mais les grands thèmes sur lesquels Voltaire se battra toute sa vie sont déjà présents dans cette œuvre de 1734.

I. La philosophie.

Comme dans le domaine scientifique, Voltaire insiste sur deux choses essentielles à ses yeux : l'homme doit avoir une claire conscience de ses limites; il doit accepter de se soumettre à l'expérience. Le reproche qu'il fait à Descartes s'inscrit dans cette perspective : la métaphysique est vaine, car elle est un jeu spéculatif (d'où les contradictions entre les systèmes); elle ne peut rien expliquer de façon convenable — et donc elle représente une perte de temps; mais elle est également dangereuse, non seulement parce qu'elle nous détourne d'autres activités plus utiles au bonheur de l'homme, mais aussi parce qu'elle fonde la certitude intérieure, qui pousse à l'intolérance ceux qui croient ainsi détenir la vérité : on retrouve alors l'« esprit de croisade », si l'on peut dire, qui consiste à convertir de force ou à éliminer ceux qui pensent autrement, c'est-à-dire, dans cette optique, qui pensent mal. Dès lors, si, avec Voltaire, on se détourne de ces hautes spéculations, il reste à organiser la vie en société de manière que celle-ci apporte le maximum de bonheur à la fois individuel et collectif; toutes les *Lettres philosophiques* vont dans ce sens : pour Voltaire, le système anglais tel qu'il l'expose est la solution idéale réalisable dans l'état de civilisation du temps. C'est une préfiguration de l'expérience de Ferney et de la conclusion de *Candide,* mais sous une forme plus optimiste. Voltaire laisse toutefois place au sentiment religieux, à condition qu'il s'agisse d'une sorte de religion intérieure, sans dogmes ni Église constituée. L'on voit ainsi combien il est artificiel, dans un tel système où tout se tient, d'établir des divisions : de ce principe de départ qu'il faut rechercher le bonheur et accepter ses limites, on déduit la forme et la place du sentiment religieux; les découvertes scientifiques, les méthodes de la science fondent cette humilité des ambitions de l'homme; le bonheur dans la vie en société implique la recherche du système politique le plus adapté, lui-même reposant sur un certain nombre de principes économiques. Enfin, dès maintenant, il est facile d'apercevoir pourquoi Voltaire s'est opposé aussi nettement et avec une telle constance à Pascal. Plus tard, Voltaire sera amené à nuancer ou à compléter ses positions dans le domaine philosophique : le problème de la providence, posé par les disciples un peu trop catégoriques de Leibniz, amènera Voltaire à une certaine soumission d'abord *(Zadig),* puis à un pessimisme actif *(Candide),* après le cri de révolte et de découragement du *Poème sur le désastre de Lisbonne.* On pourrait penser que littérature et arts restent à l'écart de ce système. Il n'en est rien, car ce sont des éléments de la civilisation relevant du goût (problème qui a beaucoup préoccupé le XVIIIe siècle et Voltaire en particulier) qui contribuent au bonheur et peuvent également améliorer la société dans laquelle ils s'insèrent d'ailleurs.

2. Les problèmes religieux.

Deux faits sont significatifs de l'importance que Voltaire attache aux problèmes religieux. La place des textes qui y sont consacrés directement et exclusivement, d'abord : les *Lettres philosophiques,* en effet, s'ouvrent (lettres I à VII) et se terminent (lettre XXV) sur cette question. L'importance quantitative du texte qui porte sur la religion ensuite : les lettres citées ci-dessus occupent un peu plus de 37 p. 100 du total; or, il est significatif que la lettre XIII, sur Locke, porte sur l'âme, que la suivante, sur Descartes, concerne la métaphysique et que la lettre XVII, à propos de Newton, traite de l'explication et de l'âge du monde. Ainsi, l'on peut considérer que les problèmes religieux sont présents directement et sous forme détaillée dans la moitié de l'ouvrage. Mais il ne faut pas pour autant oublier, à côté de ces textes sérieux, les attaques lancées indirectement, comme les citations faites dans les lettres XX, XXI et XXII. Les lettres portant sur cette question se subdivisent nettement en deux catégories : les unes font une critique négative; les autres sont plutôt sympathiques à l'objet qu'elles traitent. Presbytériens et anglicans se voient sévèrement critiqués par Voltaire, qui les compare implicitement aux catholiques et aux protestants; le plus gros reproche qu'il leur fasse — et il est pour lui capital — est leur intolérance. Les conflits entre eux, les ambitions séculières que l'on observe chez leurs membres contribuent encore au rapprochement et à une même condamnation. En revanche, les quakers bénéficient d'un traitement beaucoup moins sévère : Voltaire n'oublie pas de souligner quelques-uns de leurs travers, mais il s'agit là seulement de ridicules et non pas de défauts qui les rendraient dangereux. Cependant, l'exemple de Fox témoigne de la manière dont, insensiblement, des dogmes s'instaurent. Voltaire conservera toujours sa sympathie pour les quakers, et cela essentiellement parce que leur religion est toute spirituelle. Comme lui, ces derniers font passer la morale avant la théologie, et la Pennsylvanie représente pour Voltaire une réalisation intéressante. Quant aux sociniens, il semblerait que Voltaire ait fait, en parlant d'eux, œuvre plus d'imagination que d'observation. Peu nombreux, ne formant pas un groupe défini, quelle pouvait être leur importance? En fait, ils rendent surtout service à Voltaire, qui « veut rattacher son déisme à une tradition », comme l'écrit R. Naves *(op. cit.)*, qui ajoute un peu plus loin : « Nous voyons ainsi se former, dès les *Lettres philosophiques*, la grande idée chimérique du futur patriarche : unir la philosophie et la religion éclairée, forcer la main aux chrétiens libéraux et les encourager en leur présentant le tableau optimiste d'un théisme respectueux, déjà répandu par le monde, enfin ébaucher le rêve d'une Salente vertueuse et sereine, comme la Pennsylvanie des quakers ou la Caroline de Locke; c'est bien avec ce programme qu'il s'installera aux Délices en 1755, plus confiant et plus ardent encore qu'en 1730. Sur le terrain religieux, les *Lettres philosophiques* contiennent donc l'essentiel du voltairianisme militant. »

Sur le plan général des relations des Églises et de l'État, Voltaire souligne l'intérêt du pluralisme en Angleterre. En effet, la tolérance est pour lui fondamentale; l'association, en France, du catholicisme et de la monarchie absolue de même que la théocratie calviniste de Genève rendent impossible — ou très improbable — cette acceptation d'autres manières de penser que celle qu'officiellement on a instaurée. En Angleterre, au contraire, la multiplicité des sectes, leurs divisions entre elles aboutissent à leur neutralisation. Cette phrase de la lettre VI résume la pensée de Voltaire : « S'il n'y avait en Angleterre qu'une religion, son despotisme serait à craindre; s'il y en avait deux, elles se couperaient la gorge; mais il y en a trente, et elles vivent en paix heureuses. »

3. Voltaire et Pascal.

Ce qui précède explique la présence de cette lettre XXV, de forme et de ton différents. L'Angleterre a révélé — ou confirmé — la possibilité relativement optimiste d'une société où il fasse bon vivre pour un homme de goût épris de liberté dans le cadre d'une discipline librement acceptée. Voltaire est plus intéressé par la vie dans ce monde que par un ascétisme mystique. Son désir de manifester son opposition à Pascal est tout à fait explicable. Dès 1733, il avouait à son ami Formont : « Il y a déjà longtemps que j'ai envie de combattre ce géant »; je m'estimerais heureux, continuait-il, « si, malgré ma faiblesse, je pouvais porter quelques coups à ce vainqueur de tant d'esprits, et secouer le joug dont il les a affublés ». Cette phrase éclaire la précédente : l'enjeu n'est pas le triomphe intellectuel sur un adversaire réputé prestigieux; il s'agit — ce qui est bien plus important — de contrecarrer victorieusement l'influence, jugée néfaste par Voltaire, de Pascal sur les esprits religieux. C'est aussi pourquoi de nouvelles Remarques s'ajouteront en 1742 aux cinquante-sept premières, tandis qu'en 1777, un an avant sa mort, Voltaire justifiera ainsi quatre-vingt-quatorze autres Remarques : « De tant de disputeurs éternels, Pascal est seul resté, parce que seul il était un homme de génie; il est encore debout sur les ruines de son siècle. » Toutefois, Voltaire prend quelques précautions : il respecte le génie de Pascal; il prétend n'apporter des remarques critiques qu'autorisé par le fait que l'auteur des *Pensées* avait consigné sous cette forme des notes et non un ouvrage achevé. Mais, d'une part, c'est un moyen d'introduire la critique sous le couvert d'un éloge lancé au départ; ensuite, s'attaquant (au moins en 1734) surtout aux idées, la seconde réserve ne tient pas. En fait, il existe une opposition radicale entre la position de Pascal et celle de Voltaire, ce dernier courant de grandes chances d'avoir l'avantage auprès du public du XVIIIe siècle. Si les Remarques sont données sans ordre apparent, si elles ne portent que sur quelques Pensées, il est facile de voir que l'essentiel de la pensée de Pascal se trouve attaqué. Voltaire met l'accent sur le pessimisme de Pascal, qui présente l'homme sous « un jour odieux » et qu'il traite de « misanthrope sublime » : « Il dit éloquemment des injures au genre humain. » Sans vouloir, en quelques lignes, déterminer exactement la manière dont Voltaire prend la pensée de son adversaire, on peut suggérer à une réflexion plus approfondie quelques jalons. Pour Pascal, l'homme est malheureux à la suite du péché originel; Voltaire ne part pas du même principe; pour le premier encore, l'objectif de l'homme, du chrétien, est la vie éternelle; pour l'autre, il faut vivre dans ce monde, sans que cela interdise de penser à Dieu. Voltaire, enfin, essaie d'opposer l'amour de Dieu, donné comme exclusif chez Pascal, et l'amour des hommes. Il passe sous silence que la « misère de l'homme » a pour contrepartie sa « grandeur » et réduit étroitement la notion d'amour chrétien. D'un bout à l'autre de ces Remarques, il est facile de voir un certain optimisme chez Voltaire : si l'homme est limité, cela ne l'empêche pas de pouvoir organiser d'une manière très acceptable le monde dans lequel il vit; par ailleurs, toute certitude est impossible en métaphysique, tandis qu'il en va autrement dans le domaine scientifique; la raison, pour limitée qu'elle est, reste un instrument utilisable. Ainsi, la tactique de Voltaire consiste à rendre hommage à son adversaire soit sur un plan général — en l'appelant « génie » —, soit sur un plan purement formel — en s'inclinant devant ses qualités littéraires; dans la discussion, sur l'essentiel, Voltaire distingue ce qui est du domaine de la foi (indémontrable, indiscutable, mais aussi impossible, de ce fait, à imposer à tous) et ce qui ressortit de la raison (domaine d'un niveau beaucoup plus modeste, apparemment, où Voltaire se maintient; mais c'est sur ce plan qu'il convainc). Robert Mauzi, dans *l'Idée de bonheur au XVIIIe siècle,* écrit : « La démonstration voltairienne se déploie autour de deux thèmes : l'homme ne pose pas plus de problèmes, quant à son existence et sa nature, que tout ce qui peuple avec lui l'univers; son sort n'est pas un tissu de misères et témoigne, au contraire, d'une adaptation parfaite à sa destination. »

4. Voltaire et les sciences.

Pourquoi Voltaire s'attaque-t-il avec une telle application à Descartes, qui a été considéré comme un initiateur, comme un facteur de progrès dans le monde scientifique? C'est que, d'une part, la métaphysique cartésienne représente ici la théologie et que, d'autre part, Voltaire accuse Descartes d'avoir d'abord construit un système métaphysique et d'avoir ensuite tenté de faire cadrer la réalité avec ce système. Ce qu'au contraire Voltaire salue en Bacon, c'est le début de la philosophie et de la science expérimentales; ce qu'il apprécie chez Locke, chez Newton, c'est le refus de faire appel à quelque notion transcendante que ce soit. « Surtout, écrit J. Vier dans son *Histoire de la littérature française au XVIIIe siècle,* la pensée anglaise grâce à Bacon et à Newton a constitué une Science. Voltaire avait besoin d'un Aristote; l'Angleterre le lui fournit en deux personnes, l'une qui prépare, conçoit et pressent, l'autre qui imagine et qui achève, tous deux, bien entendu, soumis à l'expérience, seule garantie d'infaillibilité; leur modestie fait leur grandeur, car la nature ne livre ses secrets qu'à une investigation prudente. Si l'on va au fond du newtonianisme, tel que Voltaire le voit et le propage, un sentiment de délivrance y domine. » D'une manière plus précise, Voltaire rend hommage à Descartes sur le plan de la géométrie, mais il refuse toute valeur aux tentatives de ce philosophe dans les autres sciences. « La France, explique Emmanuel Berl, s'entêtait à rester cartésienne, après avoir longtemps renâclé devant Descartes. Elle continuait à défendre les tourbillons, la matière subtile, les atomes crochus, à nier l'existence du vide, elle n'en démordait pas depuis *les Femmes savantes.*

« Le bon sens de Voltaire a dû l'avertir que Descartes, comme physicien, n'était pas moins dogmatique qu'Aristote et ne tenait pas plus compte de l'expérience que les scolastiques dont il s'était moqué. » Sur ce point, Voltaire oppose nettement Newton au philosophe français : « Ce sont les tourbillons qu'on peut appeler une qualité occulte, puisqu'on n'a jamais prouvé leur existence. L'attraction, au contraire, est une chose réelle, puisqu'on en démontre les effets et qu'on en calcule les proportions. La cause de cette cause est dans le sein de Dieu » (lettre XV). Il est notable, d'ailleurs, que Voltaire, dont les capacités scientifiques restaient limitées, ait deviné en Newton un savant de grande valeur et dont les travaux auraient des répercussions lointaines, tandis que Fontenelle, plus assuré nettement en matière de sciences, restait en arrière.

Mais les sciences nous ramènent encore aux grands problèmes étudiés plus haut : Locke est modéré, prudent, et c'est une des raisons majeures de l'intérêt de Voltaire pour lui. On se reportera à *Micromégas*, lorsque les géants interrogent les passagers du bateau qu'ils ont recueilli sur leur ongle, et l'on comparera les réponses du disciple de Locke à celles des autres. « C'est cet esprit d'honnêteté, explique E. Berl, cette crainte de la jactance qu'intarissablement Voltaire louera chez Locke. Comme il l'a trouvé plus prudent que ses rivaux, il l'a estimé, par là même, plus sensé. [...] Newton lui a fait sentir que le fanatisme n'était pas moins incompatible avec la majesté de Dieu qu'avec la fraternité des hommes. De toute façon, il était affreux qu'ils s'entre-tuent, mais le pire scandale, c'était qu'ils mêlent Dieu à leurs fureurs sadiques, qu'ils se figurent le servir quand ils s'abandonnaient à leurs penchants bestiaux et s'entr'égorgeaient. »

Aussi, l'étude de la physique newtonienne et l'étude historique de la religion, des textes qu'elle invoque et des crises de fanatisme successives qu'elle provoque, semblent à Voltaire se compléter l'une l'autre. Ce sont les deux volets d'un même tableau. Par là, un lien s'établit non seulement entre les lettres sur la religion et celles qui portent sur philosophie et sciences, mais entre *la Ligue* (qui deviendra *la Henriade*), les *Lettres philosophiques* et l'*Essai sur les mœurs*, auquel Voltaire va travailler à Cirey.

5. Les problèmes politiques, économiques et sociaux.

Les conceptions politiques de Voltaire découlent en grande partie de ses principes sur l'homme et sa condition. Si l'homme, en effet, n'est pas misérable, enchaîné dans un canton retiré de l'univers, dans la seule attente de la mort, qui le délivrera ou le damnera, son objectif doit être de vivre le mieux possible dans son existence terrestre. Laissant de côté l'optimisme extrême (l'homme est bon naturellement) comme le pessimisme intégral (l'homme est mauvais) pour une solution intermédiaire, plus conforme à l'expérience courante, Voltaire considère l'homme comme un amalgame de bonnes et de mauvaises virtualités, dans un monde du même type. Toutefois, il faut distinguer entre deux catégories assez contrastées : une élite pensante, internationale, qui a un rôle à jouer pour la diffusion et le développement de la civilisation, et une masse qui ne pense pas, qui se laisse manipuler facilement et qui peut facilement se retourner contre ceux mêmes qui tentent de la sortir de cette situation d'ignorance vulnérable. Cela ne signifie d'ailleurs pas qu'il faille renoncer à éclairer la « canaille », comme en témoigne ce passage d'une lettre de Voltaire à d'Alembert en date du 5 février 1765 : « Il y a peu d'êtres pensants. Mon ancien disciple couronné [Frédéric II de Prusse] me mande qu'il n'y en a guère qu'un sur mille; c'est à peu près le nombre de la bonne compagnie; et s'il y a actuellement un millième d'hommes de raisonnable, cela décuplera dans dix ans. Le monde déniaise furieusement. Une grande révolution dans les esprits s'annonce de tous côtés. » Ainsi, la civilisation évolue dans un sens positif grâce aux lumières; Voltaire a « foi dans l'avenir de l'humanité ». Il faut donc contribuer à faire évoluer l'économie, la société et les systèmes politiques.

Voltaire est hostile à la monarchie absolue pour des raisons de principe d'abord : ce qui fonde celle-ci est chimérique; les conséquences sont désastreuses. Le despotisme éclairé n'apparaît encore ni comme une séduction ni comme un échec au moment des *Lettres philosophiques*. Quant à la démocratie, comme beaucoup d'autres penseurs du XVIIIe siècle, Voltaire la croit une utopie ou un cas particulier; son jugement sur le plus grand nombre, d'ailleurs, interdit, en bonne logique, que ce système lui paraisse viable. Son idéal est le régime anglais : une monarchie, certes, mais contrôlée, équilibrée par les représentants de l'élite de la nation. C'est une situation d'équilibre à laquelle l'Angleterre est parvenue après une longue évolution, à la fois par une résistance constante au pouvoir des rois et par un appui sur les richesses nationales, produites par une économie moderne, fondée sur l'industrie et le commerce. En cela, Voltaire se rapproche de Montesquieu, bien que, probablement, ses mobiles soient différents : les corps intermédiaires de ce dernier sont plutôt des représentants d'une élite sociale passéiste, de laquelle Montesquieu participe : noblesse et parlement. Voltaire pense au rôle que jouent en Angleterre les Communes et se félicite que la noblesse anglaise participe à la vie économique, se lance dans le négoce. A ce point de vue, il ne s'agit pas de remplacer un système sclérosé, devenu inadapté — la monarchie absolue française —, par un système ouvert, s'adaptant progressivement à toute évolution; ce serait le cas d'une démocratie laissant, en théorie du moins, ses chances à tout individu de valeur quel que soit son milieu. Voltaire souhaite une régularisation de la situation politique et sociale sur l'état de fait économique; les structures, en effet, maintiennent au XVIIIe siècle des privilèges (en matière fiscale en particulier) et une suprématie de la noblesse qui ne sont plus adaptés à l'économie du temps : les ressources du pays proviennent de la bourgeoisie, qui ne peut participer, en tant que corps, à la vie politique, qui seule avec le peuple paie des impôts, qui se heurte à des « blocages » dans son ascension sociale. C'est d'ailleurs cette régularisation qu'opérera la Révolution française.

Le meilleur gouvernement, cette monarchie de type anglais, favorisera l'essor et la diffusion de la civilisation. Voltaire dénonce les guerres comme des folies ruineuses dès les *Lettres philosophiques;* de la même manière, des relations trop étroites entre le pouvoir politique et la religion entraînent des désordres dont tout le monde souffre; la situation économique de la France après les guerres de Religion en témoigne à la fin du XVIe siècle. Pour Voltaire, explique R. Naves *(op. cit.)*, « il s'agit d'éviter que des opinions ou des croyances dirigent la société civile; celle-ci ne demande qu'un équilibre matériel, et elle doit le trouver dans une saine administration, après l'étude objective des besoins et des ressources. Si les systèmes et les dogmes s'en mêlent, c'est aussitôt le désaccord entre les hommes, les querelles et les guerres civiles; les hommes lâchent la proie pour l'ombre dès que les idées sont en jeu. Aussi convient-il particulièrement d'enlever à la religion toute puissance politique; comme les catholiques, les anglicans ont voulu cette puissance, et il en est résulté les pires aventures. La paix sociale doit d'abord être laïque ».

D'autre part, un contrôle de la monarchie, en limitant l'arbitraire possible, garantirait ces libertés individuelles que possède l'Angleterre, tandis que la France en est dépourvue : Voltaire ne vient-il pas d'en faire l'expérience?

Mais le rôle d'un gouvernement ne s'arrête pas là; il est aussi de favoriser la civilisation morale et matérielle. Sur ce dernier plan, Voltaire, dans sa lettre X, « Sur le commerce », adopte un point de vue assez rare à l'époque; loin d'être un paradoxe, sa défense de l'argent gagné, du luxe se retrouve peu après dans *le Mondain* et s'illustrera non seulement dans la carrière personnelle de Voltaire, mais dans son expérience de Ferney. Sans doute, plus tard, l'éloge du négociant deviendra-t-il un poncif d'une certaine littérature (cf., en particulier, *le Philosophe sans le savoir* de Sedaine); pour le moment, on se souvient plutôt du M. Jourdain de Molière, du Turcaret de Lesage, des Troglodytes de Montesquieu. Ce que Voltaire, ainsi que Sedaine, veut montrer, c'est tout à la fois la dignité du travail (par opposition à l'oisiveté des nobles français), la véritable puissance d'un pays (qui réside plus dans son pouvoir économique que dans ses conquêtes territoriales), les qualités de cœur et d'esprit d'une haute bourgeoisie d'affaires qui s'oppose au monde aristocrate ambigu de la Régence. Sans doute y a-t-il là une sorte de plaidoyer « pro domo » de la part de Voltaire, vengeant ainsi l'affront qui lui a été fait avec l'affaire de Rohan; mais il y a aussi la conviction que l'enrichissement profite à l'ensemble de la nation et l'impression que cette élite sociale et économique est plus ouverte que celle qui se fonde sur un système héréditaire. En outre, Voltaire, ici, ne s'appuie pas seulement sur l'exemple anglais; il connaît aussi les Provinces-Unies.

Ainsi, la monarchie absolue, qui a représenté un progrès par rapport à la féodalité, doit laisser place à ce que R. Naves appelle « une sorte de république bourgeoise et commerçante où les citoyens songent surtout à être utiles ». Dans ce dernier cadre, les valeurs morales et intellectuelles sont le travail et la « philosophie » au sein d'une société à deux niveaux essentiels, que schématise ainsi R. Naves : « Les arts et les métiers, qui n'exigent pas des « lumières » mais conviennent à l'ensemble du peuple et occupent utilement sa vie laborieuse; pour l'élite, l'« honnêteté », faite de philosophie paisible et de luxe intelligent, mais aussi d'ardeur pour combattre la superstition et pour éclairer progressivement tous ceux qui peuvent être éclairés. »

On débouche ainsi sur la dernière étape, les problèmes culturels, en même temps que s'explique le changement de conception de l'histoire qui s'opère avec Voltaire : les hauts faits militaires, les tractations diplomatiques, la vie du souverain prennent une place secondaire, tandis que les mœurs, les faits de civilisation ont la première place; l'illustration en sera donnée dans l'*Essai sur les mœurs* et dans *le Siècle de Louis XIV.*

6. La littérature.

Les lettres XVIII à XXIV, concernant les lettres et les arts, se divisent en réalité en deux catégories : les unes proposent des jugements de Voltaire sur un certain nombre d'écrivains et d'œuvres, et c'est là affaire de goût; les autres traitent des relations entre l'État et les intellectuels et les artistes, de la place de ces derniers dans la société, et nous retrouvons là un problème qui rejoint ceux que nous venons d'évoquer.

Il est bien certain que Voltaire, après son altercation avec le chevalier de Rohan, attache pour des raisons personnelles une importance primordiale à la « considération due aux gens de lettres ». Mais il serait mesquin et inexact de ne voir que ces raisons personnelles à son plaidoyer. D'ailleurs, dans le détail, les choses sont plus nuancées. Ainsi, l'auteur rend hommage à Louis XIV d'avoir créé des académies qui encouragent les lettres et les sciences. Toutefois, le point le plus important est la place dans la société des intellectuels et des artistes. L'exemple donné d'Addison, auteur dramatique, qui « a été secrétaire d'État », en témoigne. Sur ce plan, la comparaison établie entre la France et l'Angleterre n'est que partiellement justifiée. Il est certain que l'écrivain, l'artiste sont un peu considérés en France à l'époque comme des amuseurs ou que, du moins, à talent et à prestige égaux, ils ne jouissent pas des avantages qu'obtiennent d'autres catégories professionnelles. Mais, pour ne pas remonter trop loin dans le temps, les écrivains, au XVIIe siècle, sont encore des amateurs pour qui la littérature n'est qu'un passe-temps ou bien ils sont entretenus par de grands personnages (cas de La Fontaine) ou par le roi. Au XVIIIe siècle, deux éléments nouveaux bouleversent la situation : l'affaiblissement de la monarchie et le fait que les écrivains, au lieu d'attacher l'importance la plus grande à la forme de l'œuvre, à la fois se préoccupent surtout d'idées — et plus précisément de politique et d'économie — et font de l'opposition. Il n'était guère possible d'attendre de la monarchie absolue qu'elle distingue et récompense l'auteur des *Lettres persanes* ou celui des *Lettres philosophiques*. Ce n'est donc que dans le cadre d'un système politique tel que celui de l'Angleterre, s'il est conforme à la description qu'en fait Voltaire, que la revendication de Voltaire pourrait être satisfaite. Pourtant, dans une refonte de la lettre XVII, sur Newton, en date de 1756, Voltaire écrit : « J'avais cru dans ma jeunesse que Newton avait fait sa fortune par son extrême mérite. Je m'étais imaginé que la Cour et la ville de Londres l'avaient nommé par acclamation Grand-Maître des Monnaies du Royaume. Point du tout. Isaac Newton avait une nièce assez aimable, nommée Madame Conduit; elle plut beaucoup au grand trésorier Halifax. Le calcul infinitésimal et la gravitation ne lui auraient servi de rien sans une jolie nièce. » De son côté, André Bellessort, dans son *Essai sur Voltaire*, témoigne qu'il ne s'agit pas là d'un oubli : « On a répondu à cet éloge des écrivains anglais qu'il aurait pu voir Thomson vendant son poème pour s'acheter des souliers, Savage couchant dans la rue, Johnson restant quarante-huit heures sans manger. Il aurait pu les voir; il ne les avait pas vus, car il vivait dans un monde où l'on ne voit pas ces choses-là. » Ce n'est pas sa passion pour le théâtre qui est la seule source de son indignation sur la manière dont, en France, on traite les comédiens. C'est aussi un sentiment de révolte morale; précédé en cela par Boileau *(Epître VI)*, Voltaire reviendra souvent sur ce sujet.

Sur le plan des textes littéraires, il paraît donner un aperçu de la littérature anglaise; en fait, deux aspects seulement de celle-ci l'intéressent : le théâtre et la poésie philosophique. Il n'y a pas grand-chose à dire sur cette dernière, car Voltaire, préoccupé des idées développées, laisse en retrait le côté esthétique; les citations qu'il fait dans une traduction de son cru éclairent sur ses motifs. C'est sur le théâtre qu'il convient d'apprécier son jugement. Tout d'abord Voltaire se veut initiateur : comme le montre la lettre XVIII, « Sur la tragédie », il cherche à révéler au public français les « beautés » des écrivains anglais; il n'insiste guère sur les défauts, à l'opposé de ce qu'il fera quelque trente ans plus tard — les motifs étant différents. Concernant la tragédie, il s'attache surtout à Shakespeare. Son jugement sur ce dernier pourrait se résumer dans cette phrase de *l'Appel à toutes les nations*, qu'il écrivit en 1761 : « C'est un diamant brut qui a des taches; si on le polissait, il perdrait de son poids. » Treize ans plus tôt, Voltaire soulignait l'hétérogénéité du grand dramaturge : « Il semble que la nature se soit plu à rassembler dans la tête de Shakespeare ce qu'on peut imaginer de plus fort et de plus grand, avec ce que la grossièreté sans esprit peut avoir de plus bas et de plus détestable » *(Dissertation sur la tragédie).* Ce qui témoigne de sa constance de jugement sera cet extrait d'une lettre à Horace Walpole, en date du 15 juillet 1768 : « J'avais dit que son génie était à lui, et que ses fautes étaient à son siècle. C'est une belle nature, mais bien sauvage; nulle régularité, nulle bienséance, nul art, de la bassesse avec de la grandeur, de la bouffonnerie avec du terrible; c'est le chaos de la tragédie, dans lequel il y a cent traits de lumière. » Ce dernier passage met bien en relief à la fois pourquoi Shakespeare intéressera les romantiques et comment le goût de Voltaire reste encore marqué par l'époque classique. Il juge en fonction d'un absolu, le bon goût, résultant du respect de certaines règles éternelles et fondées en raison. E. Berl rappelle ceux qui seraient tentés de juger sévèrement Voltaire à un certain sens historique : « Rien ne serait plus absurde que de le condamner en tant qu'artiste formé par le XVIIe siècle finissant, au nom du relativisme historique. Une fois admis qu'il fut légataire de Ninon [de Lenclos] et non d'Elisabeth Ire [d'Angleterre], ses jugements sur Shakespeare sont étonnants de justesse. » Pour la comédie, Voltaire adopte d'autres critères que pour la tragédie, car il s'agit de deux domaines différents (voir le dernier paragraphe de la lettre XIX), correspondant à des critères également différents. Cette distinction est fondamentale. S'il préfère Congreve à Wicherley, c'est parce que le premier se rapproche davantage du goût classique français; toutefois, il reconnaît au second vigueur et originalité.

LES *LETTRES PHILOSOPHIQUES* DANS L'ŒUVRE DE VOLTAIRE

Le premier problème est de rechercher à quel aspect du génie de Voltaire se rattachent les *Lettres philosophiques :* est-ce une œuvre de propagande, une œuvre satirique, une œuvre d'historien ? R. Naves, dans son Introduction à l'édition qu'il en propose, penche pour l'impartialité : « Ce qui me frappe le plus quand je relis ces lettres, ce n'est pas leur audace, pourtant manifeste; c'est au contraire leur mesure et la maîtrise d'une pensée déjà équilibrée et qui n'affirme jamais brutalement et sans nuances. On n'a peut-être pas assez remarqué ce souci de Voltaire pour l'impartialité, ou plutôt pour le discernement des *beautés et des défauts.* » Dans son *Essai sur Voltaire,* A. Bellessort apporte une preuve du contraire : « L'Angleterre était le pays de la persécution religieuse sous sa forme la plus froide, la plus durable, la plus implacable : la forme administrative. On le savait dans la catholique Irlande; et Voltaire ne pouvait pas ignorer l'immortel pamphlet de son ami Swift où ce protestant révolté conseillait aux Irlandais affamés de tuer leurs petits enfants, de les saler et de les exporter. » En réalité, ni l'intention de l'ouvrage, ni les conditions dans lesquelles il avait été conçu ne le prédisposaient à être une relation objective des faits; les longues hésitations de

Voltaire avant sa publication en seraient, à elles seules, un témoignage convaincant. L'objectif de Voltaire était de faire réfléchir ses concitoyens sur la situation en France par le moyen d'une comparaison avec une Angleterre un peu idéalisée : ainsi, il lui était possible de souligner les contrastes en même temps que de montrer ce qui pourrait être fait positivement pour améliorer la société française. Voltaire est parti d'une information réunie honnêtement, d'une observation lucide; il a su présenter avec clarté les faits scientifiques; en revanche, pour les mœurs et la société — tout comme pour la littérature —, il a présenté les faits selon son goût et ses idées, mais avec une habileté qui témoigne déjà de son talent de polémiste.

C'est en effet tout à la fois une œuvre de propagande et un texte satirique que les *Lettres philosophiques* : Voltaire propose, sous la forme d'un reportage, l'image d'une société où règne une liberté organisée qui permet le progrès; l'envers du texte représente la société française, vue du point de vue critique. La lettre XXV donne à l'ensemble sa justification idéologique : pour Voltaire, il faut vivre dans ce monde, et donc l'organiser au mieux; l'empirisme et la tolérance, qu'il donne comme fondements de la société anglaise, sont préférables à l'absolutisme de droit divin sur lequel repose le système français. En lisant d'autres textes de Voltaire, on n'aura aucune peine à se persuader que les *Lettres philosophiques* contiennent déjà l'essentiel des idées chères à l'auteur. Les variantes du texte, les emprunts que Voltaire fait volontairement à tel de ses textes antérieurs pour les réinsérer dans une œuvre nouvelle montrent que, selon l'expression de R. Naves, « Voltaire s'est de très bonne heure constitué un arsenal à tout usage, dont on retrouve la persistance jusqu'à la fin de sa vie. [...] Aucun de ses ouvrages n'est indépendant des autres; de multiples parties en sont communes avec plusieurs, et l'édition toute nue de chaque texte isolé taille en réalité dans une chair vive, faite d'un tissu complexe de divers sujets et de diverses époques. » L'exemple des quakers pourra illustrer ce fait : Voltaire reparlera d'eux dès 1738 dans *le Préservatif*, en 1756 dans les chapitres CXXXVI et CLIII de l'*Essai sur les mœurs*, en 1763 dans le chapitre IV du *Traité sur la tolérance*, en 1764 dans le premier *Dictionnaire philosophique* (article « Baptême »), l'année suivante dans le *Dictionnaire philosophique* (article « Tolérance »); en 1768, il revient sur le même sujet dans le *Sermon de Josias Rossette;* en 1770, un passage de la lettre IV passe dans les *Questions sur l'Encyclopédie*, à l'article « Affirmation par serment »; en 1771-1772, dans le même ouvrage, tandis qu'il est question des quakers dans l'article « Esséniens », l'article « Église » reprend et développe la lettre VI, et un article « Quakers » reprend, dans l'édition de Kehl, les quatre lettres. Enfin, en 1776, il est encore question des quakers au chapitre XXII de l'*Histoire de l'établissement du christianisme*. S'il convient de reconnaître que l'exemple est particulièrement significatif, on pourrait en trouver d'autres après une étude thématique de l'œuvre.

TABLE DE CONCORDANCE DES « PENSÉES » DE PASCAL

Le texte proposé par Voltaire est souvent différent de celui que nous proposent les éditions actuelles, auxquelles il sera bon de se référer.

C'est la raison pour laquelle nous donnons ci-dessous dans la première colonne le numéro de la Pensée dans le texte de Voltaire et dans la seconde le numéro qu'elle porte dans l'édition Brunschvicg.

I	430
II	430
III	434
IV	430 et 47
V	233
VI	646
VII	619
VIII	620
IX	631 et 630
X	479
XI	477
XII	571
XIII	757
XIV	607
XV	642
XVI	793
XVII	578
XVIII	565
XIX	585
XX	610
XXI	97
XXII	172
XXIII	139
XXIV	139
XXV	139
XXVI	139
XXVII	139
XXVIII	199
XXIX	556
XXX	63
XXXI	266
XXXII	209
XXXIII	593
XXXIV	327
XXXV	170
XXXVI	378
XXXVII	165
XXXVIII	180
XXXIX	68
XL	62
XLI	817
XLII	383
XLIII	156
XLIV	7
XLV	2
XLVI	166
XLVII	392
XLVIII	274
XLIX	5
L	132
LI	393
LII	358
LIII	401
LIV	72
LV	39
LVI	72
LVII	33

Phot. X.

Le Synode des Quakers en 1696.

Gravure du XVIIIᵉ s.
Londres, British Museum.

LETTRES PHILOSOPHIQUES

PREMIÈRE LETTRE

SUR LES QUAKERS.

J'ai cru que la doctrine et l'histoire d'un Peuple si extraordinaire méritaient la curiosité d'un homme raisonnable. Pour m'en instruire, j'allai trouver un des plus célèbres Quakers d'Angleterre, qui, après avoir été trente ans dans le Commerce, avait su mettre des bornes à sa fortune et à ses désirs, et s'était retiré dans une campagne auprès de Londres. Je fus le chercher dans sa retraite; c'était une maison petite, mais bien bâtie, pleine de propreté[1] sans ornement. Le Quaker était un vieillard frais qui n'avait jamais eu de maladie, parce qu'il n'avait jamais connu les passions ni l'intempérance : je n'ai point vu en ma vie d'air plus noble ni plus engageant que le sien. Il était vêtu, comme tous ceux de sa Religion, d'un habit sans plis dans les côtés et sans boutons sur les poches ni sur les manches, et portait un grand chapeau à bords rabattus, comme nos Ecclésiastiques; il me reçut avec son chapeau sur la tête, et s'avança vers moi sans faire la moindre inclination de corps; mais il y avait plus de politesse dans l'air ouvert et humain de son visage qu'il n'y en a dans l'usage de tirer une jambe derrière l'autre et de porter à la main ce qui est fait pour couvrir la tête. « Ami, me dit-il, je vois que tu es un étranger; si je puis t'être de quelque utilité, tu n'as qu'à parler. — Monsieur, lui dis-je, en me courbant le corps et en glissant un pied vers lui, selon notre coutume, je me flatte que ma juste curiosité ne vous déplaira pas, et que vous voudrez bien me faire l'honneur de m'instruire de votre Religion. — Les gens de ton pays, me répond-il, font trop de compliments et de révérences; mais je n'en ai encore vu aucun qui ait eu la même curiosité que toi. Entre, et dînons d'abord ensemble. » Je fis encore quelques mauvais compliments, parce qu'on ne se défait pas de ses habitudes tout d'un coup;

1. *Propreté* : élégance.

et, après un repas sain et frugal, qui commença et qui finit par une prière à Dieu, je me mis à interroger mon homme. (1). Je débutai par la question que de bons Catholiques ont faite plus d'une fois aux Huguenots : « Mon cher Monsieur, lui 35 dis-je, êtes-vous baptisé? — Non, me répondit le Quaker, et mes Confrères ne le sont point. — Comment, morbleu, repris-je, vous n'êtes donc pas Chrétiens? — Mon fils, repartit-il d'un ton doux, ne jure point; nous sommes Chrétiens et tâchons d'être bons Chrétiens, mais nous ne pensons pas 40 que le Christianisme consiste à jeter de l'eau froide sur la tête, avec un peu de sel. — Eh! ventrebleu, repris-je, outré de cette impiété, vous avez donc oublié que Jésus-Christ fut baptisé par Jean? — Ami, point de jurements, encore un coup, dit le bénin Quaker. Le Christ reçut le baptême de Jean, 45 mais il ne baptisa jamais personne; nous ne sommes pas les disciples de Jean, mais du Christ. — Hélas! dis-je, comme vous seriez brûlé en pays d'Inquisition, pauvre homme!... Eh! pour l'amour de Dieu, que je vous baptise et que je vous fasse Chrétien! — S'il ne fallait que cela pour condescendre 50 à ta faiblesse, nous le ferions volontiers, repartit-il gravement; nous ne condamnons personne pour user de la cérémonie du Baptême, mais nous croyons que ceux qui professent une Religion toute sainte et toute spirituelle doivent s'abstenir, autant qu'ils le peuvent, des cérémonies Judaïques. — En 55 voici bien d'un autre, m'écriai-je! Des cérémonies Judaïques! — Oui, mon fils, continua-t-il, et si Judaïques que plusieurs Juifs encore aujourd'hui usent quelquefois du Baptême de Jean. Consulte l'Antiquité; elle t'apprendra que Jean ne fit que renouveler cette pratique, laquelle était en usage longtemps 60 avant lui parmi les Hébreux, comme le pèlerinage de la Mecque l'était parmi les Ismaélites. Jésus voulut bien recevoir le Baptême de Jean, de même qu'il s'était soumis à la Circoncision; mais, et la Circoncision, et le lavement d'eau doivent être tous deux abolis par le Baptême du Christ, ce Baptême de l'esprit, cette 65 ablution de l'âme qui sauve les hommes. Aussi le précurseur Jean disait : *Je vous baptise à la vérité avec de l'eau, mais un*

QUESTIONS

1. L'évocation d'une atmosphère : analysez par quels procédés Voltaire donne un caractère patriarcal à son quaker et comment le cadre s'y harmonise. — Les faits de style allant dans le même sens. — On comparera avec Montesquieu, *Lettres persanes* (11-14). — Le comique : la technique voltairienne, consistant dans une description des attitudes en refusant toute interprétation de celles-ci; les autres formes de comique.

autre viendra après moi, plus puissant que moi, et dont je ne suis pas digne de porter les sandales; celui-là vous baptisera avec le feu et le Saint-Esprit[2]. Aussi le Grand Apôtre des Gentils, Paul, écrit aux Corinthiens : *Le Christ ne m'a pas envoyé pour baptiser, mais pour prêcher l'Évangile*[3]*;* aussi ce même Paul ne baptisa jamais avec de l'eau que deux personnes, encore fut-ce malgré lui; il circoncit son Disciple Timothée; les autres Apôtres circoncisaient aussi tous ceux qui voulaient. Es-tu circoncis? » ajouta-t-il. Je lui répondis que je n'avais pas cet honneur. « Eh bien, dit-il, l'Ami, tu es Chrétien sans être circoncis, et moi, sans être baptisé. »

Voilà comme mon saint homme abusait assez spécieusement de trois ou quatre passages de la Sainte Écriture, qui semblaient favoriser sa secte; mais il oubliait de la meilleure foi du monde une centaine de Passages qui l'écrasaient. Je me gardai bien de lui rien contester; il n'y a rien à gagner avec un Enthousiaste[4] : il ne faut point s'aviser de dire à un homme les défauts de sa Maîtresse, ni à un Plaideur le faible de sa Cause, ni des raisons à un Illuminé; ainsi je passai à d'autres questions. « A l'égard de la Communion, lui dis-je, comment en usez-vous? — Nous n'en usons point, dit-il. — Quoi! point de Communion? — Non, point d'autre que celle des cœurs. » Alors il me cita encore les Écritures. Il me fit un fort beau sermon contre la Communion, et me parla d'un ton inspiré pour me prouver que tous les Sacrements étaient tous d'invention humaine, et que le mot de Sacrement ne se trouvait pas une seule fois dans l'Évangile. « Pardonne, dit-il, à mon ignorance, je ne t'ai pas apporté la centième partie des preuves de ma religion; mais tu peux les voir dans l'exposition de notre Foi par Robert Barclay[5] : c'est un des meilleurs livres qui soient jamais sortis de la main des hommes. Nos ennemis conviennent qu'il est très dangereux, cela prouve combien il est raisonnable. » Je lui promis de lire ce livre, et mon Quaker me crut déjà converti. **(2)**

---

2. Matthieu, III, 11 ; **3.** I, Corinthiens, I, 17 ; **4.** *Enthousiaste* a ici un sens voisin de *fanatique,* mais sans l'idée de menace pour autrui que le fanatisme représente pour Voltaire. Il en va de même pour *Illuminé* quelques lignes plus bas ; **5.** *Robert Barclay* (1648-1690), *Theologiae vere christianae apologia* (1675).

QUESTIONS

2. En quoi les questions posées au quaker permettent-elles d'individualiser cette secte par rapport aux autres chrétiens et aux juifs? Pourquoi Voltaire fait-il citer par son interlocuteur des textes sacrés? — Le comique de la dernière phrase.

Ensuite il me rendit raison en peu de mots de quelques singularités qui exposent cette secte au mépris des autres. « Avoue, dit-il, que tu as eu bien de la peine à t'empêcher de rire quand j'ai répondu à toutes tes civilités avec mon cha-
105 peau sur ma tête et en te tutoyant; cependant tu me parais trop instruit pour ignorer que du temps du Christ aucune Nation ne tombait dans le ridicule de substituer le pluriel au singulier. On disait à César Auguste : *je t'aime*, *je te prie*, *je te remercie;* il ne souffrait pas même qu'on l'appelât Mon-
110 sieur, *Dominus*. Ce ne fut que très longtemps après lui que les hommes s'avisèrent de se faire appeler *vous* au lieu de *tu*, comme s'ils étaient doubles, et d'usurper les titres impertinents de Grandeur, d'Éminence, de Sainteté, que des vers de terre donnent à d'autres vers de terre, en les assurant qu'ils
115 sont, avec un profond respect et une fausseté infâme, leurs très humbles et très obéissants serviteurs. C'est pour être plus sur nos gardes contre cet indigne commerce de mensonges et de flatteries que nous tutoyons également les Rois et les Savetiers, que nous ne saluons personne, n'ayant pour les
120 hommes que de la charité, et du respect que pour les Lois.

« Nous portons aussi un habit un peu différent des autres hommes, afin que ce soit pour nous un avertissement continuel de ne leur pas ressembler. Les autres portent les marques de leurs dignités, et nous, celles de l'humilité chrétienne; nous
125 fuyons les assemblées de plaisir, les spectacles, le jeu; car nous serions bien à plaindre de remplir de ces bagatelles des cœurs en qui Dieu doit habiter; nous ne faisons jamais de serments, pas même en justice; nous pensons que le nom du Très-Haut ne doit pas être prostitué dans les débats misérables
130 des hommes. Lorsqu'il faut que nous comparaissions devant les Magistrats pour les affaires des autres (car nous n'avons jamais de procès), nous affirmons la vérité par un *oui* ou par un *non*, et les juges nous en croient sur notre simple parole, tandis que tant de Chrétiens se parjurent sur l'Évangile. Nous
135 n'allons jamais à la guerre; ce n'est pas que nous craignions la mort, au contraire nous bénissons le moment qui nous unit à l'Être des Êtres; mais c'est que nous ne sommes ni loups, ni tigres, ni dogues, mais hommes, mais Chrétiens. Notre Dieu, qui nous a ordonné d'aimer nos ennemis et de souffrir
140 sans murmure, ne veut pas sans doute que nous passions la mer pour aller égorger nos frères, parce que des meurtriers vêtus de rouge, avec un bonnet haut de deux pieds, enrôlent

des Citoyens en faisant du bruit avec deux petits bâtons sur une peau d'âne bien tendue; et lorsque après des batailles gagnées tout Londres brille d'illuminations, que le Ciel est enflammé de fusées, que l'air retentit du bruit des actions de grâces, des cloches, des orgues, des canons, nous gémissons en silence sur ces meurtres qui causent la publique allégresse. » (3) (4)

SECONDE LETTRE

SUR LES QUAKERS.

Telle fut à peu près la conversation que j'eus avec cet homme singulier; mais je fus bien plus surpris quand, le Dimanche suivant, il me mena à l'Église des Quakers. Ils ont plusieurs Chapelles à Londres; celle où j'allai est près de ce fameux pilier qu'on appelle *le Monument*[6]. On était déjà assemblé lorsque j'entrai avec mon conducteur. Il y avait environ quatre cents hommes dans l'Église, et trois cents femmes : les femmes se cachaient le visage avec leur éventail; les hommes étaient couverts de leurs larges chapeaux; tous étaient assis, tous dans un profond silence. Je passai au milieu d'eux sans qu'un seul levât les yeux sur moi. Ce silence dura un quart d'heure. Enfin un d'eux se leva, ôta son chapeau, et, après quelques grimaces et quelques soupirs, débita, moitié avec la bouche, moitié avec le nez, un galimatias tiré de l'Évangile, à ce qu'il croyait, où ni lui ni personne n'entendait rien. Quand ce faiseur de contorsions eut fini son beau monologue, et que l'assemblée se fut

---

6. Ce *Monument* en forme de colonne fut érigé pour commémorer l'incendie de Londres (1666).

QUESTIONS

3. L'art de mélanger des choses mineures et des traits importants : les « singularités » des quakers. Pourquoi, à votre avis? — Les traits de satire : 1° à l'égard des autres chrétiens; 2° envers les conventions sociales. Concernant ces derniers, faites la part de la satire traditionnelle et celle de la sincère indignation chez l'auteur.

4. SUR L'ENSEMBLE DE LA LETTRE PREMIÈRE. — Comparaison avec les premières *Provinciales* de Pascal : le rôle de l'ironie; le jeu sur les citations de textes sacrés; le style de dialogue; le type de comique qui en résulte.

— Le quaker : qualités et travers; quelle est l'impression générale produite? A quoi se marque ici la sympathie de Voltaire? Qu'est-ce qui la fonde? Est-elle communicative?

séparée toute édifiée et toute stupide, je demandai à mon homme pourquoi les plus sages d'entre eux souffraient de pareilles sottises. « Nous sommes obligés de les tolérer, me dit-il, parce que nous ne pouvons pas savoir si un homme qui se lève pour parler sera inspiré par l'esprit ou par la folie; dans le doute, nous écoutons tout patiemment, nous permettons même aux femmes de parler. Deux ou trois de nos dévotes se trouvent souvent inspirées à la fois, et c'est alors qu'il se fait un beau bruit dans la maison du Seigneur. — Vous n'avez donc point de Prêtres? lui dis-je. — Non, mon ami, dit le Quaker, et nous nous en trouvons bien. A Dieu ne plaise que nous osions ordonner à quelqu'un de recevoir le Saint-Esprit le Dimanche à l'exclusion des autres fidèles. Grâce au Ciel nous sommes les seuls sur la terre qui n'ayons point de Prêtres. Voudrais-tu nous ôter une distinction si heureuse? Pourquoi abandonnerions-nous notre Enfant à des nourrices mercenaires, quand nous avons du lait à lui donner? Ces mercenaires domineraient bientôt dans la maison, et oppримeraient la mère et l'enfant. Dieu a dit : *Vous avez reçu gratis, donnez gratis*[7]. Irons-nous après cette parole marchander l'Évangile, vendre l'Esprit Saint, et faire d'une assemblée de Chrétiens une boutique de marchands? Nous ne donnons point d'argent à des hommes vêtus de noir pour assister nos pauvres, pour enterrer nos morts, pour prêcher les fidèles; ces saints emplois nous sont trop chers pour nous en décharger sur d'autres.

— Mais comment pouvez-vous discerner, insistai-je, si c'est l'Esprit de Dieu qui vous anime dans vos discours? — Quiconque, dit-il, priera Dieu de l'éclairer, et qui annoncera des vérités Évangéliques qu'il sentira, que celui-là soit sûr que Dieu l'inspire. » Alors il m'accabla de citations de l'Écriture, qui démontraient, selon lui, qu'il n'y a point de christianisme sans une révélation immédiate, et il ajouta ces paroles remarquables : « Quand tu fais mouvoir un de tes membres, est-ce ta propre force qui le remue? Non sans doute, car ce membre a souvent des mouvements involontaires. C'est donc celui qui a créé ton corps qui meut ce corps de terre. Et les idées que reçoit ton âme, est-ce toi qui les formes? Encore moins, car elles viennent malgré toi. C'est donc le Créateur de ton âme qui te donne tes idées; mais, comme il a laissé à ton cœur la liberté, il donne à ton esprit les idées que ton

7. Matthieu, x, 8.

cœur mérite; tu vis dans Dieu, tu agis, tu penses dans Dieu; tu n'as donc qu'à ouvrir les yeux à cette lumière qui éclaire tous les hommes; alors tu verras la vérité, et la feras voir.
60 — Eh! voilà le Père Malebranche tout pur! m'écriai-je. — Je connais ton Malebranche, dit-il; il était un peu Quaker, mais il ne l'était pas assez. » Ce sont là les choses les plus importantes que j'ai apprises touchant la Doctrine des Quakers. Dans la première Lettre vous aurez leur Histoire, que vous
65 trouverez encore plus singulière que leur Doctrine. **(5)**

TROISIÈME LETTRE

Sur les Quakers.

Vous avez déjà vu que les Quakers datent depuis Jésus-Christ, qui fut, selon eux, le premier Quaker. La Religion, disent-ils, fut corrompue presque après sa mort, et resta dans cette corruption environ seize cents années; mais il y avait
5 toujours quelques Quakers cachés dans le monde, qui prenaient soin de conserver le feu sacré éteint partout ailleurs, jusqu'à ce qu'enfin cette lumière s'étendît en Angleterre en l'an 1642.

Ce fut dans le temps que trois ou quatre Sectes déchiraient la Grande-Bretagne par des guerres civiles entreprises au nom
10 de Dieu, qu'un nommé Georges Fox[8], du comté de Leicester, fils d'un ouvrier en soie, s'avisa de prêcher en vrai Apôtre, à ce qu'il prétendait, c'est-à-dire sans savoir ni lire ni écrire; c'était un jeune homme de vingt-cinq ans, de mœurs irréprochables, et saintement fou. Il était vêtu de cuir depuis les pieds
15 jusqu'à la tête; il allait de village en village, criant contre la guerre et contre le Clergé. S'il n'avait prêché que contre les gens de guerre, il n'avait rien à craindre; mais il attaquait les gens d'Église : il fut bientôt mis en prison. On le mena à

8. *George Fox* : 1624-1691.

QUESTIONS

5. Sur la lettre II. — Le comique : la part de satire traditionnelle (contre les femmes); l'insistance sur ce qui est absurde ou simiesque.

— L'amusement, jusque dans ce qui paraît laudatif (la fin de la lettre en particulier).

— La critique des prêtres : que veut montrer Voltaire? Dans quelle mesure se dessine déjà ici une constante de sa pensée? Comment se rattache cet aspect aux critiques contenues dans la lettre précédente?

— L'admiration pour les quakers est-elle sans nuances?

Derby devant le Juge de Paix. Fox se présenta au juge avec son bonnet de cuir sur la tête. Un sergent lui donna un grand soufflet, en lui disant : « Gueux, ne sais-tu pas qu'il faut paraître nue tête devant Monsieur le Juge? » Fox tendit l'autre joue, et pria le sergent de vouloir bien lui donner un autre soufflet pour l'amour de Dieu. Le juge de Derby voulut lui faire prêter serment avant de l'interroger. « Mon ami, sache, dit-il au Juge, que je ne prends jamais le nom de Dieu en vain. » Le Juge, voyant que cet homme le tutoyait, l'envoya aux Petites-Maisons de Derby pour y être fouetté. Georges Fox alla, en louant Dieu, à l'Hôpital des fous, où l'on ne manqua pas d'exécuter à la rigueur la Sentence du Juge. Ceux qui lui infligèrent la pénitence du fouet furent bien surpris quand il les pria de lui appliquer encore quelques coups de verges pour le bien de son âme. Ces Messieurs ne se firent pas prier; Fox eut sa double dose, dont il les remercia très cordialement. Il se mit à les prêcher; d'abord on rit, ensuite on l'écouta; et, comme l'Enthousiasme[9] est une maladie qui se gagne, plusieurs furent persuadés, et ceux qui l'avaient fouetté devinrent ses premiers Disciples.

Délivré de sa prison, il courut les champs avec une douzaine de Prosélytes, prêchant toujours contre le Clergé, et fouetté de temps en temps. Un jour, étant mis au Pilori, il harangua tout le peuple avec tant de force qu'il convertit une cinquantaine d'auditeurs, et mit le reste tellement dans ses intérêts qu'on le tira en tumulte du trou où il était; on alla chercher le Curé Anglican dont le crédit avait fait condamner Fox à ce supplice, et on le piloria à sa place.

Il osa bien convertir quelques soldats de Cromwell, qui quittèrent le métier des armes et refusèrent de prêter le serment. Cromwell ne voulait pas d'une Secte où l'on ne se battait point, de même que Sixte-Quint augurait mal d'une Secte, *dove non si chiavava*[10]. Il se servit de son pouvoir pour persécuter ces nouveaux venus, on en remplissait les prisons; mais les persécutions ne servent presque jamais qu'à faire des Prosélytes : ils sortaient des prisons affermis dans leur créance et suivis de leurs geôliers qu'ils avaient convertis. Mais voici ce qui contribua le plus à étendre la Secte. Fox se croyait

---

9. *Enthousiasme :* croyance passionnée en ses idées qui entraîne intolérance et fanatisme dans le comportement, selon Voltaire ; **10.** « Où l'on ne s'enfermait pas ». C'est une allusion à la pratique du conclave.

inspiré. Il crut par conséquent devoir parler d'une manière différente des autres hommes; il se mit à trembler, à faire des contorsions et des grimaces, à retenir son haleine, à la pousser avec violence; la Prêtresse de Delphes n'eût pas mieux fait. En peu de temps il acquit une grande habitude d'inspiration, et bientôt après il ne fut guère en son pouvoir de parler autrement. Ce fut le premier don qu'il communiqua à ses Disciples. Ils firent de bonne foi toutes les grimaces de leur Maître; ils tremblaient de toutes leurs forces au moment de l'inspiration. De là ils eurent le nom de *Quakers*, qui signifie *trembleurs*. Le petit peuple s'amusait à les contrefaire. On tremblait, on parlait du nez, on avait des convulsions, et on croyait avoir le Saint-Esprit. Il leur fallait quelques miracles, ils en firent.

Le Patriarche Fox dit publiquement à un Juge de Paix, en présence d'une grande assemblée : « Ami, prends garde à toi; Dieu te punira bientôt de persécuter les Saints. » Ce Juge était un ivrogne qui buvait tous les jours trop de mauvaise bière et d'eau-de-vie; il mourut d'apoplexie deux jours après, précisément comme il venait de signer un ordre pour envoyer quelques Quakers en prison. Cette mort soudaine ne fut point attribuée à l'intempérance du Juge; tout le monde la regarda comme un effet des prédictions du saint homme.

Cette mort fit plus de Quakers que mille sermons et autant de convulsions n'en auraient pu faire. Cromwell, voyant que leur nombre augmentait tous les jours, voulut les attirer à son parti : il leur fit offrir de l'argent, mais ils furent incorruptibles; et il dit un jour que cette Religion était la seule contre laquelle il n'avait pu prévaloir avec des guinées.

Ils furent quelquefois persécutés sous Charles II, non pour leur Religion, mais pour ne vouloir pas payer les dîmes au Clergé, pour tutoyer les Magistrats, et refuser de prêter les serments prescrits par la Loi.

Enfin Robert Barclay[11], Écossais, présenta au Roi, en 1675, son *Apologie des Quakers*, ouvrage aussi bon qu'il pouvait l'être. L'Épître Dédicatoire à Charles II contient, non de basses flatteries, mais des vérités hardies et des conseils justes.

« Tu as goûté, dit-il à Charles à la fin de cette Épître, de la douceur et de l'amertume, de la prospérité et des plus grands malheurs; tu as été chassé des pays où tu règnes; tu as senti

---

11. *Robert Barclay :* voir note 5.

le poids de l'oppression, et tu dois savoir combien l'oppresseur est détestable devant Dieu et devant les hommes. Que si, après tant d'épreuves et de bénédictions, ton cœur s'endurcissait et oubliait le Dieu qui s'est souvenu de toi dans tes 100 disgrâces, ton crime en serait plus grand et ta condamnation plus terrible. Au lieu donc d'écouter les flatteurs de ta Cour, écoute la voix de ta conscience, qui ne te flattera jamais. Je suis ton fidèle ami et sujet BARCLAY[12]. »

Ce qui est plus étonnant, c'est que cette lettre, écrite à un 105 Roi par un particulier obscur, eut son effet, et la persécution cessa. **(6)**

QUATRIÈME LETTRE

SUR LES QUAKERS.

Environ ce temps parut l'illustre Guillaume Penn[13], qui établit la puissance des Quakers en Amérique, et qui les aurait rendus respectables en Europe, si les hommes pouvaient respecter la vertu sous des apparences ridicules; il était fils unique 5 du Chevalier Penn, Vice-Amiral d'Angleterre et favori du duc d'York, depuis Jacques II.

Guillaume Penn, à l'âge de quinze ans, rencontra un Quaker à Oxford, où il faisait ses études; ce Quaker le persuada, et le jeune homme, qui était vif, naturellement éloquent, et qui

12. Il s'agit là non d'une invention de Voltaire, mais d'une traduction fidèle du texte même; **13.** *William Penn* (1644-1718) fonde la Pennsylvanie en 1682. La totalité des éléments de cette lettre provient d'une Vie de l'auteur placée en tête des *Œuvres de W. Penn* (Londres, 1726).

QUESTIONS

6. SUR LA LETTRE III. — Analysez l'art du récit.

— Étudiez comment Voltaire joue sur des ambiguïtés qui rendent difficile à interpréter son opinion exacte : la description de l'attitude de Fox et de celle de ses disciples; ce qui influence le peuple qui les regarde agir; l'étymologie du mot *quaker;* le double sens de l'expression « *courir les champs* avec une douzaine de Prosélytes ».

— La leçon donnée : valeur de la doctrine des quakers et de son application; l'effet produit par les persécutions; Voltaire et les prédictions (comparez avec l'*Histoire des oracles* de Fontenelle, avec les textes de Bayle).

— L'histoire des quakers est donnée comme exemplaire de celle des religions : on en analysera les étapes et l'on confrontera avec d'autres religions.

avait de la noblesse dans sa physionomie et dans ses manières, gagna bientôt quelques-uns de ses camarades. Il établit insensiblement une Société de jeunes Quakers qui s'assemblaient chez lui ; de sorte qu'il se trouva chef de Secte à l'âge de seize ans.

De retour chez le Vice-Amiral son père au sortir du Collège, au lieu de se mettre à genoux devant lui et de lui demander sa bénédiction, selon l'usage des Anglais, il l'aborda le chapeau sur la tête, et lui dit : « Je suis fort aise, l'ami, de te voir en bonne santé. » Le Vice-Amiral crut que son fils était devenu fol ; il s'aperçut bientôt qu'il était Quaker. Il mit en usage tous les moyens que la prudence humaine peut employer pour l'engager à vivre comme un autre ; le jeune homme ne répondit à son père qu'en l'exhortant à se faire Quaker lui-même.

Enfin le père se relâcha à ne lui demander autre chose, sinon qu'il allât voir le Roi et le Duc d'York le chapeau sous le bras, et qu'il ne les tutoyât point. Guillaume répondit que sa conscience ne le lui permettait pas, et le père, indigné et au désespoir, le chassa de sa maison. Le jeune Penn remercia Dieu de ce qu'il souffrait déjà pour sa cause ; il alla prêcher dans la Cité ; il y fit beaucoup de Prosélytes.

Les Prêches des Ministres éclaircissaient[14] tous les jours ; et comme Penn était jeune, beau et bien fait, les femmes de la Cour et de la Ville accouraient dévotement pour l'entendre. Le Patriarche Georges Fox[15] vint du fond de l'Angleterre le voir à Londres sur sa réputation ; tous deux résolurent de faire des missions dans les pays étrangers. Ils s'embarquèrent pour la Hollande[16], après avoir laissé des ouvriers en assez bon nombre pour avoir soin de la vigne de Londres. Leurs travaux eurent un heureux succès à Amsterdam ; mais ce qui leur fit le plus d'honneur et ce qui mit le plus leur humilité en danger, fut la réception que leur fit la Princesse Palatine Élisabeth[17], tante de Georges Ier, roi d'Angleterre, femme illustre par son esprit et par son savoir, et à qui Descartes avait dédié son Roman de Philosophie.

---

14. En dépit de la relative obscurité de ce passage (emploi absolu du verbe), on doit comprendre *éclaircir* au sens classique d'« informer », de « mettre au courant ». Du fait du contexte, cela signifie « informer de la vraie foi », d'où « convertir » ; **15.** *George Fox :* voir note 8 ; **16.** Voltaire s'étend ici sur le second voyage, datant de 1677 ; **17.** Elisabeth de Bohême, princesse palatine (1618-1680) ; elle fonda au monastère luthérien de Herford une académie (1661) qui fut comme la première école cartésienne. Descartes lui dédia en effet les *Principes de la philosophie,* parus en Hollande en 1644.

Elle était alors retirée à La Haye, où elle vit ces *amis*, car c'est ainsi qu'on appelait alors les Quakers en Hollande; elle eut plusieurs conférences avec eux, ils prêchèrent souvent chez elle, et, s'ils ne firent pas d'elle une parfaite Quakresse, ils avouèrent au moins qu'elle n'était pas loin du royaume des Cieux.

Les amis semèrent aussi en Allemagne, mais ils recueillirent peu. On ne goûta pas la mode de tutoyer, dans un pays où il faut toujours avoir à la bouche les termes d'Altesse et d'Excellence. Penn repassa bientôt en Angleterre, sur la nouvelle de la maladie de son père; il vint recueillir ses derniers soupirs. Le Vice-Amiral se réconcilia avec lui et l'embrassa avec tendresse, quoiqu'il fût d'une différente Religion; Guillaume l'exhorta en vain à ne point recevoir le Sacrement et à mourir Quaker; et le vieux bonhomme recommanda inutilement à Guillaume d'avoir des boutons sur ses manches et des ganses à son chapeau.

Guillaume hérita de grands biens, parmi lesquels il se trouvait des dettes de la Couronne, pour des avances faites par le Vice-Amiral dans des expéditions maritimes. Rien n'était moins assuré alors que l'argent dû par le Roi; Penn fut obligé d'aller tutoyer Charles II et ses Ministres plus d'une fois pour son paiement. Le gouvernement lui donna, en 1680, au lieu d'argent, la propriété et la souveraineté d'une Province d'Amérique, au sud de Maryland : voilà un Quaker devenu souverain. Il partit pour ses nouveaux États avec deux vaisseaux chargés de Quakers qui le suivirent. On appela dès lors le pays *Pennsylvania*, du nom de Penn. Il y fonda la Ville de *Philadelphie*, qui est aujourd'hui très florissante. Il commença par faire une ligue avec les Américains ses voisins. C'est le seul traité entre ces Peuples et les Chrétiens qui n'ait point été juré, et qui n'ait point été rompu. Le nouveau Souverain fut aussi le Législateur de la Pennsylvanie; il donna des lois très sages, dont aucune n'a été changée depuis lui. La première est de ne maltraiter personne au sujet de la Religion, et de regarder comme frères tous ceux qui croient un Dieu.

A peine eut-il établi son gouvernement que plusieurs Marchands de l'Amérique vinrent peupler cette Colonie. Les naturels du pays, au lieu de fuir dans les forêts, s'accoutumèrent insensiblement avec les pacifiques Quakers : autant ils détestaient les autres Chrétiens conquérants et destructeurs de l'Amérique, autant ils aimaient ces nouveaux venus. En peu de temps un grand nombre de ces prétendus Sauvages, charmés de la douceur de ces voisins, vinrent en foule demander à Guillaume Penn de les recevoir au nombre de ses Vassaux. C'était un spectacle bien nouveau qu'un Souverain que tout le monde tutoyait, et à qui on parlait le chapeau sur la tête, un gouvernement sans Prêtres, un Peuple sans armes, des Citoyens tous égaux, à la Magistrature près, et des voisins sans jalousie.

Guillaume Penn pouvait se vanter d'avoir apporté sur la terre l'âge d'or dont on parle tant, et qui n'a vraisemblablement existé qu'en Pennsylvanie. Il revint en Angleterre pour les affaires de son nouveau Pays, après la mort de Charles II. Le roi Jacques, qui avait aimé son père, eut la même affection pour le fils, et ne le considéra plus comme un Sectaire obscur, mais comme un très grand homme. La politique du Roi s'accordait en cela avec son goût; il avait envie de flatter les Quakers en abolissant les Lois faites contre les Non-conformistes, afin de pouvoir introduire la Religion Catholique à la faveur de cette liberté. Toutes les Sectes d'Angleterre virent le piège, et ne s'y laissèrent pas prendre; elles sont toujours réunies contre le Catholicisme, leur ennemi commun. Mais Penn ne crut pas devoir renoncer à ses principes pour favoriser des Protestants qui le haïssaient, contre un Roi qui l'aimait. Il avait établi la liberté de conscience en Amérique; il n'avait pas envie de paraître vouloir la détruire en Europe; il demeura donc fidèle à Jacques II, au point qu'il fut généralement accusé d'être Jésuite. Cette calomnie l'affligea sensiblement; il fut obligé de s'en justifier par des écrits publics. Cependant, le malheureux Jacques II, qui comme presque tous les Stuarts était un composé de grandeur et de faiblesse, et qui comme eux en fit trop et trop peu, perdit son Royaume sans qu'on pût dire comment la chose arriva.

Toutes les Sectes Anglaises reçurent de Guillaume III et de son Parlement cette même liberté qu'elles n'avaient pas voulu tenir des mains de Jacques. Ce fut alors que les Quakers commencèrent à jouir, par la force des Lois, de tous les privilèges dont ils sont en possession aujourd'hui. Penn, après avoir vu enfin sa Secte établie sans contradiction dans le pays de sa naissance, retourna en Pennsylvanie. Les siens et les Américains le reçurent avec des larmes de joie comme un père qui revenait

voir ses enfants. Toutes ses Lois avaient été religieusement observées pendant son absence, ce qui n'était arrivé à aucun Législateur avant lui. Il resta quelques années à Philadelphie; il en partit enfin malgré lui pour aller solliciter à Londres des
130 avantages nouveaux en faveur du commerce des Pennsylvains; il vécut depuis à Londres jusqu'à une extrême vieillesse, considéré comme le chef d'un Peuple et d'une Religion. Il n'est mort qu'en 1718.

On conserva à ses descendants la propriété et le gouver-
135 nement de la Pennsylvanie, et ils vendirent au Roi le gouvernement pour douze mille pièces. Les affaires du roi ne lui permirent d'en payer que mille. Un Lecteur Français croira peut-être que le ministère paya le reste en promesses et s'empara toujours du gouvernement : point du tout; la Couronne
140 n'ayant pu satisfaire dans le temps marqué au paiement de la somme entière, le Contrat fut déclaré nul, et la famille de Penn rentra dans ses droits.

Je ne puis deviner quel sera le sort de la Religion des Quakers en Amérique; mais je vois qu'elle dépérit tous les jours à
145 Londres. Par tout pays, la Religion dominante, quand elle ne persécute point, engloutit à la longue toutes les autres. Les Quakers ne peuvent être membres du Parlement, ni posséder aucun Office, parce qu'il faudrait prêter serment et qu'ils ne veulent point jurer. Ils sont réduits à la nécessité de gagner de
150 l'argent par le Commerce; leurs enfants, enrichis par l'industrie de leurs pères, veulent jouir, avoir des honneurs, des boutons et des manchettes; ils sont honteux d'être appelés Quakers, et se font Protestants pour être à la mode. (7)

CINQUIÈME LETTRE

Sur la Religion Anglicane.

C'est ici le pays des Sectes. Un Anglais, comme homme libre, va au Ciel par le chemin qui lui plaît.

QUESTIONS

7. Sur la lettre IV. — Les différentes étapes de l'histoire de W. Penn et de ses sectateurs; précisez la valeur démonstrative de chacune. L'évolution des quakers; comment interpréter le dernier paragraphe?

— Tolérance et religion dominante : on comparera avec les *Lettres persanes* de Montesquieu dans la même collection et l'on se réfèrera à la Documentation thématique qui les accompagne (p. 126 et suivantes).

Cependant, quoique chacun puisse ici servir Dieu à sa mode, leur véritable Religion, celle où l'on fait fortune, est la Secte des Épiscopaux, appelée l'Église Anglicane, ou l'Église par excellence. On ne peut avoir d'emploi, ni en Angleterre ni en Irlande, sans être du nombre des fidèles Anglicans[18]; cette raison, qui est une excellente preuve, a converti tant de Non-conformistes, qu'aujourd'hui il n'y a pas la vingtième partie de la Nation qui soit hors du giron de l'Église dominante.

Le Clergé Anglican a retenu beaucoup des cérémonies Catholiques, et surtout celle de recevoir les dîmes avec une attention très scrupuleuse. Ils ont aussi la pieuse ambition d'être les Maîtres.

De plus, ils fomentent autant qu'ils peuvent dans leurs Ouailles un saint zèle contre les Non-conformistes. Ce zèle était assez vif sous le gouvernement des Tories, dans les dernières années de la Reine Anne; mais il ne s'étendait pas plus loin qu'à casser quelquefois les vitres des Chapelles Hérétiques; car la rage des Sectes a fini en Angleterre avec les guerres civiles, et ce n'était plus, sous la reine Anne, que les bruits sourds d'une mer encore agitée longtemps après la tempête. Quand les Whigs et les Tories déchirèrent leur pays, comme autrefois les Guelfes et les Gibelins[19], il fallut bien que la Religion entrât dans les partis. Les Tories étaient pour l'Épiscopat; les Whigs le voulaient abolir, mais ils se sont contentés de l'abaisser quand ils ont été les Maîtres.

Du temps que le comte Harley d'Oxford et milord Bolingbroke faisaient boire la santé des Tories, l'Église Anglicane les regardait comme les défenseurs de ses saints Privilèges. L'assemblée du bas Clergé, qui est une espèce de Chambre des Communes composée d'Ecclésiastiques, avait alors quelque crédit; elle jouissait au moins de la liberté de s'assembler, de raisonner de controverse, et de faire brûler de temps en temps quelques livres impies, c'est-à-dire écrits contre elle. Le ministère, qui est Whig aujourd'hui, ne permet pas seulement à ces Messieurs de tenir leur assemblée; ils sont réduits, dans l'obscurité de leur Paroisse, au triste emploi de prier Dieu pour le Gouvernement, qu'ils ne seraient pas fâchés de troubler.

---

18. Allusion au bill de 1711; **19.** Les *Guelfes* — partisans du pape — et les *Gibelins* — partisans des empereurs germaniques — formaient deux partis puissants qui, par leurs luttes sanglantes, désolèrent l'Italie du XIIe au XVe siècle (lors de l'invasion française en 1494).

40 Quant aux Évêques, qui sont vingt-six en tout, ils ont séance dans la Chambre Haute en dépit des Whigs, parce que le vieil abus de les regarder comme Barons subsiste encore; mais ils n'ont pas plus de pouvoir dans la Chambre que les Ducs et Pairs dans le Parlement de Paris. Il y a une clause dans le
45 serment que l'on prête à l'État, laquelle exerce bien la patience Chrétienne de ces Messieurs.

On y promet d'être de l'Église, comme elle est établie par la Loi. Il n'y a guère d'Évêque, de Doyen, d'Archiprêtre, qui ne pense être de droit divin; c'est donc un grand sujet de morti-
50 fication pour eux d'être obligés d'avouer qu'ils tiennent tout d'une misérable Loi faite par des profanes laïques. Un Religieux (le P. Courayer[20]) a écrit depuis peu un livre pour prouver la validité et la succession des Ordinations Anglicanes. Cet ouvrage a été proscrit en France; mais croyez-vous qu'il ait
55 plu au ministère d'Angleterre? Point du tout. Ces maudits Whigs se soucient très peu que la succession Épiscopale ait été interrompue chez eux ou non, et que l'Évêque Parker ait été consacré dans un cabaret (comme on le veut) ou dans une Église; ils aiment mieux que les Évêques tirent leur autorité
60 du Parlement plutôt que des Apôtres. Le lord B***[21] dit que cette idée de droit divin ne servirait qu'à faire des tyrans en camail et en rochet, mais que la Loi fait des Citoyens.

A l'égard des mœurs, le Clergé Anglican est plus réglé que celui de France, et en voici la cause : tous les Ecclésiastiques
65 sont élevés dans l'Université d'Oxford ou dans celle de Cambridge, loin de la corruption de la Capitale; ils ne sont appelés aux dignités de l'Église que très tard, et dans un âge où les hommes n'ont d'autres passions que l'avarice, lorsque leur ambition manque d'aliments. Les emplois sont ici la récom-
70 pense des longs services dans l'Église aussi bien que dans l'Armée; on n'y voit point de jeunes gens Évêques ou Colonels au sortir du Collège. De plus, les Prêtres sont presque tous mariés; la mauvaise grâce contractée dans l'Université et le peu de commerce qu'on a ici avec les femmes font que d'ordi-
75 naire un Évêque est forcé de se contenter de la sienne. Les Prêtres vont quelquefois au cabaret, parce que l'usage le leur permet, et s'ils s'enivrent, c'est sérieusement et sans scandale.

---

20. Il s'agit de la *Dissertation sur la validité des ordinations anglicanes et sur la succession des évêques de l'Eglise anglicane* (1723), qui causa en France un énorme scandale qui mit plusieurs années à s'apaiser; **21.** Il s'agit de lord Bolingbroke, qui était en effet tory.

Cet être indéfinissable, qui n'est ni Ecclésiastique ni Séculier, en un mot ce que l'on appelle un Abbé, est une espèce inconnue en Angleterre; les Ecclésiastiques sont tous ici réservés et presque tous pédants. Quand ils apprennent qu'en France des jeunes gens, connus par leurs débauches et élevés à la Prélature par des intrigues de femmes, font publiquement l'amour[22], s'égaient à composer des chansons tendres, donnent tous les jours des soupers délicats et longs, et de là vont implorer les lumières du Saint-Esprit, et se nomment hardiment les successeurs des Apôtres, ils remercient Dieu d'être Protestants. Mais ce sont de vilains hérétiques, à brûler à tous les diables, comme dit Maître François Rabelais; c'est pourquoi je ne me mêle de leurs affaires. **(8)**

SIXIÈME LETTRE

Sur les Presbytériens.

La Religion Anglicane ne s'étend qu'en Angleterre et en Irlande. Le Presbytéranisme est la Religion dominante en Écosse. Ce Presbytéranisme n'est autre chose que le Calvinisme pur, tel qu'il avait été établi en France et qu'il subsiste à Genève. Comme les Prêtres de cette Secte ne reçoivent de leurs Églises que des gages très médiocres, et que par conséquent, ils ne peuvent vivre dans le même luxe que les Évêques, ils ont pris le parti naturel de crier contre des honneurs où ils ne peuvent atteindre. Figurez-vous l'orgueilleux Diogène qui foulait aux pieds l'orgueil de Platon : les Presbytériens d'Écosse ne ressemblent pas mal à ce fier et gueux raisonneur. Ils traitèrent

22. Courtisent publiquement les femmes.

QUESTIONS

8. Sur la lettre V. — Le double rôle de cette lettre : 1° critique des méfaits d'une religion dominante (pour elle-même, pour l'État, pour les autres religions); 2° critique indirecte de l'Église catholique (en France, notamment) par référence à l'éloge, nuancé il est vrai, de l'Église anglicane. On tâchera d'analyser les faits allant dans ces deux perspectives, d'en voir la solidité comme témoignage ou comme preuve, d'en rechercher la place dans la pensée religieuse de Voltaire (traits permanents, arguments occasionnels).

— Situation de l'Église anglicane : à l'égard de la religion; envers la politique.

le roi Charles II avec bien moins d'égards que Diogène n'avait traité Alexandre. Car lorsqu'ils prirent les armes pour lui contre Cromwell qui les avait trompés, ils firent essuyer à
15 ce pauvre Roi quatre sermons par jour; ils lui défendaient de jouer; ils le mettaient en pénitence; si bien que Charles se lassa bientôt d'être Roi de ces pédants, et s'échappa de leurs mains comme un Écolier se sauve du Collège.

Devant un jeune et vif Bachelier français, criaillant le matin
20 dans les Écoles de Théologie, et le soir chantant avec les Dames, un Théologien Anglican est un Caton; mais ce Caton paraît un galant devant un Presbytérien d'Écosse. Ce dernier affecte une démarche grave, un air fâché, porte un vaste chapeau, un long manteau par-dessus un habit court[23], prêche du nez,
25 et donne le nom de la prostituée de Babylone à toutes les Églises où quelques Ecclésiastiques sont assez heureux pour avoir cinquante mille livres de rente, et où le Peuple est assez bon pour le souffrir et pour les appeler Monseigneur, Votre Grandeur, Votre Éminence.

30 Ces Messieurs, qui ont aussi quelques Églises en Angleterre, ont mis les airs graves et sévères à la mode en ce Pays. C'est à eux qu'on doit la sanctification du Dimanche dans les trois Royaumes; il est défendu ce jour-là de travailler et de se divertir, ce qui est le double de la sévérité des Églises Catholiques;
35 point d'Opéra, point de Comédies, point de Concerts à Londres le Dimanche; les cartes même y sont si expressément défendues qu'il n'y a que les personnes de qualité et ce qu'on appelle les honnêtes gens qui jouent ce jour-là. Le reste de la Nation va au Sermon, au Cabaret et chez les Filles de joie.

40 Quoique la Secte Épiscopale et la Presbytérienne soient les deux dominantes dans la Grande-Bretagne, toutes les autres y sont bien venues et vivent assez bien ensemble, pendant que la plupart de leurs prédicants se détestent réciproquement avec presque autant de cordialité qu'un Janséniste damne
45 un Jésuite.

Entrez dans la Bourse de Londres, cette Place plus respectable que bien des Cours; vous y voyez rassemblés les députés de toutes les Nations pour l'utilité des hommes. Là, le Juif, le Mahométan et le Chrétien traitent l'un avec l'autre comme
50 s'ils étaient de la même Religion, et ne donnent le nom d'infi-

---

23. Seuls les prêtres anglicans portaient la soutane.

dèles qu'à ceux qui font banqueroute; là, le Presbytérien se fie à l'Anabaptiste, et l'Anglican reçoit la promesse du Quaker. Au sortir de ces pacifiques et libres assemblées, les uns vont à la Synagogue, les autres vont boire; celui-ci va se faire
55 baptiser dans une grande cuve au nom du Père par le Fils au Saint-Esprit; celui-là fait couper le prépuce de son fils et fait marmotter sur l'Enfant des paroles hébraïques qu'il n'entend point; ces autres vont dans leur Église attendre l'inspiration de Dieu, leur chapeau sur la tête, et tous sont contents.
60 S'il n'y avait en Angleterre qu'une Religion, le despotisme serait à craindre; s'il y en avait deux, elles se couperaient la gorge; mais il y en a trente, et elles vivent en paix et heureuses. **(9)**

SEPTIÈME LETTRE

SUR LES SOCINIENS, OU ARIENS, OU ANTI-TRINITAIRES.

Il y a ici une petite secte composée d'Ecclésiastiques et de quelques Séculiers très savants, qui ne prennent ni le nom d'Ariens ni celui de Sociniens, mais qui ne sont point du tout de l'avis de saint Athanase sur le chapitre de la Trinité, et qui
5 vous disent nettement que le Père est plus grand que le Fils.

Vous souvenez-vous d'un certain Évêque Orthodoxe qui, pour convaincre un Empereur de la consubstantiation, s'avisa de prendre le fils de l'Empereur sous le menton, et de lui tirer le nez en présence de sa sacrée Majesté? L'Empereur allait
10 se fâcher contre l'Évêque, quand le bonhomme lui dit ces belles et convaincantes paroles : « Seigneur, si Votre Majesté est en colère de ce que l'on manque de respect à son Fils, comment pensez-vous que Dieu le Père traitera ceux qui refusent

QUESTIONS

9. SUR LA LETTRE VI. — La manière dont Voltaire décrit les presbytériens; on comparera avec son évocation des autres sectes religieuses. Portée de sa comparaison avec les jansénistes. Pauvreté, droiture et ambiguïté d'une condamnation du luxe par les presbytériens. En quoi Voltaire, sur ce point, fait-il d'une pierre deux coups en condamnant presbytériens et catholiques sans nommer ces derniers ?

— La condamnation des jours de fête : recherchez combien il y en avait par an à l'époque en France; qu'ajoutent les presbytériens à l'« oisiveté » forcée et quel en est le résultat?

— Le pluralisme religieux d'après les quatrième et dernier paragraphes.

— La Bourse étant le symbole du négoce, que veut montrer Voltaire ici? Les vertus de la tolérance, ses conditions. La satire des dogmes et des rites (comparez à *Zadig*, le Souper).

à Jésus-Christ les titres qui lui sont dus? » Les gens dont je
15 vous parle disent que le saint Évêque était fort mal avisé, que son argument n'était rien moins que concluant, et que l'Empereur devait lui répondre : « Apprenez qu'il y a deux façons de me manquer de respect : la première, de ne rendre pas assez d'honneur à mon Fils; et la seconde, de lui en rendre
20 autant qu'à moi. »

Quoi qu'il en soit, le parti d'Arius commence à revivre en Angleterre, aussi bien qu'en Hollande et en Pologne. Le grand Monsieur Newton faisait à cette opinion l'honneur de la favoriser; ce philosophe pensait que les Unitaires raisonnaient plus
25 géométriquement que nous. Mais le plus ferme patron de la doctrine Arienne est l'illustre Docteur Clarke. Cet homme est d'une vertu rigide et d'un caractère doux, plus amateur de ses opinions que passionné pour faire des Prosélytes, uniquement occupé de calculs et de démonstrations, une vraie machine à
30 raisonnements.

C'est lui qui est l'auteur d'un livre assez peu entendu, mais estimé, sur l'existence de Dieu, et d'un autre, plus intelligible, mais assez méprisé, sur la vérité de la Religion chrétienne.

Il ne s'est point engagé dans de belles disputes scolastiques,
35 que notre ami[24]... appelle de vénérables billevesées; il s'est contenté de faire imprimer un livre qui contient tous les témoignages des premiers siècles pour et contre les Unitaires, et a laissé au Lecteur le soin de compter les voix et de juger. Ce livre du Docteur lui a attiré beaucoup de partisans, mais l'a
40 empêché d'être Archevêque de Cantorbéry[25]; je crois que le Docteur s'est trompé dans son calcul, et qu'il valait mieux être Primat d'Angleterre que Curé Arien.

Vous voyez quelles révolutions arrivent dans les opinions comme dans les Empires. Le Parti d'Arius, après trois cents ans
45 de triomphe et douze siècles d'oubli, renaît enfin de sa cendre; mais il prend très mal son temps de reparaître dans un âge

---

24. Selon deux éditions secondaires, les points de suspension seraient remplacés par le nom de Rabelais; mais pourquoi Voltaire aurait-il finalement effacé cette référence? Selon G. Lanson, Voltaire se désignerait ainsi lui-même. S'agirait-il de Bolingbroke? L'on n'a aucune certitude sur ce point;
25. Addition : « Car lorsque la reine Anne voulut lui donner ce poste, un Docteur nommé Gibson, qui avait sans doute ses raisons, dit à la Reine : « Madame, M. Clarke est le plus savant et le plus honnête homme du Royaume; « il ne lui manque qu'une chose. — Eh quoi? dit la Reine. — C'est d'être « chrétien », dit le Docteur bénévole. »

où le monde est rassasié de disputes et de Sectes. Celle-ci est encore trop petite pour obtenir la liberté des Assemblées publiques[26]; elle l'obtiendra sans doute, si elle devient plus nombreuse; mais on est si tiède à présent sur tout cela qu'il n'y a plus guère de fortune à faire pour une Religion nouvelle ou renouvelée : n'est-ce pas une chose plaisante que Luther, Calvin, Zwingle, tous Écrivains qu'on ne peut lire, aient fondé des Sectes qui partagent l'Europe, que l'ignorant Mahomet ait donné une Religion à l'Asie et à l'Afrique, et que Messieurs Newton, Clarke, Locke, Le Clerc, etc., les plus grands philosophes et les meilleures plumes de leur temps, aient pu à peine venir à bout d'établir un petit troupeau qui même diminue tous les jours?

Voilà ce que c'est que de venir au monde à propos. Si le Cardinal de Retz reparaissait aujourd'hui, il n'ameuterait pas dix femmes dans Paris.

Si Cromwell renaissait, lui qui a fait couper la tête à son Roi et s'est fait Souverain, serait un simple Marchand de Londres. **(10)**

HUITIÈME LETTRE

SUR LE PARLEMENT.

Les Membres du Parlement d'Angleterre aiment à se comparer aux anciens Romains autant qu'ils le peuvent.

Il n'y a pas longtemps que M. Shipping, dans la Chambre des Communes, commença son discours par ces mots : *La*

26. Allusion au fait que le gouvernement anglais exclut les unitaires de l'édit de tolérance de 1689 et les frappa du bill d'interdiction en 1721.

QUESTIONS

10. SUR LA LETTRE VII. — En recherchant dans un dictionnaire aux articles *arianisme*, *socinianisme*, on montrera que Voltaire, à son habitude, simplifie (que retient-il des doctrines? quelles différences élimine-t-il?). Les liens entre cette secte et le rationalisme. Précisez la valeur de la référence à Newton, la portée de la description du docteur Clarke; analysez les exemples donnés ensuite. Quel intérêt Voltaire attache-t-il aux unitaires?

— Que vaut l'argument de Voltaire sur l'absence de relation entre le rayonnement d'une religion et le prestige de ses adeptes?

— Qu'apporte l'addition indiquée dans la note 22 aux points de vue de l'art du récit et de la portée polémique?

5 *Majesté du Peuple Anglais serait blessée*, etc. La singularité de l'expression causa un grand éclat de rire; mais, sans se déconcerter, il répéta les mêmes paroles d'un air ferme, et on ne rit plus. J'avoue que je ne vois rien de commun entre la majesté du peuple Anglais et celle du peuple Romain, encore 10 moins entre leurs gouvernements. Il y a un Sénat à Londres, dont quelques Membres sont soupçonnés, quoique à tort sans doute, de vendre leurs voix dans l'occasion, comme on faisait à Rome : voilà toute la ressemblance. D'ailleurs les deux Nations me paraissent entièrement différentes, soit en bien, 15 soit en mal. On n'a jamais connu chez les Romains la folie horrible des guerres de Religion; cette abomination était réservée à des dévots prêcheurs d'humilité et de patience. Marius et Sylla, Pompée et César, Antoine et Auguste ne se battaient point pour décider si le *Flamen* devait porter sa che- 20 mise par-dessus sa robe, ou sa robe par-dessus sa chemise, et si les poulets sacrés devaient manger et boire, ou bien manger seulement, pour qu'on prît les Augures. Les Anglais se sont fait pendre autrefois réciproquement à leurs Assises, et se sont détruits en bataille rangée pour des querelles de 25 pareille espèce; la Secte des Épiscopaux et le Presbytéranisme ont tourné pour un temps ces têtes sérieuses. Je m'imagine que pareille sottise ne leur arrivera plus; ils me paraissent devenir sages à leurs dépens, et je ne leur vois nulle envie de s'égorger dorénavant pour des Syllogismes.

30 Voici une différence plus essentielle entre Rome et l'Angleterre, qui met tout l'avantage du côté de la dernière : c'est que le fruit des guerres civiles à Rome a été l'esclavage, et celui des troubles d'Angleterre, la liberté. La Nation Anglaise est la seule de la terre qui soit parvenue à régler le pouvoir 35 des Rois en leur résistant, et qui, d'efforts en efforts, ait enfin établi ce Gouvernement sage où le Prince, tout-puissant pour faire du bien, a les mains liées pour faire le mal, où les Seigneurs sont Grands sans insolence et sans Vassaux, et où le peuple partage le gouvernement sans confusion. **(11)**

40 La Chambre des Pairs et celle des Communes sont les Arbitres de la Nation, le Roi est le Sur-Arbitre. Cette balance man-

QUESTIONS

11. En quoi les deux premiers paragraphes de cette lettre constituent-ils une transition entre les lettres précédentes, concernant les problèmes religieux, et le groupe qu'inaugure celle-ci, portant sur la politique? (*Suite*, v. p. 51.)

quait aux Romains : les Grands et le Peuple étaient toujours en division à Rome, sans qu'il y eût un pouvoir mitoyen qui pût les accorder. Le Sénat de Rome, qui avait l'injuste et punissable orgueil de ne vouloir rien partager avec les Plébéiens, ne connaissait d'autre secret, pour les éloigner du gouvernement, que de les occuper toujours dans les guerres étrangères. Ils regardaient le Peuple comme une bête féroce qu'il fallait lâcher sur leurs voisins de peur qu'elle ne dévorât ses Maîtres. Ainsi le plus grand défaut du gouvernement des Romains en fit des Conquérants; c'est parce qu'ils étaient malheureux chez eux qu'ils devinrent les maîtres du monde, jusqu'à ce qu'enfin leurs divisions les rendirent esclaves.

Le gouvernement d'Angleterre n'est point fait pour un si grand éclat, ni pour une fin si funeste; son but n'est point la brillante folie de faire des conquêtes, mais d'empêcher que ses voisins n'en fassent. Ce peuple n'est pas seulement jaloux de sa liberté, il l'est encore de celle des autres. Les Anglais étaient acharnés contre Louis XIV, uniquement parce qu'ils lui croyaient de l'ambition. Ils lui ont fait la guerre de gaieté de cœur, assurément sans aucun intérêt. **(12)**

Il en a coûté sans doute pour établir la liberté en Angleterre; c'est dans des mers de sang qu'on a noyé l'Idole du pouvoir despotique; mais les Anglais ne croient point avoir acheté trop cher de bonnes lois. Les autres Nations n'ont pas eu moins

QUESTIONS

— Rome et l'Angleterre : rapprochements et différences; à qui revient l'avantage? Pourquoi? Valeur historique de l'analyse finale de Voltaire dans le troisième paragraphe. — L'intolérance : ses causes et ses effets. — Portée de cette note qui figurait à la fin de ce dernier paragraphe dans les éditions de 1739 à 1752 : « Il faut ici bien soigneusement peser les termes. Le mot de Roi ne signifie point partout la même chose. En France, en Espagne, il signifie un homme qui par les droits du sang est le Juge souverain et sans appel de toute la Nation. En Angleterre, en Suède, en Pologne, il signifie le premier Magistrat. »

12. Montrez le caractère très simplificateur de l'analyse de la politique extérieure à Rome, notamment dans la dernière phrase du paragraphe précédent. On comparera avec les *Considérations* de Montesquieu. — L'étude de la politique extérieure anglaise à l'égard de Louis XIV : par l'analyse des traités de 1713-1715, qui marquent la fin de la prépondérance française et inaugurent l'hégémonie anglaise, on rétablira la vérité. En quoi Voltaire confond-il ici acquisitions territoriales et impérialisme, en négligeant les conquêtes économiques? On rapprochera cette attitude de celle qu'il montre à l'égard de la perte du Canada par la France à son époque.

Phot. British Council.

« La Chambre des Pairs et celle des Communes sont les Arbitres de la Nation, le Roi est le Sur-Arbitre » (p. 50, l. 40).

La Chambre des Communes au XVIIIe s.

de troubles, n'ont pas versé moins de sang qu'eux; mais ce sang qu'elles ont répandu pour la cause de leur liberté n'a fait que cimenter leur servitude.

Ce qui devient une révolution en Angleterre n'est qu'une 70 sédition dans les autres Pays. Une ville prend les armes pour défendre ses privilèges, soit en Espagne[27], soit en Barbarie, soit en Turquie[28] : aussitôt des soldats mercenaires la subjuguent, des bourreaux la punissent, et le reste de la Nation baise ses chaînes. Les Français pensent que le gouvernement 75 de cette Ile est plus orageux que la mer qui l'environne, et cela est vrai; mais c'est quand le Roi commence la tempête, c'est quand il veut se rendre le maître du vaisseau dont il n'est que le premier Pilote. Les guerres civiles de France ont été plus longues, plus cruelles, plus fécondes en crimes que celles 80 d'Angleterre; mais, de toutes ces guerres civiles, aucune n'a eu une liberté sage pour objet.

Dans les temps détestables de Charles IX et d'Henri III, il s'agissait seulement de savoir si on serait l'esclave des Guises. Pour la dernière guerre de Paris, elle ne mérite que des sifflets; 85 il me semble que je vois des Écoliers qui se mutinent contre le Préfet d'un Collège, et qui finissent par être fouettés; le Cardinal de Retz, avec beaucoup d'esprit et de courage mal employés, rebelle sans aucun sujet, factieux sans dessein, chef de Parti sans armée, cabalait pour cabaler, et semblait faire 90 la guerre civile pour son plaisir. Le Parlement ne savait ce qu'il voulait, ni ce qu'il ne voulait pas; il levait des troupes par Arrêt, il les cassait; il menaçait, il demandait pardon; il mettait à prix la tête du Cardinal Mazarin, et ensuite venait le complimenter en cérémonie. Nos guerres civiles sous 95 Charles VI avaient été cruelles, celles de la Ligue furent abominables, celle de la Fronde fut ridicule. **(13)**

Ce qu'on reproche le plus en France aux Anglais, c'est le supplice de Charles Ier, qui fut traité par ses vainqueurs comme il les eût traités s'il eût été heureux.

---

27. Allusion, sans doute, à la révolte de la Catalogne sous Philippe V et au siège de Barcelone (1714); **28.** Révoltes en Egypte (1726), à Tunis et à Smyrne (1728).

QUESTIONS

13. Les guerres civiles : quelle est, d'une manière générale, la position de Voltaire sur ce point? Analysez la valeur et la portée de la dernière phrase du huitième paragraphe. — Comparez la satire de la Fronde avec la réalité historique.

100 Après tout, regardez d'un côté Charles Ier vaincu en bataille rangée, prisonnier, jugé, condamné dans Westminster, et de l'autre l'Empereur Henri VII empoisonné par son chapelain en communiant, Henri III assassiné par un Moine ministre de la rage de tout un Parti, trente assassinats médités contre 105 Henri IV, plusieurs exécutés, et le dernier privant enfin la France de ce grand Roi. Pesez ces attentats, et jugez. **(14) (15)**

NEUVIÈME LETTRE

SUR LE GOUVERNEMENT.

Ce mélange heureux dans le Gouvernement d'Angleterre, ce concert entre les Communes, les Lords et le Roi n'a pas toujours subsisté. L'Angleterre a été longtemps esclave; elle l'a été des Romains, des Saxons, des Danois, des Français. 5 Guillaume le Conquérant surtout la gouverna avec un Sceptre de fer; il disposait des biens et de la vie de ses nouveaux Sujets comme un Monarque de l'Orient; il défendit, sous peine de mort, qu'aucun Anglais osât avoir du feu et de la lumière chez lui, passé huit heures du soir, soit qu'il prétendît par là 10 prévenir leurs assemblées nocturnes, soit qu'il voulût essayer, par une défense si bizarre, jusqu'où peut aller le pouvoir d'un homme sur d'autres hommes.

Il est vrai qu'avant et après Guillaume le Conquérant les Anglais ont eu des Parlements; ils s'en vantent, comme si ces 15 Assemblées, appelées alors Parlements, composées de tyrans ecclésiastiques et de pillards nommés Barons, avaient été les gardiens de la liberté et de la félicité publique.

QUESTIONS

14. L'ambiguïté de ce passage concernant Charles Ier : la valeur générale de la remarque qui termine l'avant-dernier paragraphe. Pourquoi les Français ont-ils, néanmoins, attaché une importance privilégiée à la mort de ce roi? — En quoi le paragraphe suivant constitue-t-il un correctif de la perspective suivie par Voltaire auparavant?

15. SUR L'ENSEMBLE DE LA LETTRE VIII. — Composition : les thèmes, leur enchaînement, le lien avec les lettres précédentes. Le rôle de l'équilibre établi par Voltaire entre Rome et l'Angleterre.

— En quoi la démonstration de Voltaire est-elle tendancieuse? Montrez qu'il s'attache plus à défendre des idées, des principes qu'à analyser exactement la situation en Angleterre.

— Le caractère polémique de cette lettre.

Les Barbares, qui des bords de la mer Baltique fondaient dans le reste de l'Europe, apportèrent avec eux l'usage de ces États ou Parlements, dont on a fait tant de bruit et qu'on connaît si peu. Les Rois alors n'étaient point despotiques, cela est vrai; mais les Peuples n'en gémissaient que plus dans une servitude misérable. Les Chefs de ces Sauvages qui avaient ravagé la France, l'Italie, l'Espagne, l'Angleterre se firent Monarques; leurs Capitaines partagèrent entre eux les terres des vaincus. De là ces Margraves, ces Lairds, ces Barons, ces Sous-tyrans qui disputaient souvent avec leur Roi les dépouilles des Peuples. C'étaient des oiseaux de proie combattant contre un Aigle pour sucer le sang des Colombes; chaque Peuple avait cent tyrans au lieu d'un maître. Les Prêtres se mirent bientôt de la partie. De tout temps, le sort des Gaulois, des Germains, des Insulaires d'Angleterre avait été d'être gouvernés par leurs Druides et par les Chefs de leurs villages, ancienne espèce de Barons, mais moins tyrans que leurs successeurs. Ces Druides se disaient médiateurs entre la divinité et les hommes; ils faisaient des lois, ils excommuniaient, ils condamnaient à la mort. Les Évêques succédèrent peu à peu à leur autorité temporelle dans le Gouvernement Goth et Vandale. Les Papes se mirent à leur tête, et, avec des Brefs, des Bulles, et des Moines, firent trembler les Rois, les déposèrent, les firent assassiner, et tirèrent à eux tout l'argent qu'ils purent de l'Europe. L'imbécile Inas, l'un des tyrans de l'Heptarchie[29] d'Angleterre, fut le premier qui, dans un pèlerinage à Rome, se soumit à payer le denier de Saint-Pierre (ce qui était environ un écu de notre monnaie) pour chaque maison de son territoire. Toute l'Ile suivit bientôt cet exemple. L'Angleterre devint petit à petit une Province du Pape; le Saint-Père y envoyait de temps en temps ses Légats, pour y lever des impôts exorbitants. Jean Sans-Terre fit enfin une cession en bonne forme de son Royaume à Sa Sainteté, qui l'avait excommunié; et les Barons, qui n'y trouvèrent pas leur compte, chassèrent ce misérable Roi; ils mirent à sa place Louis VIII, père de saint Louis, Roi de France; mais ils se dégoûtèrent bientôt de ce nouveau venu, et lui firent repasser la mer.

Tandis que les Barons, les Évêques, les Papes déchiraient ainsi l'Angleterre, où tous voulaient commander le Peuple,

---

29. *Heptarchie :* nom donné à l'ensemble des sept royaumes de Kent, de Sussex, de Wessex, d'Essex, de Northumbrie, d'East-Anglie et de Mercie.

la plus nombreuse, la plus vertueuse même et par conséquent la plus respectable partie des hommes, composée de ceux qui étudient les lois et les sciences, des Négociants, des Arti-
60 sans, en un mot de tout ce qui n'était point tyran, le Peuple, dis-je, était regardé par eux comme des animaux au-dessous de l'homme. Il s'en fallait bien que les Communes eussent alors part au Gouvernement; c'étaient des Vilains : leur travail, leur sang appartenaient à leurs Maîtres, qui s'appelaient
65 Nobles. Le plus grand nombre des hommes étaient en Europe ce qu'ils sont encore en plusieurs endroits du Nord, serfs d'un Seigneur, espèce de bétail qu'on vend et qu'on achète avec la terre. Il a fallu des siècles pour rendre justice à l'humanité, pour sentir qu'il était horrible que le grand nombre semât
70 et que le petit nombre recueillît; et n'est-ce pas un bonheur pour le genre humain que l'autorité de ces petits brigands ait été éteinte en France par la puissance légitime de nos Rois, et en Angleterre par la puissance légitime des Rois et du Peuple? **(16)**

75 Heureusement, dans les secousses que les querelles des Rois et des Grands donnaient aux Empires, les fers des Nations se sont plus ou moins relâchés; la liberté est née en Angleterre des querelles des tyrans. Les Barons forcèrent Jean Sans-Terre et Henri III à accorder cette fameuse Charte[30], dont le
80 principal but était, à la vérité, de mettre les Rois dans la dépendance des Lords, mais dans laquelle le reste de la Nation fut un peu favorisé, afin que, dans l'occasion, elle se rangeât du parti de ses prétendus protecteurs. Cette grande Charte, qui est regardée comme l'origine sacrée des libertés Anglaises,
85 fait bien voir elle-même combien peu la liberté était connue. Le titre seul prouve que le Roi se croyait absolu de droit, et que les Barons et le Clergé même ne le forçaient à se relâcher de ce droit prétendu que parce qu'ils étaient les plus forts.

30. *Jean sans Terre* fut roi d'Angleterre de 1199 à 1216; *Henri III* lui succéda de 1216 à 1272. La *Charte* date de 1214.

QUESTIONS

16. Montrez comment s'exprime ici le mépris de Voltaire pour le Moyen Age. Sur quoi ce jugement s'appuie-t-il? — La description de la tyrannie : le rôle des féodaux, celui de l'Église, l'analogie entre les deux oppresseurs successifs; en quoi la faiblesse du roi est-elle à l'origine des deux formes de pouvoir discrétionnaire de ces derniers? — En quoi consiste le peuple pour Voltaire? Qu'en conclure?

Voici comme commence la grande Charte : « Nous accordons de notre libre volonté les Privilèges suivants aux Archevêques, Évêques, Abbés, Prieurs et Barons de notre Royaume, etc. »

Dans les articles de cette Charte il n'est pas dit un mot de la Chambre des Communes, preuve qu'elle n'existait pas encore, ou qu'elle existait sans pouvoir. On y spécifie les hommes libres d'Angleterre : triste démonstration qu'il y en avait qui ne l'étaient pas. On voit, par l'Article 32, que ces hommes prétendus libres devaient des services à leur Seigneur. Une telle liberté tenait encore beaucoup de l'esclavage.

Par l'Article 21, le Roi ordonne que ses Officiers ne pourront dorénavant prendre de force les chevaux et les charrettes des hommes libres qu'en payant, et ce Règlement parut au Peuple une vraie liberté, parce qu'il ôtait une plus grande tyrannie.

Henri VII, usurpateur heureux[31] et grand politique, qui faisait semblant d'aimer les Barons, mais qui les haïssait et les craignait, s'avisa de procurer l'aliénation de leurs terres. Par là, les Vilains, qui, dans la suite, acquirent du bien par leurs travaux, achetèrent les châteaux des illustres Pairs qui s'étaient ruinés par leurs folies. Peu à peu toutes les terres changèrent de Maîtres. **(17)**

La Chambre des Communes devint de jour en jour plus puissante. Les familles des anciens Pairs s'éteignirent avec le temps; et, comme il n'y a proprement que les Pairs qui soient nobles en Angleterre dans la rigueur de la Loi, il n'y aurait plus du tout de noblesse en ce pays-là, si les Rois n'avaient pas créé de nouveaux Barons de temps en temps, et conservé l'ordre des Pairs, qu'ils avaient tant craint autrefois, pour l'opposer à celui des Communes, devenu trop redoutable.

Tous ces nouveaux Pairs, qui composent la Chambre haute, reçoivent du Roi leur titre et rien de plus; presque aucun d'eux

---

31. *Henri VII,* roi d'Angleterre de 1485 à 1509, est le premier de la dynastie des Tudor, succédant aux Plantagenêts. Il mit fin à la guerre des Deux-Roses, suscitée par le mécontentement général devant les échecs d'Henri VI en France, et restaura l'autorité royale en Angleterre.

QUESTIONS

17. La Grande Charte : la portée restrictive du préambule; on comparera à celle que Louis XVIII « octroya » aux Français lors de la Restauration. Contenu et portée du texte. Quelle connaissance paraît en avoir Voltaire? On analysera en quoi ce passage est un exemple d'étude d'un document.

n'a la terre dont il porte le nom. L'un est Duc de Dorset, et n'a pas un pouce de terre en Dorsetshire; l'autre est Comte d'un village, qui sait à peine où ce village est situé. Ils ont du pouvoir dans le Parlement, non ailleurs.

125 Vous n'entendez point ici parler de haute, moyenne et basse justice, ni du droit de chasser sur les terres d'un Citoyen, lequel n'a pas la liberté de tirer un coup de fusil sur son propre champ.

Un homme, parce qu'il est Noble ou parce qu'il est Prêtre, 130 n'est point ici exempt de payer certaines taxes; tous les impôts sont réglés par la Chambre des Communes, qui, n'étant que la seconde par son rang, est la première par son crédit.

Les Seigneurs et les Évêques peuvent bien rejeter le Bill des Communes pour les taxes; mais il ne leur est pas permis d'y 135 rien changer; il faut ou qu'ils le reçoivent ou qu'ils le rejettent sans restriction. Quand le Bill est confirmé par les Lords et approuvé par le Roi, alors tout le monde paie. Chacun donne, non selon sa qualité (ce qui est absurde), mais selon son revenu; il n'y a point de Taille ni de Capitation arbitraire, mais une 140 Taxe réelle sur les terres. Elles ont toutes été *évaluées* sous le fameux roi Guillaume III, et mises au-dessous de leur prix. **(18)**

La Taxe subsiste toujours la même, quoique les revenus des terres aient augmenté; ainsi personne n'est foulé, et personne ne se plaint. Le Paysan n'a point les pieds meurtris 145 par des sabots, il mange du pain blanc, il est bien vêtu, il ne craint point d'augmenter le nombre de ses bestiaux ni de couvrir son toit de tuiles, de peur que l'on ne hausse ses impôts l'année d'après. Il y a ici beaucoup de Paysans qui ont environ deux cent mille francs de bien, et qui ne dédaignent pas de 150 continuer à cultiver la terre qui les a enrichis, et dans laquelle ils vivent libres. **(19) (20)**

QUESTIONS

18. Retracez l'évolution de la situation politique en Angleterre d'après ce passage : renouvellement des rôles par l'accroissement du pouvoir des Communes; le principe d'équilibre entre le roi et les Chambres (voir lettre VIII), et la politique royale à l'égard des pairs. Le pouvoir de ces derniers par rapport aux féodaux, à la noblesse française. Les privilèges existent-ils en Angleterre, selon Voltaire? Portée de cette constatation.

19. Le bilan de la situation. Quelle leçon Voltaire dégage-t-il de cette égalité fiscale? Quelle lui en paraît être la portée économique? Qu'en pensez-vous?

Questions 20, v. p. 59.

DIXIÈME LETTRE

SUR LE COMMERCE.

Le Commerce, qui a enrichi les Citoyens en Angleterre, a contribué à les rendre libres, et cette liberté a étendu le Commerce à son tour; de là s'est formée la grandeur de l'État. C'est le Commerce qui a établi peu à peu les forces navales par qui les Anglais sont les maîtres des mers. Ils ont à présent près de deux cents vaisseaux de guerre. La postérité apprendra peut-être avec surprise qu'une petite Ile, qui n'a de soi-même qu'un peu de plomb, de l'étain, de la terre à foulon et de la laine grossière, est devenue par son Commerce assez puissante pour envoyer, en 1723, trois Flottes à la fois en trois extrémités du monde, l'une devant Gibraltar, conquise et conservée par ses armes, l'autre à Porto-Bello, pour ôter au Roi d'Espagne la jouissance des trésors des Indes, et la troisième dans la mer Baltique, pour empêcher les Puissances du Nord de se battre.

Quand Louis XIV faisait trembler l'Italie, et que ses armées, déjà maîtresses de la Savoie et du Piémont, étaient prêtes de prendre Turin, il fallut que le Prince Eugène marchât du fond de l'Allemagne au secours du Duc de Savoie; il n'avait point d'argent, sans quoi on ne prend ni ne défend les Villes; il eut recours à des Marchands Anglais; en une demi-heure de temps, on lui prêta cinquante millions. Avec cela il délivra Turin, battit les Français, et écrivit à ceux qui avaient prêté cette somme ce petit billet : « Messieurs, j'ai reçu votre argent, et je me flatte de l'avoir employé à votre satisfaction. »

Tout cela donne un juste orgueil à un Marchand Anglais, et fait qu'il ose se comparer, non sans quelque raison, à un Citoyen Romain[32]. Aussi le Cadet d'un Pair du Royaume

---

32. On rapprochera cette remarque de la phrase suivante d'Addison (*Essais politiques*) : « Un *freeholder* est chez nous ce qu'était autrefois à Rome un citoyen de cette fameuse République. »

QUESTIONS

20. SUR L'ENSEMBLE DE LA LETTRE IX. — Comment Voltaire ruine-t-il la prétention des Anglais à une tradition extrêmement longue de libéralisme?

— Le caractère progressif, empirique de la conquête des libertés en Angleterre. En quoi Voltaire témoigne-t-il ici d'un réalisme nouveau à l'époque?

— Voltaire entre la tentation du despotisme éclairé et la séduction d'une monarchie tempérée.

— La critique indirecte des systèmes social et fiscal français ici.

ne dédaigne point le Négoce. Milord Townshend, Ministre d'État, a un frère qui se contente d'être Marchand dans la
30 Cité. Dans le temps que Milord Oxford gouvernait l'Angleterre, son cadet était Facteur[33] à Alep, d'où il ne voulut pas revenir, et où il est mort.

Cette coutume, qui pourtant commence trop à se passer, paraît monstrueuse à des Allemands entêtés de leurs *quar-*
35 *tiers;* ils ne sauraient concevoir que le fils d'un Pair d'Angleterre ne soit qu'un riche et puissant Bourgeois, au lieu qu'en Allemagne tout est Prince; on a vu jusqu'à trente Altesses du même nom n'ayant pour tout bien que des armoiries et de l'orgueil.

40 En France est Marquis qui veut; et quiconque arrive à Paris du fond d'une Province avec de l'argent à dépenser et un nom en *Ac* ou en *Ille*, peut dire « un homme comme moi, un homme de ma qualité », et mépriser souverainement un Négociant; le Négociant entend lui-même parler si souvent
45 avec mépris de sa profession, qu'il est assez sot pour en rougir. Je ne sais pourtant lequel est le plus utile à un État, ou un Seigneur bien poudré qui sait précisément à quelle heure le Roi se lève, à quelle heure il se couche, et qui se donne des airs de Grandeur en jouant le rôle d'esclave dans l'antichambre
50 d'un Ministre, ou un Négociant qui enrichit son Pays, donne de son Cabinet des ordres à Surate et au Caire, et contribue au bonheur du monde. **(21)**

ONZIÈME LETTRE

SUR L'INSERTION DE LA PETITE VÉROLE.

On dit doucement, dans l'Europe chrétienne, que les Anglais sont des fous et des enragés : des fous, parce qu'ils donnent la petite vérole à leurs enfants, pour les empêcher de l'avoir; des enragés, parce qu'ils communiquent de gaieté de cœur
5 à ces enfants une maladie certaine et affreuse, dans la vue de prévenir un mal incertain. Les Anglais, de leur côté, disent : « Les autres Européens sont des lâches et des dénaturés : ils sont lâches, en ce qu'ils craignent de faire un peu de mal à

33. *Facteur :* agent d'un marchand pour l'achat ou pour la vente.

QUESTIONS

Questions 21, v. p. 61.

leurs Enfants; dénaturés, en ce qu'ils les exposent à mourir un jour de la petite vérole. » Pour juger qui a raison dans cette dispute, voici l'histoire de cette fameuse insertion, dont on parle hors d'Angleterre avec tant d'effroi.

Les femmes de Circassie[34] sont, de temps immémorial, dans l'usage de donner la petite vérole à leurs enfants, même à l'âge de six mois, en leur faisant une incision au bras, et en insérant dans cette incision une pustule qu'elles ont soigneusement enlevée du corps d'un autre enfant. Cette pustule fait, dans le bras où elle est insinuée, l'effet du levain dans un morceau de pâte; elle y fermente, et répand dans la masse du sang les qualités dont elle est empreinte. Les boutons de l'enfant à qui l'on a donné cette petite vérole artificielle servent à porter la même maladie à d'autres. C'est une circulation presque continuelle en Circassie; et quand malheureusement il n'y a point de petite vérole dans le Pays, on est aussi embarrassé qu'on l'est ailleurs dans une mauvaise année.

Ce qui a introduit en Circassie cette coutume, qui paraît si étrange à d'autres peuples, est pourtant une cause commune à toute la terre : c'est la tendresse maternelle et l'intérêt.

Les Circassiens sont pauvres et leurs filles sont belles; aussi ce sont elles dont ils font le plus de trafic. Ils fournissent de beautés les Harems du Grand Seigneur, du Sophi de Perse, et de ceux qui sont assez riches pour acheter et pour entretenir cette marchandise précieuse. Ils élèvent ces filles en tout bien et en tout honneur à former des danses pleines de lascivité et de mollesse, à rallumer par tous les artifices les plus voluptueux le goût des Maîtres dédaigneux à qui elles sont destinées : ces pauvres créatures répètent tous les jours leur leçon avec

34. *Circassie :* le Caucase septentrional.

QUESTIONS

21. SUR LA LETTRE X. — L'éloge du commerce dans ce texte; comment liberté et puissance sont liées à l'économie d'échanges ?

— La noblesse : en quoi Voltaire peut-il admirer l'Angleterre sur ce point? La satire de l'aristocratie allemande, son caractère traditionnel (voir *Candide*, chap. I et XXIX). Les nobles français : justesse et animosité personnelle dans ce passage.

— Puissance et prestige, apparence et réalité dans la comparaison entre le noble et le négociant. La valeur indicative de la mentalité philosophique des remarques de Voltaire ici, donnant le pas à l'économique sur les structures sociales établies.

leur mère, comme nos petites filles répètent leur catéchisme, sans y rien comprendre.

40 Or, il arrivait souvent qu'un père et une mère, après avoir bien pris des peines pour donner une bonne éducation à leurs enfants, se voyaient tout d'un coup frustrés de leur espérance. La petite vérole se mettait dans la famille; une fille en mourait, une autre perdait un œil, une troisième relevait avec un gros 45 nez; et les pauvres gens étaient ruinés sans ressource. Souvent même, quand la petite vérole devenait épidémique, le commerce était interrompu pour plusieurs années, ce qui causait une notable diminution dans les Sérails de Perse et de Turquie.

Une Nation commerçante est toujours fort alerte sur ses 50 intérêts, et ne néglige rien des connaissances qui peuvent être utiles à son négoce. Les Circassiens s'aperçurent que, sur mille personnes, il s'en trouvait à peine une seule qui fût attaquée deux fois d'une petite vérole bien complète; qu'à la vérité on essuie quelquefois trois ou quatre petites véroles légères, 55 mais jamais deux qui soient décidées et dangereuses; qu'en un mot jamais on n'a véritablement cette maladie deux fois en sa vie. Ils remarquèrent encore que, quand les petites véroles sont très bénignes et que leur éruption ne trouve à percer qu'une peau délicate et fine, elles ne laissent aucune impression 60 sur le visage. De ces observations naturelles ils conclurent que si un enfant de six mois ou d'un an avait une petite vérole bénigne, il n'en mourrait pas, il n'en serait pas marqué, et serait quitte de cette maladie pour le reste de ses jours.

Il restait donc, pour conserver la vie et la beauté de leurs 65 enfants, de leur donner la petite vérole de bonne heure; c'est ce que l'on fit, en insérant dans le corps d'un enfant un bouton que l'on prit de la petite vérole la plus complète et en même temps la plus favorable qu'on pût trouver. L'expérience ne pouvait pas manquer de réussir. Les Turcs, qui sont gens 70 sensés, adoptèrent bientôt après cette coutume, et aujourd'hui il n'y a point de Bacha, dans Constantinople, qui ne donne la petite vérole à son fils et à sa fille en les faisant sevrer.

Il y a quelques gens qui prétendent que les Circassiens prirent autrefois cette coutume des Arabes; mais nous laissons 75 ce point d'histoire à éclaircir par quelque savant Bénédictin, qui ne manquera pas de composer là-dessus plusieurs volumes in-folio avec les preuves. Tout ce que j'ai à dire sur cette matière, c'est que, dans le commencement du règne de Georges Premier[35], Mme de Wortley-Montaigu, une des femmes d'Angleterre qui a le plus d'esprit et le plus de force dans l'esprit, étant avec son Mari en ambassade à Constantinople, s'avisa de donner sans scrupule la petite vérole à un enfant dont elle était accouchée en ce pays. Son Chapelain eut beau lui dire que cette expérience n'était pas chrétienne, et ne pouvait réussir que chez des Infidèles, le fils de Mme Wortley s'en trouva à merveille. Cette dame, de retour à Londres, fit part de son expérience à la Princesse de Galles, qui est aujourd'hui Reine. Il faut avouer que, Titres et Couronnes à part, cette Princesse est née pour encourager tous les arts et pour faire du bien aux hommes; c'est un Philosophe aimable sur le Trône; elle n'a jamais perdu ni une occasion de s'instruire, ni une occasion d'exercer sa générosité; c'est elle qui, ayant entendu dire qu'une fille de Milton vivait encore, et vivait dans la misère, lui envoya sur-le-champ un présent considérable; c'est elle qui protège ce pauvre père Courayer; c'est elle qui daigna être la médiatrice entre le Docteur Clarke et M. Leibnitz. Dès qu'elle eut entendu parler de l'inoculation ou insertion de la petite vérole, elle en fit faire l'épreuve sur quatre criminels condamnés à mort, à qui elle sauva doublement la vie; car non seulement elle les tira de la potence, mais, à la faveur de cette petite vérole artificielle, elle prévint la naturelle, qu'ils auraient probablement eue, et dont ils seraient morts peut-être dans un âge plus avancé.

La Princesse, assurée de l'utilité de cette épreuve, fit inoculer ses enfants : l'Angleterre suivit son exemple, et, depuis ce temps, dix mille enfants de famille au moins doivent ainsi la vie à la Reine et à Mme Wortley-Montaigu, et autant de filles leur doivent leur beauté.

Sur cent personnes dans le monde, soixante au moins ont la petite vérole; de ces soixante, vingt en meurent dans les années les plus favorables et vingt en conservent pour toujours de fâcheux restes : voilà donc la cinquième partie des hommes que cette maladie tue ou enlaidit sûrement[36]. De tous ceux qui sont inoculés en Turquie ou en Angleterre, aucun ne meurt, s'il n'est infirme et condamné à mort d'ailleurs; personne n'est

---

35. *George Ier :* roi de Grande-Bretagne de 1714 à 1727; **36.** Le compte de Voltaire paraît erroné; en fait, il faut sans doute comprendre : un cinquième en meurt *ou* un cinquième « enlaidit sûrement ».

marqué; aucun n'a la petite vérole une seconde fois, supposé que l'inoculation ait été parfaite. Il est donc certain que si quelque Ambassadrice Française avait rapporté ce secret de Constantinople à Paris, elle aurait rendu un service éternel à
120 la nation; le Duc de Villequier, père du Duc d'Aumont d'aujourd'hui, l'homme de France le mieux constitué et le plus sain, ne serait pas mort à la fleur de son âge.

Le Prince de Soubise, qui avait la santé la plus brillante, n'aurait pas été emporté à l'âge de vingt-cinq ans; Monseigneur,
125 grand-père de Louis XV, n'aurait pas été enterré dans sa cinquantième année; vingt mille personnes, mortes à Paris de la petite vérole en 1723, vivraient encore. Quoi donc! Est-ce que les Français n'aiment point la vie? Est-ce que leurs femmes ne se soucient point de leur beauté? En vérité, nous sommes
130 d'étranges gens! Peut-être dans dix ans prendra-t-on cette méthode anglaise, si les Curés et les Médecins le permettent; ou bien les Français, dans trois mois, se serviront de l'inoculation par fantaisie, si les Anglais s'en dégoûtent par inconstance.

J'apprends que depuis cent ans les Chinois sont dans cet
135 usage; c'est un grand préjugé que l'exemple d'une nation qui passe pour être la plus sage et la mieux policée de l'Univers. Il est vrai que les Chinois s'y prennent d'une façon différente; ils ne font point d'incision; ils font prendre la petite vérole par le nez, comme du tabac en poudre; cette façon est plus
140 agréable, mais elle revient au même, et sert également à confirmer que, si on avait pratiqué l'inoculation en France, on aurait sauvé la vie à des milliers d'hommes. **(22)**

DOUZIÈME LETTRE

SUR LE CHANCELIER BACON.

Il n'y a pas longtemps que l'on agitait, dans une compagnie célèbre, cette question usée et frivole, quel était le plus grand homme, de César, d'Alexandre, de Tamerlan[37], de Cromwell, etc.

Quelqu'un répondit que c'était sans contredit Isaac Newton.
5 Cet homme avait raison; car si la vraie grandeur consiste à avoir reçu du Ciel un puissant génie, et à s'en être servi pour

37. *Tamerlan* (ou Timour Lang) : fondateur du second Empire mongol (1336-1405). Il mourut au moment où il marchait à la conquête de la Chine.

QUESTIONS

Questions 22, v. p. 65.

s'éclairer soi-même et les autres, un homme comme Monsieur Newton, tel qu'il s'en trouve à peine en dix siècles, est véritablement le grand homme; et ces Politiques et ces Conquérants, dont aucun siècle n'a manqué, ne sont d'ordinaire que d'illustres méchants. C'est à celui qui domine sur les esprits par la force de la vérité, non à ceux qui font des esclaves par la violence, c'est à celui qui connaît l'Univers, non à ceux qui le défigurent, que nous devons nos respects.

Puis donc que vous exigez que je vous parle des hommes célèbres qu'a portés l'Angleterre, je commencerai par les Bacon, les Locke, les Newton, etc. Les Généraux et les Ministres viendront à leur tour. **(23)**

Il faut commencer par le fameux Comte de Verulam, connu en Europe sous le nom de Bacon, qui était son nom de famille. Il était fils d'un Garde des Sceaux, et fut longtemps Chancelier sous le Roi Jacques Premier. Cependant, au milieu des intrigues de la Cour et des occupations de sa Charge, qui demandaient un homme tout entier, il trouva le temps d'être grand Philosophe, bon Historien et Écrivain élégant; et ce qui est encore plus étonnant, c'est qu'il vivait dans un siècle où l'on ne connaissait guère l'art de bien écrire, encore moins la bonne Philosophie. Il a été, comme c'est l'usage parmi les hommes, plus estimé après sa mort que de son vivant : ses ennemis étaient à la Cour de Londres; ses admirateurs étaient dans toute l'Europe.

Lorsque le Marquis d'Effiat amena en Angleterre la Princesse Marie, fille de Henri le Grand, qui devait épouser le

QUESTIONS

22. SUR LA LETTRE XI. — Intérêt historique de cette lettre, sachant que Voltaire fut réellement le premier à vulgariser cette notion de vaccination.

— Peut-on comprendre en quoi cette nouveauté pouvait tout à la fois effrayer et tenter les personnes éclairées du temps de Voltaire?

— Analysez l'historique proposé par l'auteur : en quoi est-ce un excellent moyen d'éviter le risque de faire un exposé ennuyeux ou ardu? L'habileté et l'aisance de Voltaire vulgarisateur.

— Religion, « philosophie » et esprit scientifique. L'empirisme de la démarche des Circassiennes; la confiance de la première dame anglaise qui pratiqua l'inoculation vous paraît-elle imprudente?

23. Le contraste entre les noms cités dans le premier paragraphe et celui de Newton : on recherchera ce qui individualise chacun des premiers et ce qu'ils ont en commun. — Valeur du troisième paragraphe : on comparera avec l'esprit qui anime *le Siècle de Louis XIV*.

Prince de Galles, ce Ministre alla visiter Bacon qui, alors étant
35 malade au lit, le reçut les rideaux fermés. « Vous ressemblez aux anges, lui dit d'Effiat; on entend toujours parler d'eux, on les croit bien supérieurs aux hommes, et on n'a jamais la consolation de les voir. »

Vous savez, Monsieur, comment Bacon fut accusé d'un
40 crime qui n'est guère d'un Philosophe, de s'être laissé corrompre par argent; vous savez comment il fut condamné par la Chambre des Pairs à une amende d'environ quatre cent mille livres[38] de notre monnaie, à perdre sa Dignité de Chancelier et de Pair.

45 Aujourd'hui, les Anglais révèrent sa Mémoire au point qu'ils ne veulent point avouer qu'il ait été coupable. Si vous me demandez ce que j'en pense, je me servirai, pour vous répondre, d'un mot que j'ai ouï dire à Milord Bolingbroke. On parlait, en sa présence, de l'avarice dont le Duc de Marlbo-
50 rough avait été accusé, et on en citait des traits sur lesquels on appelait au témoignage de Milord Bolingbroke, qui, ayant été son ennemi déclaré, pouvait peut-être avec bienséance dire ce qui en était. « C'était un si grand homme, répondit-il, que j'ai oublié ses vices. » **(24)**

55 Je me bornerai donc à vous parler de ce qui a mérité au Chancelier Bacon l'estime de l'Europe.

Le plus singulier et le meilleur de ses ouvrages est celui qui est aujourd'hui le moins lu et le plus inutile : je veux parler de son *Novum scientiarum organum.* C'est l'échafaud avec
60 lequel on a bâti la nouvelle philosophie; et, quand cet édifice a été élevé au moins en partie, l'échafaud n'a plus été d'aucun usage.

Le Chancelier Bacon ne connaissait pas encore la nature; mais il savait et indiquait tous les chemins qui mènent à elle.
65 Il avait méprisé de bonne heure ce que les Universités appelaient la Philosophie; et il faisait tout ce qui dépendait de lui, afin que ces Compagnies, instituées pour la perfection de la raison humaine, ne continuassent pas de la gâter par leurs

38. En réalité 40 000 livres anglaises, soit un million de livres françaises du temps. Bacon ne perdit, en fait, que le droit d'assister aux séances du Parlement.

QUESTIONS

24. La vie de Bacon décrite par Voltaire : sur quoi repose l'évocation? Utilité des anecdotes. Bacon et ses contemporains. Importance de la dernière phrase du quatrième paragraphe.

quiddités, leur *horreur du vide*, leurs *formes substantielles*[39] et tous les mots impertinents que non seulement l'ignorance rendait respectables, mais qu'un mélange ridicule avec la Religion avait rendus presque sacrés.

Il est le père de la Philosophie expérimentale. Il est bien vrai qu'avant lui on avait découvert des secrets étonnants. On avait inventé la Boussole, l'Imprimerie, la gravure des Estampes, la peinture à l'huile, les glaces, l'art de rendre en quelque façon la vue aux vieillards par les lunettes qu'on appelle bésicles, la poudre à canon, etc. On avait cherché, trouvé et conquis un nouveau monde. Qui ne croirait que ces sublimes découvertes eussent été faites par les plus grands Philosophes, et dans des temps bien plus éclairés que le nôtre? Point du tout : c'est dans le temps de la plus stupide barbarie que ces grands changements ont été faits sur la terre : le hasard seul a produit presque toutes ces inventions, et il y a même bien de l'apparence que ce qu'on appelle hasard a eu grande part dans la découverte de l'Amérique; du moins a-t-on toujours cru que Christophe Colomb n'entreprit son voyage que sur la foi d'un Capitaine de vaisseau qu'une tempête avait jeté jusqu'à la hauteur des Iles Caraïbes.

Quoi qu'il en soit, les hommes savaient aller au bout du monde, ils savaient détruire des Villes avec un tonnerre artificiel plus terrible que le tonnerre véritable; mais ils ne connaissaient pas la circulation du sang, la pesanteur de l'air, les lois du mouvement, la lumière, le nombre de nos planètes, etc., et un homme qui soutenait une thèse sur les catégories d'Aristote, sur l'universel *a parte rei* ou telle autre sottise, était regardé comme un prodige.

Les inventions les plus étonnantes et les plus utiles ne sont pas celles qui font le plus d'honneur à l'esprit humain.

C'est à un instinct mécanique, qui est chez la plupart des hommes, que nous devons tous les Arts, et nullement à la saine Philosophie.

La découverte du feu, l'art de faire du pain, de fondre et de préparer les métaux, de bâtir des maisons, l'invention de la navette, sont d'une toute autre nécessité que l'Imprimerie et la Boussole; cependant ces Arts furent inventés par des hommes encore sauvages.

39. Allusions satiriques à quelques thèmes de la philosophie scolastique.

Quel prodigieux usage les Grecs et les Romains ne firent-ils pas depuis des mécaniques? Cependant on croyait de leur temps
110 qu'il y avait des cieux de cristal, et que les étoiles étaient de petites lampes qui tombaient quelquefois dans la mer; et un de leurs grands Philosophes, après bien des recherches, avait trouvé que les astres étaient des cailloux qui s'étaient détachés de la terre[40].

115 En un mot, personne avant le Chancelier Bacon n'avait connu la Philosophie expérimentale; et de toutes les épreuves physiques qu'on a faites depuis lui, il n'y en a presque pas une qui ne soit indiquée dans son livre. Il en avait fait lui-même plusieurs; il fit des espèces de machines Pneumatiques[41],
120 par lesquelles il devina l'Élasticité de l'air; il a tourné tout autour de la découverte de sa pesanteur; il y touchait; cette vérité fut saisie par Torricelli. Peu de temps après, la Physique expérimentale commença tout d'un coup à être cultivée à la fois dans presque toutes les parties de l'Europe. C'était un
125 trésor caché dont Bacon s'était douté, et que tous les Philosophes, encouragés par sa promesse, s'efforcèrent de déterrer.

Mais ce qui m'a le plus surpris, ç'a été de voir dans son livre, en termes exprès, cette attraction nouvelle dont Monsieur Newton passe pour l'inventeur.

130 « Il faut chercher, dit Bacon, s'il n'y aurait point une espèce de force magnétique qui opère entre la terre et les choses pesantes, entre la Lune et l'Océan, entre les Planètes, etc. »

En un autre endroit, il dit : « Il faut ou que les corps graves soient portés vers le centre de la terre ou qu'ils en soient mutuel-
135 lement attirés, et, en ce dernier cas, il est évident que plus les corps, en tombant, s'approcheront de la terre, plus fortement ils s'attireront. Il faut, poursuit-il, expérimenter si la même horloge à poids ira plus vite sur le haut d'une montagne ou au fond d'une mine; si la force des poids diminue sur la mon-
140 tagne et augmente dans la mine, il y a apparence que la terre a une vraie attraction. » **(25)**

Ce précurseur de la Philosophie a été aussi un écrivain élégant, un historien, un bel esprit.

---

40. C'est d'Anaxagore qu'il s'agit ici. Philosophe de l'école ionienne (vers 500-428), il eut pour élèves Périclès et Socrate; **41.** La *machine pneumatique* servait à faire le vide; la démonstration de l'existence de ce dernier eut des conséquences importantes en physique.

QUESTIONS

Questions 25, v. p. 69.

Ses *Essais de morale* sont très estimés; mais ils sont faits pour instruire plutôt que pour plaire; et, n'étant ni la satire de la nature humaine comme les *Maximes* de M. de La Rochefoucauld, ni l'école du scepticisme comme Montaigne, ils sont moins lus que ces deux livres ingénieux.

Son *Histoire de Henri VII* a passé pour un chef-d'œuvre; mais je serais fort trompé si elle pouvait être comparée à l'ouvrage de notre illustre de Thou[42].

En parlant de ce fameux imposteur Parkins, Juif de naissance, qui prit si hardiment le nom de Richard IV, roi d'Angleterre, encouragé par la duchesse de Bourgogne, et qui disputa la couronne à Henri VII[43], voici comme le Chancelier Bacon s'exprime :

« Environ ce temps, le roi Henri fut obsédé d'esprits malins par la magie de la duchesse de Bourgogne, qui évoqua des enfers l'ombre d'Édouard IV pour venir tourmenter le roi Henri. Quand la duchesse de Bourgogne eut instruit Parkins, elle commença à délibérer par quelle région du Ciel elle ferait paraître cette comète, et elle résolut qu'elle éclaterait d'abord sur l'horizon de l'Irlande. »

Il me semble que notre sage de Thou ne donne guère dans ce phébus, qu'on prenait autrefois pour du sublime, mais qu'à présent on nomme avec raison galimatias. **(26) (27)**

---

42. Jacques *de Thou :* magistrat et historien (1553-1617), auteur d'une *Histoire de mon temps.* C'est son fils qui fut décapité avec Cinq-Mars sous Richelieu; **43.** Voir note 31.

QUESTIONS

25. En quoi Bacon mérite-t-il, d'après ce passage, le titre de « père de la philosophie expérimentale » que lui décerne Voltaire? Qu'a-t-il trouvé? pressenti? Le jugement de Voltaire sur le *Novum scientiarum organum* est-il entièrement justifié si l'on s'intéresse non seulement au contenu, mais à la méthode? — Le lien entre « saine philosophie », hasard et grandes découvertes. Comment cette digression se rattache-t-elle au propos de cette lettre?

26. Le jugement de Voltaire sur les autres aspects du talent de Bacon : comment le style reflète-t-il l'intérêt secondaire que Voltaire attache à ce sujet? Le besoin de prouver et l'art des citations.

27. Sur l'ensemble de la lettre XII. — La conception de l'histoire qui transparaît chez Voltaire d'après ce texte. La hiérarchie des inventions et des découvertes du point de vue de leur utilité.

— Bilan sur Bacon : qu'est-ce qui mérite d'être conservé de lui? Sa place exacte dans l'histoire des sciences.

— La place de la « saine philosophie » dans l'histoire du genre humain selon Voltaire.

Phot. Larousse.

« Locke a développé à l'homme la raison humaine, comme un excellent Anatomiste explique les ressorts du corps humain » (p. 72, l. 61).

Portrait de John Locke (1632-1704).

TREIZIÈME LETTRE

SUR M. LOCKE.

Jamais il ne fut peut-être un esprit plus sage, plus méthodique, un Logicien plus exact que M. Locke; cependant il n'était pas grand Mathématicien. Il n'avait jamais pu se soumettre à la fatigue des calculs ni à la sécheresse des vérités Mathématiques, qui ne présente d'abord rien de sensible à l'esprit; et personne n'a mieux prouvé que lui qu'on pouvait avoir l'esprit géomètre sans le secours de la Géométrie. Avant lui, de grands Philosophes avaient décidé positivement ce que c'est que l'âme de l'homme; mais, puisqu'ils n'en savaient rien du tout, il est bien juste qu'ils aient tous été d'avis différents.

Dans la Grèce, berceau des arts et des erreurs, et où l'on poussa si loin la grandeur et la sottise de l'esprit humain, on raisonnait comme chez nous sur l'âme.

Le Divin Anaxagoras[44], à qui on dressa un Autel pour avoir appris aux hommes que le Soleil était plus grand que le Péloponèse, que la neige était noire et que les cieux étaient de pierre, affirma que l'âme était un esprit aérien, mais cependant immortel.

Diogène, un autre que celui qui devint cynique après avoir été faux-monnayeur, assurait que l'âme était une portion de la substance même de Dieu; et cette idée au moins était brillante.

Épicure la composait de parties comme le corps. Aristote, qu'on a expliqué de mille façons, parce qu'il était inintelligible, croyait, si l'on s'en rapporte à quelques-uns de ses disciples, que l'entendement de tous les hommes était une seule et même substance.

Le divin Platon, maître du divin Aristote, et le divin Socrate, maître du divin Platon, disaient l'âme corporelle et éternelle; le démon de Socrate lui avait appris sans doute ce qui en était. Il y a des gens, à la vérité, qui prétendent qu'un homme qui se vantait d'avoir un génie familier était indubitablement un fou ou un fripon; mais ces gens-là sont trop difficiles.

Quant à nos Pères de l'Église, plusieurs dans les premiers siècles ont cru l'âme humaine, les Anges et Dieu corporels. Le monde se raffine toujours. Saint Bernard, selon l'aveu du Père Mabillon, enseigna, à propos de l'âme, qu'après la

---

44. Voir note 40.

mort elle ne voyait point Dieu dans le Ciel, mais qu'elle conversait seulement avec l'humanité de Jésus-Christ; on ne le crut pas cette fois sur sa parole. L'aventure de la Croisade avait
40 un peu décrédité ses Oracles. Mille Scolastiques sont venus ensuite, comme le Docteur irréfragable, le Docteur subtil, le Docteur angélique, le Docteur séraphique, le Docteur chérubique, qui tous ont été bien sûrs de connaître l'âme très clairement, mais qui n'ont pas laissé d'en parler comme s'ils avaient
45 voulu que personne n'y entendît rien.

Notre Descartes, né pour découvrir les erreurs de l'Antiquité, mais pour y substituer les siennes, et entraîné par cet esprit systématique qui aveugle les plus grands hommes, s'imagina avoir démontré que l'âme était la même chose que la pensée,
50 comme la matière, selon lui, est la même chose que l'étendue; il assura que l'on pense toujours, et que l'âme arrive dans le corps pourvue de toutes les notions métaphysiques, connaissant Dieu, l'espace, l'infini, ayant toutes les idées abstraites, remplie enfin de belles connaissances, qu'elle oublie malheu-
55 reusement en sortant du ventre de sa mère.

M. Malebranche, de l'Oratoire, dans ses illusions sublimes, non seulement admit les idées innées, mais il ne doutait pas que nous ne vissions tout en Dieu, et que Dieu, pour ainsi dire, ne fût notre âme. **(28)**

60 Tant de raisonneurs ayant fait le roman de l'âme, un sage est venu, qui en a fait modestement l'histoire. Locke a développé à l'homme la raison humaine, comme un excellent Anatomiste explique les ressorts du corps humain. Il s'aide partout du flambeau de la Physique; il ose quelquefois parler affirma-
65 tivement, mais il ose aussi douter; au lieu de définir tout d'un coup ce que nous ne connaissons pas, il examine par degrés ce que nous voulons connaître. Il prend un enfant au moment de sa naissance; il suit pas à pas les progrès de son entendement; il voit ce qu'il a de commun avec les bêtes et ce qu'il a au-dessus
70 d'elles; il consulte surtout son propre témoignage, la conscience de sa pensée.

QUESTIONS

28. Voltaire et la métaphysique : quelle est sa position? On montrera que c'est là une des constantes de sa pensée. — Son opinion sur les philosophes de la Grèce antique relève-t-elle de la plaisanterie, de la démystification ou du parti pris d'hostilité? — Appréciez son jugement sur Descartes : à quoi se réfèrent les allusions contenues dans la première partie du paragraphe qui lui est consacré? Expliquez ce que vise Voltaire dans la seconde.

« Je laisse, dit-il, à discuter à ceux qui en savent plus que moi, si notre âme existe avant ou après l'organisation de notre corps; mais j'avoue qu'il m'est tombé en partage une de ces âmes grossières qui ne pensent pas toujours, et j'ai même le malheur de ne pas concevoir qu'il soit plus nécessaire à l'âme de penser toujours qu'au corps d'être toujours en mouvement[45]. »

Pour moi, je me vante de l'honneur d'être en ce point aussi stupide que Locke. Personne ne me fera jamais croire que je pense toujours; et je ne me sens pas plus disposé que lui à imaginer que, quelques semaines après ma conception, j'étais une fort savante âme, sachant alors mille choses que j'ai oubliées en naissant, et ayant fort inutilement possédé dans l'*utérus* des connaissances qui m'ont échappé dès que j'ai pu en avoir besoin, et que je n'ai jamais bien pu rapprendre depuis.

Locke, après avoir ruiné les idées innées, après avoir bien renoncé à la vanité de croire qu'on pense toujours, établit que toutes nos idées nous viennent par les sens, examine nos idées simples et celles qui sont composées, suit l'esprit de l'homme dans toutes ses opérations, fait voir combien les langues que les hommes parlent sont imparfaites, et quel abus nous faisons des termes à tous moments.

Il vient enfin à considérer l'étendue ou plutôt le néant des connaissances humaines. C'est dans ce chapitre qu'il ose avancer modestement ces paroles : *Nous ne serons peut-être jamais capables de connaître si un être purement matériel pense ou non*[46].

Ce discours sage parut à plus d'un Théologien une déclaration scandaleuse que l'âme est matérielle et mortelle.

Quelques Anglais, dévots à leur manière, sonnèrent l'alarme. Les superstitieux sont dans la société ce que les poltrons sont dans une armée : ils ont, et donnent des terreurs paniques. On cria que Locke voulait renverser la Religion : il ne s'agissait pourtant point de Religion dans cette affaire; c'était une question purement philosophique, très indépendante de la foi et de la révélation; il ne fallait qu'examiner sans aigreur s'il y a de la contradiction à dire : *la matière peut penser*, et si Dieu peut communiquer la pensée à la matière. Mais les Théologiens commencent trop souvent par dire que Dieu est outragé quand on n'est pas de leur avis. C'est trop ressembler aux

45. *Essai sur l'entendement humain* (trad. Coste, II, I, 10) ; **46.** *Ibid.*, IV, III, 22.

mauvais Poètes, qui criaient que Despréaux parlait mal du Roi, parce qu'il se moquait d'eux.

Le Docteur Stillingfleet[47] s'est fait une réputation de Théologien modéré, pour n'avoir pas dit positivement des injures à
115 Locke. Il entra en lice contre lui, mais il fut battu, car il raisonnait en Docteur, et Locke en Philosophe instruit de la force et de la faiblesse de l'esprit humain, et qui se battait avec des armes dont il connaissait la trempe. **(29)**

Si j'osais parler après M. Locke sur un sujet si délicat, je
120 dirais : Les hommes disputent depuis longtemps sur la nature et sur l'immortalité de l'âme. A l'égard de son immortalité, il est impossible de la démontrer, puisqu'on dispute encore sur sa nature, et qu'assurément il faut connaître à fond un être créé pour décider s'il est immortel ou non. La raison humaine
125 est si peu capable de démontrer par elle-même l'immortalité de l'âme que la Religion a été obligée de nous la révéler. Le bien commun de tous les hommes demande qu'on croie l'âme immortelle; la foi nous l'ordonne; il n'en faut pas davantage, et la chose est décidée. Il n'en est pas de même de sa nature;
130 il importe peu à la Religion de quelle substance soit l'âme, pourvu qu'elle soit vertueuse; c'est une horloge qu'on nous a donnée à gouverner; mais l'ouvrier ne nous a pas dit de quoi le ressort de cette horloge est composé.

Je suis corps et je pense : je n'en sais pas davantage. Irai-je
135 attribuer à une cause inconnue ce que je puis si aisément attribuer à la seule cause seconde que je connais? Ici, tous les Philosophes de l'École m'arrêtent en argumentant, et disent : « Il n'y a dans le corps que de l'étendue et de la solidité, et il ne peut avoir que du mouvement et de la figure. Or, du mou-
140 vement et de la figure, de l'étendue et de la solidité ne peuvent faire une pensée; donc l'âme ne peut pas être matière. » Tout ce grand raisonnement tant de fois répété se réduit uniquement à ceci : « Je ne connais point du tout la matière; j'en devine

47. Cet évêque de Worcester entretint une polémique avec Locke qui resta sur le ton de la courtoisie de 1697 à 1699.

QUESTIONS

29. Comment apparaît Locke à travers ce passage? Soulignez le contraste, que Voltaire exploite, entre sa manière de raisonner et celle des théologiens. Quel est le rôle de la « physique » (= connaissance de la nature) dans la formation intellectuelle de Locke. — Philosophie et religion, d'après ce passage. « Il ne s'agissait point de religion dans cette affaire », écrit Voltaire à propos des discussions sur l'âme : est-ce exact?

imparfaitement quelques propriétés; or, je ne sais point du tout si ces propriétés peuvent être jointes à la pensée; donc parce que je ne sais rien du tout, j'assure positivement que la matière ne saurait penser. » Voilà nettement la manière de raisonner de l'École. Locke dirait avec simplicité à ces messieurs : « Confessez du moins que vous êtes aussi ignorants que moi; votre imagination ni la mienne ne peuvent concevoir comment un corps a des idées; et comprenez-vous mieux comment une substance, telle qu'elle soit, a des idées? Vous ne concevez ni la matière ni l'esprit; comment osez-vous assurer quelque chose? »

Le superstitieux vient à son tour, et dit qu'il faut brûler, pour le bien de leurs âmes, ceux qui soupçonnent qu'on peut penser avec la seule aide du corps. Mais que diraient-ils si c'étaient eux-mêmes qui fussent coupables d'irréligion? En effet, quel est l'homme qui osera assurer, sans une impiété absurde, qu'il est impossible au Créateur de donner à la matière la pensée et le sentiment? Voyez, je vous prie, à quel embarras vous êtes réduits, vous qui bornez ainsi la puissance du Créateur! Les bêtes ont les mêmes organes que nous, les mêmes sentiments, les mêmes perceptions; elles ont de la mémoire, elles combinent quelques idées. Si Dieu n'a pas pu animer la matière et lui donner le sentiment, il faut de deux choses l'une, ou que les bêtes soient de pures machines ou qu'elles aient une âme spirituelle.

Il me paraît presque démontré que les bêtes ne peuvent être de simples machines. Voici ma preuve : Dieu leur a fait précisément les mêmes organes de sentiment que les nôtres; donc, s'ils ne sentent point, Dieu a fait un ouvrage inutile. Or Dieu, de votre aveu même, ne fait rien en vain; donc il n'a point fabriqué tant d'organes de sentiment pour qu'il n'y eût point de sentiment; donc les bêtes ne sont point de pures machines.

Les bêtes, selon vous, ne peuvent pas avoir une âme spirituelle; donc, malgré vous, il ne reste autre chose à dire, sinon que Dieu a donné aux organes des bêtes, qui sont matière, la faculté de sentir et d'apercevoir, laquelle vous appelez instinct dans elles.

Eh! qui peut empêcher Dieu de communiquer à nos organes plus déliés cette faculté de sentir, d'apercevoir et de penser, que nous appelons raison humaine? De quelque côté que vous

185 vous tourniez, vous êtes obligés d'avouer votre ignorance et la puissance immense du Créateur. Ne vous révoltez donc plus contre la sage et modeste Philosophie de Locke; loin d'être contraire à la Religion, elle lui servirait de preuve, si la Religion en avait besoin; car, quelle Philosophie plus religieuse 190 que celle qui, n'affirmant que ce qu'elle conçoit clairement et sachant avouer sa faiblesse, vous dit qu'il faut recourir à Dieu dès qu'on examine les premiers principes? **(30)**

D'ailleurs, il ne faut jamais craindre qu'aucun sentiment philosophique puisse nuire à la Religion d'un Pays. Nos 195 Mystères ont beau être contraires à nos démonstrations, ils n'en sont pas moins révérés par les Philosophes chrétiens, qui savent que les objets de la raison et de la foi sont de différente nature. Jamais les Philosophes ne feront une Secte de Religion. Pourquoi? C'est qu'ils n'écrivent point pour le peuple, 200 et qu'ils sont sans enthousiasme[48].

Divisez le genre humain en vingt parts : il y en a dix-neuf composées de ceux qui travaillent de leurs mains, et qui ne sauront jamais s'il y a un Locke au monde; dans la vingtième partie qui reste, combien trouve-t-on peu d'hommes qui lisent! 205 Et parmi ceux qui lisent, il y en a vingt qui lisent des Romans, contre un qui étudie la Philosophie. Le nombre de ceux qui pensent est excessivement petit, et ceux-là ne s'avisent pas de troubler le monde.

Ce n'est ni Montaigne, ni Locke, ni Bayle, ni Spinosa, 210 ni Hobbes, ni milord Shaftesbury, ni M. Collins, ni M. Toland[49], etc., qui ont porté le flambeau de la discorde dans leur Patrie; ce sont, pour la plupart, des Théologiens, qui, ayant eu d'abord l'ambition d'être chefs de Secte, ont eu bientôt celle d'être chefs de parti. Que dis-je! tous les livres 215 des Philosophes modernes mis ensemble ne feront jamais

---

48. *Enthousiasme :* voir note 9; **49.** *Hobbes :* philosophe anglais (1588-1679), matérialiste et athée. *Shaftesbury :* moraliste anglais (1671-1713), adversaire du christianisme. *Collins* (1676-1729) et *Toland* (1670-1722) : philosophes anglais matérialistes.

QUESTIONS

30. En quoi ce passage constitue-t-il, à strictement parler, une digression? Comment se rattache-t-il à ce qui précède? Montrez qu'il dévoile en même temps de quelle manière Voltaire se sert de Locke pour indiquer ses idées. — On analysera pas à pas les idées que l'auteur exprime ici : en quoi elles sont contraires à l'orthodoxie en la matière à l'époque, ce qu'elles valent, leur cohérence et le système qu'elles constituent.

dans le monde autant de bruit seulement qu'en a fait autrefois la dispute des Cordeliers sur la forme de leur manche et de leur capuchon. **(31) (32)**

QUATORZIÈME LETTRE

Sur Descartes et Newton.

Un Français qui arrive à Londres trouve les choses bien changées en Philosophie comme dans tout le reste. Il a laissé le monde plein; il le trouve vide. A Paris, on voit l'univers composé de tourbillons de matière subtile; à Londres, on ne voit rien de cela. Chez nous, c'est la pression de la lune qui cause le flux de la mer; chez les Anglais, c'est la mer qui gravite vers la lune, de façon que, quand vous croyez que la lune devrait nous donner marée haute, ces Messieurs croient qu'on doit avoir marée basse; ce qui malheureusement ne peut se vérifier, car il aurait fallu, pour s'en éclaircir, examiner la lune et les marées au premier instant de la création.

Vous remarquerez encore que le soleil, qui en France n'entre pour rien dans cette affaire, y contribue ici environ pour son quart. Chez vos Cartésiens, tout se fait par une impulsion qu'on ne comprend guère; chez M. Newton, c'est par une attraction dont on ne connaît pas mieux la cause. A Paris, vous vous figurez la terre faite comme un melon; à Londres, elle est aplatie des deux côtés. La lumière, pour un Cartésien, existe dans l'air; pour un Newtonien, elle vient du soleil en six minutes et demie. Votre Chimie fait toutes ses opérations avec des Acides, des Alcalis et de la matière subtile; l'Attraction domine jusque dans la Chimie Anglaise.

QUESTIONS

31. Opposition entre « philosophes » et religion d'après ce passage : les éléments du contraste; la justesse des idées émises; les différents plans abordés.

32. Sur l'ensemble de la lettre XIII. — Les idées de Locke d'après cette lettre; leur conformité avec celles de Voltaire. En quoi est-il plus « physicien » que métaphysicien?

— L'art, chez Voltaire, d'utiliser tous les moyens de faire connaître ses idées.

— Montrez l'importance capitale, pour la pensée de Voltaire, des deux derniers paragraphes : les idées exprimées; l'opposition proposée; la pensée et l'attitude dans la société; l'importance relative du rayonnement des philosophes.

L'essence même des choses a totalement changé. Vous ne vous accordez ni sur la définition de l'âme ni sur celle de la
25 matière. Descartes assure que l'âme est la même chose que la pensée, et Locke lui prouve assez bien le contraire.

Descartes assure encore que l'étendue seule fait la matière; Newton y ajoute la solidité. Voilà de furieuses contrariétés.

Non nostrum inter vos tantas componere lites[50].

30 Ce fameux Newton, ce destructeur du système Cartésien, mourut au mois de Mars de l'an passé 1727. Il a vécu honoré de ses compatriotes, et a été enterré comme un Roi qui aurait fait du bien à ses Sujets.

On a lu ici avec avidité et l'on a traduit en Anglais l'Éloge
35 que M. de Fontenelle a prononcé de M. Newton dans l'Académie des Sciences. On attendait en Angleterre le jugement de M. de Fontenelle comme une déclaration solennelle de la supériorité de la Philosophie anglaise; mais, quand on a vu qu'il comparait Descartes à Newton, toute la Société royale
40 de Londres s'est soulevée. Loin d'acquiescer au jugement, on a critiqué ce discours. Plusieurs même (et ceux-là ne sont pas les plus Philosophes) ont été choqués de cette comparaison seulement parce que Descartes était Français.

Il faut avouer que ces deux grands hommes ont été bien
45 différents l'un et l'autre dans leur conduite, dans leur fortune et dans leur Philosophie.

Descartes était né avec une imagination vive et forte, qui en fit un homme singulier dans sa vie privée comme dans sa manière de raisonner. Cette imagination ne put se cacher
50 même dans ses ouvrages philosophiques, où l'on voit à tout moment des comparaisons ingénieuses et brillantes. La nature en avait presque fait un Poète, et en effet il composa pour la Reine de Suède un divertissement en vers que pour l'honneur de sa mémoire on n'a pas fait imprimer.

55 Il essaya quelque temps du métier de la guerre, et depuis étant devenu tout à fait Philosophe, il ne crut pas indigne de lui de faire l'amour. Il eut de sa maîtresse une fille nommée Francine, qui mourut jeune et dont il regretta beaucoup la perte. Ainsi il éprouva tout ce qui appartient à l'humanité.
60 Il crut longtemps qu'il était nécessaire de fuir les hommes, et surtout sa Patrie, pour philosopher en liberté. Il avait raison;

---

50. « Il ne nous appartient pas de terminer un tel différend entre vous. »

les hommes de son temps n'en savaient pas assez pour l'éclaircir[51], et n'étaient guère capables que de lui nuire.

Il quitta la France parce qu'il cherchait la vérité, qui y était persécutée alors par la misérable Philosophie de l'École; mais il ne trouva pas plus de raison dans les Universités de la Hollande, où il se retira. Car dans le temps qu'on condamnait en France les seules propositions de sa Philosophie qui fussent vraies, il fut aussi persécuté par les prétendus Philosophes de Hollande, qui ne l'entendaient pas mieux, et qui, voyant de plus près sa gloire, haïssaient davantage sa personne. Il fut obligé de sortir d'Utrecht; il essuya l'accusation d'Athéisme, dernière ressource des calomniateurs; et lui qui avait employé toute la sagacité de son esprit à chercher de nouvelles preuves de l'existence d'un Dieu, fut soupçonné de n'en point reconnaître.

Tant de persécutions supposaient un très grand mérite et une réputation éclatante : aussi avait-il l'un et l'autre. La raison perça même un peu dans le monde à travers les ténèbres de l'École et les préjugés de la superstition populaire. Son nom fit enfin tant de bruit qu'on voulut l'attirer en France par des récompenses. On lui proposa une pension de mille écus; il vint sur cette espérance, paya les frais de la patente, qui se vendait alors, n'eut point la pension, et s'en retourna philosopher dans sa solitude de Nord-Hollande, dans le temps que le grand Galilée[52], à l'âge de quatre-vingts ans, gémissait dans les prisons de l'Inquisition, pour avoir démontré le mouvement de la terre. Enfin il mourut à Stockholm d'une mort prématurée et causée par un mauvais régime, au milieu de quelques Savants, ses ennemis, et entre les mains d'un Médecin qui le haïssait.

La carrière du Chevalier Newton a été toute différente. Il a vécu quatre-vingt-cinq ans, toujours tranquille, heureux et honoré dans sa Patrie.

Son grand bonheur a été non seulement d'être né dans un pays libre, mais dans un temps où les impertinences scolastiques étant bannies, la raison seule était cultivée; et le monde ne pouvait être que son écolier, et non son ennemi.

Une opposition singulière dans laquelle il se trouve avec Descartes, c'est que, dans le cours d'une si longue vie, il n'a eu ni passion ni faiblesse; il n'a jamais approché d'aucune

---

51. *Eclaircir :* renseigner, informer; 52. *Galilée* mourut en 1642.

femme : c'est ce qui m'a été confirmé par le Médecin et le Chirurgien entre les bras de qui il est mort. On peut admirer en cela Newton, mais il ne faut pas blâmer Descartes.

105 L'opinion publique en Angleterre sur ces deux Philosophes est que le premier était un rêveur, et que l'autre était un sage.

Très peu de personnes à Londres lisent Descartes, dont effectivement les ouvrages sont devenus inutiles; très peu lisent aussi Newton, parce qu'il faut être fort savant pour le com-
110 prendre; cependant, tout le monde parle d'eux; on n'accorde rien au Français et on donne tout à l'Anglais. Quelques gens croient que, si on ne s'en tient plus à l'horreur du Vide, si on sait que l'air est pesant, si on se sert de lunettes d'approche, on en a l'obligation à Newton. Il est ici l'Hercule de la fable,
115 à qui les ignorants attribuaient tous les faits des autres Héros.

Dans une critique qu'on a faite à Londres du discours de M. de Fontenelle, on a osé avancer que Descartes n'était pas un grand Géomètre. Ceux qui parlent ainsi peuvent se reprocher de battre leur nourrice; Descartes a fait un aussi grand
120 chemin, du point où il a trouvé la Géométrie jusqu'au point où il l'a poussée, que Newton en a fait après lui : il est le premier qui ait trouvé la manière de donner les Équations algébriques des Courbes. Sa Géométrie, grâce à lui devenue aujourd'hui commune, était de son temps si profonde qu'aucun
125 Professeur n'osa entreprendre de l'expliquer, et qu'il n'y avait en Hollande que Schooten[53] et en France que Fermat[54] qui l'entendissent.

Il porta cet esprit de géométrie et d'invention dans la Dioptrique, qui devint entre ses mains un art tout nouveau;
130 et s'il s'y trompa en quelque chose, c'est qu'un homme qui découvre de nouvelles terres ne peut tout d'un coup en connaître toutes les propriétés : ceux qui viennent après lui et qui rendent ces terres fertiles lui ont au moins l'obligation de la découverte. Je ne nierai pas que tous les autres ouvrages de M. Descartes
135 fourmillent d'erreurs.

La Géométrie était un guide que lui-même avait en quelque façon formé, et qui l'aurait conduit sûrement dans sa Physique; cependant il abandonna à la fin ce guide et se livra à l'esprit de système. Alors sa Philosophie ne fut plus qu'un roman

---

53. *Scooten :* géomètre hollandais, contemporain et émule de Descartes; **54.** *Fermat :* mathématicien français (1601-1665), qui fit la première application du calcul différentiel pour la recherche des tangentes et partagea avec Pascal la découverte du calcul des probabilités.

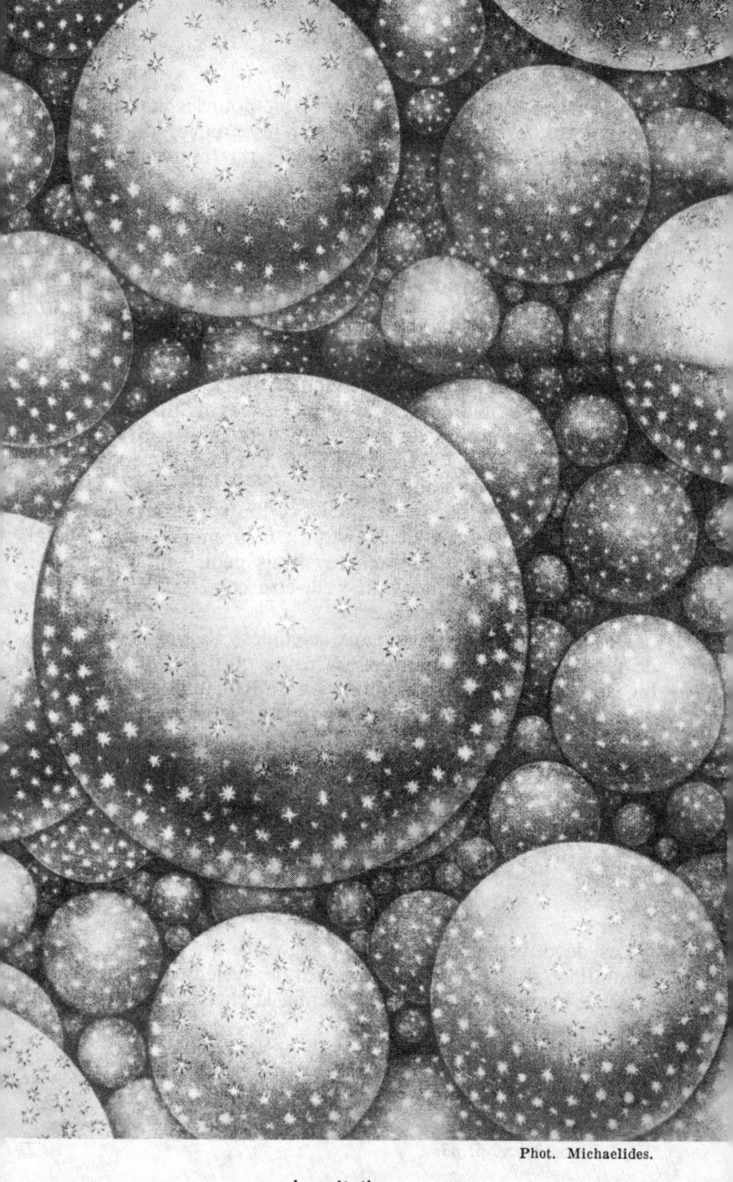

Phot. Michaelides.

Les étoiles.

Gravure anglaise du XVIIIe s.

140 ingénieux, et tout au plus vraisemblable pour les ignorants. Il se trompa sur la nature de l'âme, sur les preuves de l'existence de Dieu, sur la matière, sur les lois du mouvement, sur la nature de la lumière; il admit des idées innées, il inventa de nouveaux éléments, il créa un monde, il fit l'homme à sa mode,
145 et on dit avec raison que l'homme de Descartes n'est en effet que celui de Descartes, fort éloigné de l'homme véritable.

Il poussa ses erreurs métaphysiques jusqu'à prétendre que deux et deux ne font quatre que parce que Dieu l'a voulu ainsi. Mais ce n'est point trop dire qu'il était estimable même
150 dans ses égarements. Il se trompa, mais ce fut au moins avec méthode, et avec un esprit conséquent; il détruisit les chimères absurdes dont on infatuait la jeunesse depuis deux mille ans; il apprit aux hommes de son temps à raisonner et à se servir contre lui-même de ses armes. S'il n'a pas payé en bonne
155 monnaie, c'est beaucoup d'avoir décrié la fausse.

Je ne crois pas qu'on ose, à la vérité, comparer en rien sa Philosophie avec celle de Newton : la première est un essai, la seconde est un chef-d'œuvre. Mais celui qui nous a mis sur la voie de la vérité vaut peut-être celui qui a été depuis
160 au bout de cette carrière.

Descartes donna la vue aux aveugles; ils virent les fautes de l'Antiquité et les siennes. La route qu'il ouvrit est, depuis lui, devenue immense. Le petit livre de Rohaut[55] a fait pendant quelque temps une physique complète; aujourd'hui, tous les
165 recueils des Académies de l'Europe ne font pas même un commencement de système : en approfondissant cet abîme, il s'est trouvé infini. Il s'agit maintenant de voir ce que M. Newton a creusé dans ce précipice. **(33)**

QUINZIÈME LETTRE

SUR LE SYSTÈME DE L'ATTRACTION.

Les découvertes du Chevalier Newton, qui lui ont fait une réputation si universelle, regardent le système du monde, la lumière, l'infini en géométrie, et enfin la chronologie, à laquelle il s'est amusé pour se délasser.

---

55. *Rohaut,* physicien, disciple de Descartes et propagateur de sa doctrine, écrivit en 1671 un *Traité de physique* qui restait encore au temps de Voltaire le meilleur abrégé du cartésianisme.

QUESTIONS

Questions 33, v. p. 83.

5 Je vais vous dire (si je puis, sans verbiage) le peu que j'ai pu attraper de toutes ces sublimes idées.

A l'égard du Système de notre monde, on disputait depuis longtemps sur la cause qui fait tourner et qui retient dans leurs orbites toutes les Planètes, et sur celle qui fait descendre 10 ici-bas tous les corps vers la surface de la terre.

Le Système de Descartes, expliqué et fort changé depuis lui, semblait rendre une raison plausible de ces phénomènes, et cette raison paraissait d'autant plus vraie qu'elle est simple et intelligible à tout le monde. Mais, en philosophie, il faut 15 se défier de ce qu'on croit entendre trop aisément, aussi bien que des choses qu'on n'entend pas.

La pesanteur, la chute accélérée des corps tombant sur la terre, la révolution des Planètes dans leurs orbites, leurs rotations autour de leur axe, tout cela n'est que du mouvement; 20 or, le mouvement ne peut être conçu que par impulsion; donc tous ces corps sont poussés. Mais par quoi le sont-ils? Tout l'espace est plein; donc il est rempli d'une matière très subtile, puisque nous ne l'apercevons pas; donc cette matière va d'Occident en Orient, puisque c'est d'Occident en Orient que toutes 25 les Planètes sont entraînées. Aussi, de supposition en supposition et de vraisemblance en vraisemblance, on a imaginé un vaste tourbillon de matière subtile, dans lequel les Planètes sont entraînées autour du soleil; on crée encore un autre tourbillon particulier, qui nage dans le grand, et qui tourne journel- 30 lement autour de la planète. Quand tout cela est fait, on prétend que la pesanteur dépend de ce mouvement journalier; car, dit-on, la matière subtile qui tourne autour de notre petit tourbillon doit aller dix-sept fois plus vite que la terre; or, si elle va dix-sept fois plus vite que la terre, elle doit avoir

QUESTIONS

33. Sur la lettre XIV. — Composition de cette lettre : dans la succession des idées; au point de vue de la comparaison entre Descartes et Newton (duquel parle-t-on le plus? pourquoi?). Le début indique-t-il clairement de quel côté vont les préférences de Voltaire? Dans quelle intention? Soulignez le changement de ton à la fin du sixième paragraphe.

— Bilan sur Descartes : le rôle de l'imagination; la place de la méthode; la situation de Descartes dans l'histoire des sciences selon Voltaire. Les sentiments exprimés par ce dernier sur la vie du philosophe.

— Le clivage effectué par Voltaire entre les peuples latins et les peuples anglo-saxons et scandinaves sur le plan de la pensée et de l'attitude envers les philosophes d'après ce texte.

— Objectivité et parti pris dans ce jugement critique sur Descartes et Newton.

35 incomparablement plus de force centrifuge, et repousser par conséquent tous les corps vers la terre. Voilà la cause de la pesanteur, dans le Système Cartésien.

Mais avant que de calculer la force centrifuge et la vitesse de cette matière subtile, il fallait s'assurer qu'elle existât, et 40 supposé qu'elle existe, il est encore démontré faux qu'elle puisse être la cause de la pesanteur.

M. Newton semble anéantir sans ressource tous ces tourbillons, grands et petits, et celui qui emporte les planètes autour du soleil, et celui qui fait tourner chaque planète sur elle-même.

45 Premièrement, à l'égard du prétendu petit tourbillon de la terre, il est prouvé qu'il doit perdre petit à petit son mouvement; il est prouvé que si la terre nage dans un fluide, ce fluide doit être de la même densité que la terre, et si ce fluide est de la même densité, tous les corps que nous remuons doivent 50 éprouver une résistance extrême, c'est-à-dire qu'il faudrait un levier de la longueur de la terre pour soulever le poids d'une livre.

2° A l'égard des grands tourbillons, ils sont encore plus chimériques. Il est impossible de les accorder avec les règles 55 de Képler, dont la vérité est démontrée. M. Newton fait voir que la révolution du fluide dans lequel Jupiter est supposé entraîné, n'est pas avec la révolution du fluide de la terre comme la révolution de Jupiter est avec celle de la terre.

Il prouve que, toutes les planètes faisant leurs révolutions 60 dans des ellipses, et par conséquent étant bien plus éloignées les unes des autres dans leurs *aphélies* et bien plus proches dans leurs *périhélies*, la terre, par exemple, devrait aller plus vite quand elle est plus près de Vénus et de Mars, puisque le fluide qui l'emporte, étant alors plus pressé, doit avoir plus 65 de mouvement; et cependant c'est alors même que le mouvement de la terre est plus ralenti.

Il prouve qu'il n'y a point de matière céleste qui aille d'Occident en Orient, puisque les Comètes traversent ces espaces tantôt de l'Orient à l'Occident, tantôt du Septentrion 70 au Midi.

Enfin pour mieux trancher encore, s'il est possible, toute difficulté, il prouve ou du moins rend fort probable, et même par des expériences, que le Plein est impossible, et il nous ramène le Vide, qu'Aristote et Descartes avaient banni du 75 Monde.

Ayant, par toutes ces raisons et par beaucoup d'autres encore, renversé les tourbillons du Cartésianisme, il désespérait de pouvoir connaître jamais s'il y a un principe secret dans la nature, qui cause à la fois le mouvement de tous les
80 corps célestes et qui fait la pesanteur sur la terre. S'étant retiré en 1666 à la campagne, près de Cambridge, un jour qu'il se promenait dans son jardin et qu'il voyait des fruits tomber d'un arbre, il se laissa aller à une méditation profonde sur cette pesanteur dont tous les Philosophes ont cherché si long-
85 temps la cause en vain, et dans laquelle le vulgaire ne soupçonne pas même de mystère. Il se dit à lui-même : « De quelque hauteur dans notre hémisphère que tombassent ces corps, leur chute serait certainement dans la progression découverte par Galilée; et les espaces parcourus par eux seraient comme les
90 carrés des temps. Ce pouvoir qui fait descendre les corps graves[56] est le même, sans aucune diminution sensible, à quelque profondeur qu'on soit dans la terre et sur la plus haute montagne. Pourquoi ce pouvoir ne s'étendrait-il pas jusqu'à la lune? Et, s'il est vrai qu'il pénètre jusque-là, n'y a-t-il pas
95 grande apparence que ce pouvoir la retient dans son orbite et détermine son mouvement? Mais, si la lune obéit à ce principe, quel qu'il soit, n'est-il pas encore très raisonnable de croire que les autres planètes y sont également soumises?

« Si ce pouvoir existe, il doit (ce qui est prouvé d'ailleurs)
100 augmenter en raison renversée des carrés des distances. Il n'y a donc plus qu'à examiner le chemin que ferait un corps grave en tombant sur la terre d'une hauteur médiocre, et le chemin que ferait dans le même temps un corps qui tomberait de l'orbite de la lune. Pour en être instruit, il ne s'agit plus que
105 d'avoir la mesure de la terre et la distance de la lune à la terre. »

Voilà comment M. Newton raisonna. Mais on n'avait alors en Angleterre que de très fausses mesures de notre globe; on s'en rapportait à l'estime incertaine des Pilotes, qui comptaient soixante milles d'Angleterre pour un degré, au lieu
110 qu'il en fallait compter près de soixante et dix. Ce faux calcul ne s'accordant pas avec les conclusions que M. Newton voulait tirer, il les abandonna. Un Philosophe médiocre et qui n'aurait eu que de la vanité, eût fait cadrer comme il eût pu la mesure de la terre avec son système. M. Newton aima mieux
115 abandonner alors son projet. Mais depuis que M. Picart[57]

---

56. *Grave :* pesant; **57.** L'abbé Jean *Picard,* astronome français (1620-1682), exécuta l'une des premières mesures exactes de la Terre.

eut mesuré la terre exactement, en traçant cette Méridienne qui fait tant d'honneur à la France, M. Newton reprit ses premières idées, et il trouva son compte avec le calcul de M. Picart. C'est une chose qui me paraît toujours admirable, qu'on ait
120 découvert de si sublimes vérités avec l'aide d'un Quart de cercle et d'un peu d'arithmétique.

La circonférence de la terre est de cent vingt-trois millions deux cent quarante-neuf mille six cents pieds de Paris. De cela seul peut suivre tout le Système de l'Attraction.

125 On connaît la circonférence de la terre, on connaît celle de l'orbite de la lune, et le diamètre de cet orbite. La révolution de la lune dans cet orbite se fait en vingt-sept jours, sept heures, quarante-trois minutes; donc il est démontré que la lune, dans son mouvement moyen, parcourt cent quatre-vingt-sept mille
130 neuf cent soixante pieds de Paris par minute; et, par un théorème connu, il est démontré que la force centrale qui ferait tomber un corps de la hauteur de la lune, ne le ferait tomber que de quinze pieds de Paris dans la première minute.

Maintenant, si la règle par laquelle les corps pèsent, gra-
135 vitent, s'attirent en raison inverse des carrés des distances est vraie, si c'est le même pouvoir qui agit suivant cette règle dans toute la nature, il est évident que, la terre étant éloignée de la lune de soixante demi-diamètres, un corps grave doit tomber sur la terre de quinze pieds dans la première seconde,
140 et cinquante-quatre mille pieds dans la première minute.

Or est-il qu'un corps grave tombe, en effet, de quinze pieds dans la première seconde, et parcourt dans la première minute cinquante-quatre mille pieds, lequel nombre est le carré de soixante multiplié par quinze; donc les corps pèsent en raison
145 inverse des carrés des distances; donc le même pouvoir fait la pesanteur sur la terre et retient la lune dans son orbite.

Étant donc démontré que la lune pèse sur la terre, qui est le centre de son mouvement particulier, il est démontré que la terre et la lune pèsent sur le soleil, qui est le centre de leur
150 mouvement annuel.

Les autres planètes doivent être soumises à cette loi générale, et, si cette loi existe, ces planètes doivent suivre les règles trouvées par Képler. Toutes ces règles, tous ces rapports sont en effet gardés par les planètes avec la dernière exactitude;
155 donc le pouvoir de la gravitation fait peser toutes les planètes vers le soleil, de même que notre globe. Enfin, la réaction de tout corps étant proportionnelle à l'action, il demeure

certain que la terre pèse à son tour sur la lune, et que le soleil pèse sur l'une et sur l'autre, que chacun des Satellites de Saturne pèse sur les quatre, et les quatre sur lui, tous cinq sur Saturne, Saturne sur tous; qu'il en est ainsi de Jupiter, et que tous ces globes sont attirés par le soleil, réciproquement attiré par eux.

Ce pouvoir de gravitation agit à proportion de la matière que renferment les corps; c'est une vérité que M. Newton a démontrée par des expériences. Cette nouvelle découverte a servi à faire voir que le soleil, centre de toutes les planètes, les attire toutes en raison directe de leurs masses, combinées avec leur éloignement. De là, s'élevant par degrés jusqu'à des connaissances qui semblaient n'être pas faites pour l'esprit humain, il ose calculer combien de matière contient le soleil, et combien il s'en trouve dans chaque planète; et ainsi il fait voir que, par les simples lois de la mécanique, chaque globe céleste doit être nécessairement à la place où il est. Son seul principe des lois de la gravitation rend raison de toutes les inégalités apparentes dans le cours des globes célestes. Les variations de la lune deviennent une suite nécessaire de ces lois. De plus, on voit évidemment pourquoi les nœuds de la lune font leur révolution en dix-neuf ans, et ceux de la terre dans l'espace d'environ vingt-six mille années. Le flux et le reflux de la mer est encore un effet très simple de cette Attraction. La proximité de la lune dans son plein et quand elle est nouvelle, et son éloignement dans ses quartiers, combinés avec l'action du soleil, rendent une raison sensible de l'élévation et de l'abaissement de l'Océan.

Après avoir rendu compte, par sa sublime théorie, du cours et des inégalités des planètes, il assujettit les comètes au frein de la même loi. Ces feux si longtemps inconnus, qui étaient la terreur du monde et l'écueil de la Philosophie, placés par Aristote au-dessous de la lune, et renvoyés par Descartes au-dessus de Saturne, sont mis enfin à leur véritable place par Newton.

Il prouve que ce sont des corps solides, qui se meuvent dans la sphère de l'action du soleil, et décrivent une Ellipse si excentrique et si approchante de la parabole que certaines comètes doivent mettre plus de cinq cents ans dans leur révolution.

M. Halley croit que la comète de 1680 est la même qui parut du temps de Jules César : celle-là surtout sert plus qu'une autre à faire voir que les comètes sont des corps durs et opaques;

200 car elle descendit si près du soleil qu'elle n'en était éloignée que d'une sixième partie de son disque; elle dut, par conséquent, acquérir un degré de chaleur deux mille fois plus violent que celui du fer le plus enflammé. Elle aurait été dissoute et consommée en peu de temps, si elle n'avait pas été un corps 205 opaque. La mode commençait alors de deviner le cours des comètes. Le célèbre Mathématicien Jacques Bernoulli conclut par son Système que cette fameuse Comète de 1680 reparaîtrait le 17 mai 1719. Aucun Astronome de l'Europe ne se coucha cette nuit du 17 mai, mais la fameuse comète ne parut 210 point. Il y a au moins plus d'adresse, s'il n'y a plus de sûreté, à lui donner cinq cent soixante-quinze ans pour revenir. Un Géomètre Anglais nommé Wilston[58], non moins chimérique que géomètre, a sérieusement affirmé que du temps du Déluge il y avait eu une Comète qui avait inondé notre globe, et il a 215 eu l'injustice de s'étonner qu'on se soit moqué de lui. L'Antiquité pensait à peu près dans le goût de Wilston; elle croyait que les Comètes étaient toujours les avant-courrières de quelque grand malheur sur la terre. Newton au contraire soupçonne qu'elles sont très bienfaisantes, et que les fumées qui en sortent 220 ne servent qu'à secourir et vivifier les planètes qui s'imbibent, dans leur cours, de toutes ces particules que le soleil a détachées des Comètes. Ce sentiment est du moins plus probable que l'autre.

Ce n'est pas tout. Si cette force de gravitation, d'Attraction, 225 agit dans tous les globes célestes, elle agit sans doute sur toutes les parties de ces globes; car, si les corps s'attirent en raison de leurs masses, ce ne peut être qu'en raison de la quantité de leurs parties; et si ce pouvoir est logé dans le tout, il l'est sans doute dans la moitié, il l'est dans le quart, dans la huitième 230 partie, ainsi jusqu'à l'infini. De plus, si ce pouvoir n'était pas également dans chaque partie, il y aurait toujours quelques côtés du globe qui graviteraient plus que les autres, ce qui n'arrive pas. Donc ce pouvoir existe réellement dans toute la matière, et dans les plus petites particules de la matière.

235 Ainsi, voilà l'Attraction qui est le grand ressort qui fait mouvoir toute la nature.

Newton avait bien prévu, après avoir démontré l'existence de ce principe, qu'on se révolterait contre ce seul nom. Dans

---

58. *Whiston* avait inséré dans une réédition de 1722 de sa *Nouvelle Théorie de la terre* (1696) une dissertation intitulée « Eclaircissement de la cause du Déluge ».

plus d'un endroit de son livre il précautionne son lecteur contre l'Attraction même, il l'avertit de ne la pas confondre avec les qualités occultes des Anciens, et de se contenter de connaître qu'il y a dans tous les corps une force centrale qui agit d'un bout de l'Univers à l'autre sur les corps les plus proches et sur les plus éloignés, suivant les lois immuables de la mécanique.

Il est étonnant qu'après les protestations solennelles de ce grand Philosophe, M. Saurin et M. de Fontenelle, qui eux-mêmes méritent ce nom, lui aient reproché nettement les chimères du Péripatétisme[59] : M. Saurin[60], dans les Mémoires de l'Académie de 1709, et M. de Fontenelle, dans l'Éloge même de M. Newton.

Presque tous les Français, savants et autres, ont répété ce reproche. On entend dire partout : « Pourquoi Newton ne s'est-il pas servi du mot d'impulsion, que l'on comprend si bien, plutôt que du terme d'Attraction, que l'on ne comprend pas? »

Newton aurait pu répondre à ces critiques : « Premièrement, vous n'entendez pas plus le mot d'impulsion que celui d'Attraction, et, si vous ne concevez pas pourquoi un corps tend vers le centre d'un autre corps, vous n'imaginez pas plus par quelle vertu un corps en peut pousser un autre.

« Secondement, je n'ai pas pu admettre l'impulsion; car il faudrait, pour cela, que j'eusse connu qu'une matière céleste pousse en effet les planètes; or, non seulement je ne connais point cette matière, mais j'ai prouvé qu'elle n'existe pas.

« Troisièmement, je ne me sers du mot d'Attraction que pour exprimer un effet que j'ai découvert dans la nature, effet certain et indispensable d'un principe inconnu, qualité inhérente dans la matière, dont de plus habiles que moi trouveront, s'ils peuvent, la cause.

— Que nous avez-vous donc appris, insiste-t-on encore, et pourquoi tant de calculs pour nous dire ce que vous-même ne comprenez pas?

— Je vous ai appris, pourrait continuer Newton, que la mécanique des forces centrales fait peser tous les corps à proportion de leur matière, que ces forces centrales font seules mouvoir les Planètes et les Comètes dans des proportions

---

59. *Péripatétisme :* système aristotélicien; **60.** *Saurin* (1655-1737), « Examen d'une difficulté considérable proposée par M. Huyghens contre le système cartésien sur la cause de la pesanteur » (*Mémoires de l'Académie des sciences,* 1709).

marquées. Je vous démontre qu'il est impossible qu'il y ait une autre cause de la pesanteur et du mouvement de tous les corps célestes; car, les corps graves tombant sur la terre selon 280 la proportion démontrée des forces centrales, et les planètes achevant leurs cours suivant ces mêmes proportions, s'il y avait encore un autre pouvoir qui agît sur tous ces corps, il augmenterait leurs vitesses ou changerait leurs directions. Or jamais aucun de ces corps n'a un seul degré de mouvement, 285 de vitesse, de détermination qui ne soit démontré être l'effet des forces centrales; donc il est impossible qu'il y ait un autre principe. »

Qu'il me soit permis de faire encore parler un moment Newton. Ne sera-t-il pas bien reçu à dire : « Je suis dans un 290 cas bien différent des Anciens. Ils voyaient, par exemple, l'eau monter dans les pompes, et ils disaient : « L'eau monte parce qu'elle a horreur du vide. » Mais moi je suis dans le cas de celui qui aurait remarqué le premier que l'eau monte dans les pompes, et qui laisserait à d'autres le soin d'expliquer la cause 295 de cet effet. L'Anatomiste qui a dit le premier que le bras se remue parce que les muscles se contractent, enseigna aux hommes une vérité incontestable; lui en aura-t-on moins d'obligation parce qu'il n'a pas su pourquoi les muscles se contractent? La cause du ressort de l'air est inconnue, mais 300 celui qui a découvert ce ressort a rendu un grand service à la Physique. Le ressort que j'ai découvert était plus caché, plus universel; ainsi, on doit m'en savoir plus de gré. J'ai découvert une nouvelle propriété de la matière, un des secrets du Créateur; j'en ai calculé, j'en ai démontré les effets; peut-on me 305 chicaner sur le nom que je lui donne?

« Ce sont les tourbillons qu'on peut appeler une qualité occulte, puisqu'on n'a jamais prouvé leur existence. L'Attraction au contraire est une chose réelle, puisqu'on en démontre les effets et qu'on en calcule les proportions. La cause de cette 310 cause est dans le sein de Dieu. »

Procedes huc, et non ibis amplius[61]. **(34)**

---

61. « Tu iras jusqu'ici, mais tu n'iras pas plus loin. » Rappel du texte de Job (27) : « Usque huc venies, et non procedes amplius. »

QUESTIONS

34. SUR LA LETTRE XV. — Quel est le plan suivi par Voltaire pour l'ensemble? dans le détail? En quoi est-il justifié? Précisez le rôle du premier paragraphe, du bref alinéa d'une phrase, commençant par *Ainsi, voilà l'Attraction* [...]. (*Suite*, v. p. 91.)

SEIZIÈME LETTRE

SUR L'OPTIQUE DE M. NEWTON.

Un nouvel Univers a été découvert par les Philosophes du dernier siècle, et ce monde nouveau était d'autant plus difficile à connaître qu'on ne se doutait pas même qu'il existât. Il semblait aux plus sages que c'était une témérité d'oser seulement songer qu'on pût deviner par quelles lois les corps célestes se meuvent, et comment la lumière agit.

Galilée, par ses découvertes astronomiques, Képler, par ses calculs, Descartes, au moins dans sa Dioptrique, et Newton, dans tous ses ouvrages, ont vu la mécanique des ressorts du monde. Dans la Géométrie, on a assujetti l'infini au calcul. La circulation du sang dans les animaux et de la sève dans les végétables a changé pour nous la nature. Une nouvelle manière d'exister a été donnée aux corps dans la machine Pneumatique[62]. Les objets se sont rapprochés de nos yeux à l'aide des Télescopes. Enfin, ce que Newton a découvert sur la lumière est digne de tout ce que la curiosité des hommes pouvait attendre de plus hardi, après tant de nouveautés.

Jusqu'à Antonio de Dominis[63], l'arc-en-ciel avait paru un miracle inexplicable; ce Philosophe devina que c'était un effet nécessaire de la pluie et du soleil. Descartes rendit son nom immortel par l'explication mathématique de ce phénomène si naturel; il calcula les réflexions de la lumière dans les gouttes de pluie, et cette sagacité eut alors quelque chose de divin.

Mais qu'aurait-il dit si on lui avait fait connaître qu'il se

62. La *machine pneumatique :* voir note 41 ; **63.** Marco *Antonio De Dominis :* jésuite (1560 ou 1566-1624), qui abjura en Angleterre la foi catholique, puis qui se rétracta et fut enfermé sur l'ordre d'Urbain VIII au château Saint-Ange, où il mourut. Il est fait allusion ici à un ouvrage d'optique qu'il publia à Venise en 1611.

QUESTIONS

— Voltaire vulgarisateur de connaissances scientifiques : l'exposé donne-t-il l'impression de clarté et d'organisation? La rigueur du déroulement et des arguments. L'utilité de l'anecdote qui ouvre le développement sur l'Attraction. Analysez la variété des procédés (emploi du dialogue, du monologue; démonstration; usage de calculs, d'observations).

— L'esprit scientifique : l'exemple de Newton ici (soumission aux faits tels qu'on les connaît; reprise de l'hypothèse lorsque cette connaissance se modifie; l'usage des calculs; le recours aux expériences).

— Science et « métaphysique » : l'opposition entre le pourquoi et le comment, entre force occulte et phénomène mécanique. Importance capitale de l'opposition entre *impulsion* et *attraction* de ce point de vue : s'agit-il d'une querelle de vocabulaire?

trompait sur la nature de la lumière; qu'il n'avait aucune raison d'assurer que c'était un corps globuleux; qu'il est faux que cette matière, s'étendant par tout l'Univers, n'attende, pour être mise en action, que d'être poussée par le soleil, ainsi qu'un long bâton qui agit à un bout quand il est pressé par l'autre; qu'il est très vrai qu'elle est dardée par le soleil, et qu'enfin la lumière est transmise du soleil à la terre en près de sept minutes, quoique un boulet de canon, conservant toujours sa vitesse, ne puisse faire ce chemin qu'en vingt-cinq années?

Quel eût été son étonnement si on lui avait dit : « Il est faux que la lumière se réfléchisse directement en rebondissant sur les parties solides du corps; il est faux que les corps soient transparents quand ils ont des pores larges; et il viendra un homme qui démontrera ces paradoxes, et qui anatomisera un seul rayon de lumière avec plus de dextérité que le plus habile artiste ne dissèque le corps humain! »

Cet homme est venu. Newton, avec le seul secours du Prisme, a démontré aux yeux que la lumière est un amas de rayons colorés qui, tous ensemble, donnent la couleur blanche. Un seul rayon est divisé par lui en sept rayons, qui viennent tous se placer sur un linge ou sur un papier blanc dans leur ordre, l'un au-dessus de l'autre et à d'inégales distances. Le premier est couleur de feu; le second, citron; le troisième, jaune; le quatrième, vert; le cinquième, bleu; le sixième, indigo; le septième, violet. Chacun de ces rayons, tamisé ensuite par cent autres Prismes, ne changera jamais la couleur qu'il porte, de même qu'un or épuré ne change plus dans les creusets. Et, pour surabondance de preuve que chacun de ces rayons élémentaires porte en soi ce qui fait sa couleur à nos yeux, prenez un petit morceau de bois jaune, par exemple, et exposez-le au rayon couleur de feu : ce bois se teint à l'instant en couleur de feu; exposez-le au rayon vert : il prend la couleur verte; et ainsi du reste.

Quelle est donc la cause des couleurs dans la nature? Rien autre chose que la disposition des corps à réfléchir les rayons d'un certain ordre et à absorber tous les autres. Quelle est cette secrète disposition? Il démontre que c'est uniquement l'épaisseur des petites parties constituantes dont un corps est composé. Et comment se fait cette réflexion? On pensait que c'était parce que les rayons rebondissaient, comme une balle, sur la surface d'un corps solide. Point du tout; Newton enseigne aux Philosophes étonnés que les corps ne sont opaques que parce que leurs pores sont larges, que la lumière se réfléchit à nos yeux du sein de ces pores mêmes, que, plus les pores d'un corps sont petits, plus le corps est transparent : ainsi le papier, qui réfléchit la lumière quand il est sec, la transmet quand il est huilé, parce que l'huile, remplissant ses pores, les rend beaucoup plus petits.

C'est là qu'examinant l'extrême porosité des corps, chaque partie ayant ses pores, et chaque partie de ses parties ayant les siens, il fait voir qu'on n'est point assuré qu'il y ait un pouce cubique de matière solide dans l'Univers; tant notre esprit est éloigné de concevoir ce que c'est que la matière!

Ayant ainsi décomposé la lumière, et ayant porté la sagacité de ses découvertes jusqu'à démontrer le moyen de connaître la couleur composée par les couleurs primitives, il fait voir que ces rayons élémentaires, séparés par le moyen du Prisme, ne sont arrangés dans leur ordre que parce qu'elles sont réfractées en cet ordre même; et c'est cette propriété, inconnue jusqu'à lui, de se rompre dans cette proportion, c'est cette réfraction inégale des rayons, ce pouvoir de réfracter le rouge moins que la couleur orangée, etc., qu'il nomme réfrangibilité.

Les rayons les plus réflexibles sont les plus réfrangibles; de là il fait voir que le même pouvoir cause la réflexion et la réfraction de la lumière.

Tant de merveilles ne sont que le commencement de ses découvertes; il a trouvé le secret de voir les vibrations et les secousses de la lumière, qui vont et viennent sans fin, et qui transmettent la lumière ou la réfléchissent selon l'épaisseur des parties qu'elles rencontrent; il a osé calculer l'épaisseur des particules d'air nécessaire entre deux verres posés l'un sur l'autre, l'un plat, l'autre convexe d'un côté, pour opérer telle transmission ou réflexion, et pour faire telle ou telle couleur. De toutes ces combinaisons il trouve en quelle proportion la lumière agit sur les corps et les corps agissent sur elle.

Il a si bien vu la lumière qu'il a déterminé à quel point l'art de l'augmenter et d'aider nos yeux par des Télescopes doit se borner.

Descartes, par une noble confiance bien pardonnable à l'ardeur que lui donnaient les commencements d'un art presque découvert par lui, Descartes espérait voir dans les astres, avec des lunettes d'approche, des objets aussi petits que ceux qu'on discerne sur la terre.

Newton a montré qu'on ne peut plus perfectionner les
110 lunettes, à cause de cette réfraction et de cette réfrangibilité même qui, en nous rapprochant les objets, écartent trop les rayons élémentaires; il a calculé, dans ces verres, la proportion de l'écartement des rayons rouges et des rayons bleus; et, portant la démonstration dans des choses dont on ne soup-
115 çonnait pas même l'existence, il examine les inégalités que produit la figure du verre, et celle que fait la réfrangibilité. Il trouve que le verre objectif de la lunette étant convexe d'un côté et plat de l'autre, si le côté plat est tourné vers l'objet, le défaut qui vient de la construction et de la position du verre
120 est cinq mille fois moindre que le défaut qui vient par la réfrangibilité; et qu'ainsi ce n'est pas la figure des verres qui fait qu'on ne peut perfectionner les lunettes d'approche, mais qu'il faut s'en prendre à la matière même de la lumière.

Voilà pourquoi il inventa un Télescope qui montre les objets
125 par réflexion, et non point par réfraction. Cette nouvelle sorte de lunette est très difficile à faire, et n'est pas d'un usage bien aisé; mais on dit en Angleterre qu'un Télescope de réflexion de cinq pieds fait le même effet qu'une lunette d'approche de cent pieds. **(35)**

DIX-SEPTIÈME LETTRE

SUR L'INFINI ET SUR LA CHRONOLOGIE.

Le labyrinthe et l'abîme de l'Infini est aussi une carrière nouvelle parcourue par Newton, et on tient de lui le fil avec lequel on s'y peut conduire.

QUESTIONS

35. SUR LA LETTRE XVI. — Descartes et Newton : pourquoi le rapprochement? Comment s'accentue le déséquilibre au profit du dernier? Quelle était l'importance de Descartes dans la science française au début du XVIIIe siècle?

— Les découvertes scientifiques de Newton : nature, importance, applications. Descartes, Newton et la science contemporaine.

— Dans les *Eléments de la philosophie de Newton*, Voltaire conclut par ces mots : « Ces découvertes doivent au moins servir à nous rendre extrêmement circonspects dans nos décisions sur la nature et l'essence des choses. Pour moi j'avoue que, plus j'y réfléchis, plus je suis surpris qu'on craigne de reconnaître un nouveau principe, une nouvelle propriété dans la matière. Elle en a peut-être à l'infini [...]. » Dans quelle mesure est-ce applicable ici?

— Les témoignages de l'enthousiasme admiratif de Voltaire dans cette lettre.

Descartes se trouve encore son précurseur dans cette étonnante nouveauté; il allait à grands pas dans sa géométrie jusque vers l'Infini, mais il s'arrêta sur le bord. M. Wallis[64], vers le milieu du dernier siècle, fut le premier qui réduisit une fraction, par une division perpétuelle, à une suite infinie.

Milord Brouncker[65] se servit de cette suite pour carrer l'hyperbole.

Mercator[66] publia une démonstration de cette quadrature. Ce fut à peu près dans ce temps que Newton, à l'âge de vingt-trois ans, avait inventé une méthode générale pour faire sur toutes les courbes ce qu'on venait d'essayer sur l'hyperbole.

C'est cette méthode de soumettre partout l'Infini au calcul algébrique, que l'on appelle calcul différentiel ou des fluxions et calcul intégral. C'est l'art de nombrer et de mesurer avec exactitude ce dont on ne peut pas même concevoir l'existence.

En effet, ne croiriez-vous pas qu'on veut se moquer de vous, quand on vous dit qu'il y a des lignes infiniment grandes qui forment un angle infiniment petit?

Qu'une droite qui est droite tant qu'elle est finie, changeant infiniment peu de direction, devient courbe infinie : qu'une courbe peut devenir infiniment moins courbe?

Qu'il y a des carrés d'infini, des cubes d'infini, et des infinis d'infini, dont le pénultième n'est rien par rapport au dernier?

Tout cela, qui paraît d'abord l'excès de la déraison, est, en effet, l'effort de la finesse et de l'étendue de l'esprit humain et la méthode de trouver des vérités qui étaient jusqu'alors inconnues.

Cet édifice si hardi est même fondé sur des idées simples Il s'agit de mesurer la Diagonale d'un carré, d'avoir l'aire d'une courbe, de trouver une racine carrée à un nombre qui n'en a point dans l'arithmétique ordinaire.

Et, après tout, tant d'ordres d'infinis ne doivent pas plus révolter l'imagination que cette proposition si connue, qu'entre un cercle et une tangente on peut toujours faire passer des courbes; ou cette autre, que la matière est toujours divisible. Ces deux vérités sont depuis longtemps démontrées, et ne sont pas plus compréhensibles que le reste.

On a disputé longtemps à Newton l'invention de ce fameux

---

64. Wallis, *Arithmétique des infinis* (1655) ; **65.** *Brouncker :* mathématicien irlandais (1620-1684), qui découvrit les fractions continues ; **66.** Gerhard Kremer, dit *Mercator,* mathématicien et géographe allemand (1512-1594), fut un des fondateurs de la géographie mathématique moderne.

calcul. M. Leibnitz a passé en Allemagne pour l'inventeur des différences que Newton appelle fluxions, et Bernoulli a revendiqué le calcul intégral; mais l'honneur de la première
45 découverte a demeuré à Newton, et il est resté aux autres la gloire d'avoir pu faire douter entre eux et lui.

C'est ainsi que l'on contesta à Harvey la découverte de la circulation du sang; à M. Perrault[67], celle de la circulation de la sève. Hartsœker[68] et Leuvenhœck se sont contesté l'hon-
50 neur d'avoir vu le premier les petits vermisseaux dont nous sommes faits. Ce même Hartsœker a disputé à M. Huyghens l'invention d'une nouvelle manière de calculer l'éloignement d'une étoile fixe. On ne sait encore quel Philosophe trouva le problème de la roulette.

55 Quoi qu'il en soit, c'est par cette géométrie de l'Infini que Newton est parvenu aux plus sublimes connaissances.

Il me reste à vous parler d'un autre ouvrage plus à la portée du genre humain, mais qui se sent toujours de cet esprit créateur que Newton portait dans toutes ses recherches; c'est une
60 chronologie toute nouvelle, car, dans tout ce qu'il entreprenait, il fallait qu'il changeât les idées reçues par les autres hommes.

Accoutumé à débrouiller des chaos, il a voulu porter au moins quelque lumière dans celui de ces fables anciennes confondues avec l'Histoire, et fixer une Chronologie incertaine. Il est
65 vrai qu'il n'y a point de famille, de ville, de nation qui ne cherche à reculer son origine; de plus, les premiers Historiens sont les plus négligents à marquer les dates; les livres étaient moins communs mille fois qu'aujourd'hui; par conséquent, étant moins exposé à la critique, on trompait le monde plus
70 impunément; et, puisqu'on a évidemment supposé des faits, il est assez probable qu'on a aussi supposé des dates.

En général, il parut à Newton que le monde était de cinq cents ans plus jeune que les Chronologistes ne le disent; il fonde son idée sur le cours ordinaire de la nature et sur les
75 observations astronomiques.

On entend ici par le cours de la nature le temps de chaque génération des hommes. Les Égyptiens s'étaient servis les premiers de cette manière incertaine de compter. Quand ils voulurent écrire les commencements de leur histoire, ils
80 comptaient trois cent quarante et une générations depuis

---

67. Claude *Perrault :* médecin, physicien et architecte (1613-1688) ; **68.** *Hartsoëker :* physicien hollandais (1656-1725), qui perfectionna des instruments d'optique, dont le microscope, avec lequel il découvrit les spermatozoïdes.

Ménès jusqu'à Séthon; et, n'ayant pas de dates fixes, ils évaluèrent trois générations à cent ans. Ainsi, ils comptaient du règne de Ménès au règne de Séthon onze mille trois cent quarante années.

Les Grecs, avant de compter par Olympiades, suivirent la méthode des Égyptiens, et étendirent même un peu la durée des générations, poussant chaque génération jusqu'à quarante années.

Or, en cela, les Égyptiens et les Grecs se trompèrent dans leur calcul. Il est bien vrai que, selon le cours ordinaire de la nature, trois générations font environ cent à six-vingts ans; mais il s'en faut bien que trois règnes tiennent ce nombre d'années. Il est très évident qu'en général les hommes vivent plus longtemps que les Rois ne règnent. Ainsi, un homme qui voudra écrire l'Histoire sans avoir de dates précises, et qui saura qu'il y a eu neuf Rois chez une Nation, aura grand tort s'il compte trois cents ans pour ces neuf Rois. Chaque génération est d'environ trente-six ans; chaque règne est environ de vingt, l'un portant l'autre. Prenez les trente Rois d'Angleterre, depuis Guillaume le Conquérant jusqu'à Georges Premier[69]; ils ont régné six cent quarante-huit ans, ce qui, réparti sur les trente Rois, donne à chacun vingt et un ans et demi de règne. Soixante-trois Rois de France ont régné, l'un portant l'autre, chacun à peu près vingt ans. Voilà le cours ordinaire de la nature. Donc les Anciens se sont trompés quand ils ont égalé, en général, la durée des règnes à la durée des générations; donc ils ont trop compté; donc il est à propos de retrancher un peu de leur calcul.

Les observations astronomiques semblent prêter encore un plus grand secours à notre Philosophe; il en paraît plus fort en combattant sur son terrain.

Vous savez, Monsieur, que la terre, outre son mouvement annuel qui l'emporte autour du soleil d'Occident en Orient dans l'espace d'une année, a encore une révolution singulière, tout à fait inconnue jusqu'à ces derniers temps. Ses pôles ont un mouvement très lent de rétrogradation d'Orient en Occident, qui fait que chaque jour leur position ne répond pas précisément aux mêmes points du Ciel. Cette différence, insensible en une année, devient assez forte avec le temps, et, au bout de soixante et douze ans, on trouve que la différence est d'un

69. *George Ier :* voir note 35.

degré, c'est-à-dire de la trois cent soixantième partie de tout le ciel. Ainsi, après soixante et douze années, le colure[70] de l'équinoxe du Printemps, qui passait par une fixe, répond à une autre fixe. De là vient que le soleil, au lieu d'être dans la
125 partie du Ciel où était le Bélier du temps d'Hipparque[71], se trouve répondre à cette partie du ciel où était le Taureau, et les Gémeaux sont à la place où le Taureau était alors. Tous les signes ont changé de place; cependant, nous retenons toujours la manière de parler des Anciens; nous disons que le
130 soleil est dans le Bélier au Printemps, par la même condescendance que nous disons que le soleil tourne.

Hipparque fut le premier chez les Grecs qui s'aperçut de quelques changements dans les constellations par rapport aux équinoxes, ou plutôt qui l'apprit des Égyptiens. Les Philosophes
135 attribuèrent ce mouvement aux étoiles; car alors on était bien loin d'imaginer une telle révolution dans la terre : on la croyait en tous sens immobile. Ils créèrent donc un Ciel où ils attachèrent toutes les étoiles, et donnèrent à ce Ciel un mouvement particulier qui le faisait avancer vers l'Orient, pendant
140 que toutes les étoiles semblaient faire leur route journalière d'Orient en Occident. A cette erreur ils en ajoutèrent une seconde bien plus essentielle; ils crurent que le Ciel prétendu des étoiles fixes avançait vers l'Orient d'un degré en cent années. Ainsi, ils se trompèrent dans leur calcul astronomique
145 aussi bien que dans leur système physique. Par exemple, un Astronome aurait dit alors : « L'équinoxe du Printemps a été, du temps d'un tel observateur, dans un tel signe, à une telle étoile; il a fait deux degrés de chemin depuis cet observateur jusqu'à nous; or, deux degrés valent deux cents ans;
150 donc cet Observateur vivait deux cents ans avant moi. » Il est certain qu'un Astronome qui eût raisonné ainsi se serait trompé justement de cinquante quatre ans. Voilà pourquoi les Anciens, doublement trompés, composèrent leur grande année du monde, c'est-à-dire de la révolution de tout le Ciel, d'en-
155 viron trente-six mille ans. Mais les Modernes savent que cette révolution imaginaire du Ciel des étoiles n'est autre chose que la révolution des pôles de la terre, qui se fait en vingt-cinq mille neuf cents années. Il est bon de remarquer ici, en

70. *Colure :* chacun des deux méridiens de la sphère céleste, qui contiennent le premier les deux solstices, le second les deux équinoxes; **71.** *Hipparque :* astronome grec du IIe siècle av. J.-C., l'un des savants les plus représentatifs de l'époque alexandrine.

passant, que Newton, en déterminant la figure de la terre, a très heureusement expliqué la raison de cette révolution.

Tout ceci posé, il reste, pour fixer la Chronologie, de voir par quelle étoile le colure de l'équinoxe coupe aujourd'hui l'écliptique au Printemps, et de savoir s'il ne se trouve point quelque Ancien qui nous ait dit en quel point l'écliptique[72] était coupé de son temps par le même colure des équinoxes.

Clément Alexandrin[73] rapporte que Chiron[74], qui était de l'expédition des Argonautes, observa les constellations au temps de cette fameuse expédition, et fixa l'équinoxe du Printemps au milieu du Bélier, l'équinoxe de l'Automne au milieu de la Balance, le solstice de notre Été au milieu du Cancer, et le solstice d'Hiver au milieu du Capricorne.

Longtemps après l'expédition des Argonautes et un an avant la guerre du Péloponèse[75], Méton[76] observa que le point du solstice d'Été passait par le huitième degré du Cancer.

Or, chaque signe du Zodiaque est de trente degrés. Du temps de Chiron, le solstice était à la moitié du signe, c'est-à-dire au quinzième degré; un an avant la guerre du Péloponèse, il était au huitième : donc il avait retardé de sept degrés. Un degré vaut soixante et douze ans : donc, du commencement de la guerre du Péloponèse à l'entreprise des Argonautes, il n'y a que sept fois soixante et douze ans, qui font cinq cent quatre ans, et non pas sept cents années, comme le disaient les Grecs. Ainsi, en comparant l'état du Ciel d'aujourd'hui à l'état où il était alors, nous voyons que l'expédition des Argonautes doit être placée environ neuf cents ans avant Jésus-Christ, et non pas environ quatorze cents ans; et, par conséquent, le monde est moins vieux d'environ cinq cents ans qu'on ne pensait. Par là, toutes les époques sont rapprochées, et tout s'est fait plus tard qu'on ne le dit. Je ne sais si ce système ingénieux fera une grande fortune, et si on voudra se résoudre, sur ces idées, à réformer la Chronologie du monde; peut-être les savants trouveraient-ils que c'en serait trop d'accorder à un même homme l'honneur d'avoir perfectionné à la fois la Physique, la Géométrie et l'Histoire : ce serait une espèce de

---

72. *Écliptique :* grand cercle que le Soleil décrit dans son mouvement apparent annuel sur la sphère céleste; **73.** *Clément* d'Alexandrie, écrivain et docteur chrétien (150 - entre 211 et 216), fut le maître d'Origène; **74.** *Chiron :* célèbre centaure, ami d'Héraklès, de Jason, des Argonautes, de Pélée. Il passe pour l'un des inventeurs de la médecine et de la chirurgie; **75.** La *guerre du Péloponnèse* se déroula entre Sparte et Athènes de 431 à 404 av. J.-C.; **76.** *Méton :* astronome athénien du ve siècle av. J.-C.

195 Monarchie universelle, dont l'amour-propre s'accommode malaisément. Aussi, dans le temps que de très grands Philosophes l'attaquaient sur l'Attraction, d'autres combattaient son Système chronologique. Le temps, qui devrait faire voir à qui la victoire est due, ne fera peut-être que laisser la dispute 200 plus indécise. **(36)**

DIX-HUITIÈME LETTRE

Sur la tragédie.

Les Anglais avaient déjà un Théâtre, aussi bien que les Espagnols, quand les Français n'avaient que des Tréteaux. Shakespeare, qui passait pour le Corneille des Anglais, fleurissait à peu près dans le temps de Lope de Véga[77]. Il créa le 5 théâtre. Il avait un génie plein de force et de fécondité, de naturel et de sublime, sans la moindre étincelle de bon goût et sans la moindre connaissance des règles. Je vais vous dire une chose hasardée, mais vraie : c'est que le mérite de cet Auteur a perdu le théâtre anglais; il y a de si belles scènes, 10 des morceaux si grands et si terribles répandus dans ses Farces monstrueuses qu'on appelle Tragédies, que ces pièces ont toujours été jouées avec un grand succès. Le temps, qui seul fait la réputation des hommes, rend à la fin leurs défauts respectables. La plupart des idées bizarres et gigantesques de cet

77. *Lope de Vega,* poète dramatique espagnol (1562-1635), a écrit 1 800 pièces profanes et 400 drames religieux; William *Shakespeare* naquit en 1564 et mourut en 1616.

QUESTIONS

36. Sur la lettre XVII. — Comment se complète ici le « cycle de Newton » dans les *Lettres philosophiques?* Qu'apporte ce savant dans les deux domaines considérés? Quel lien y a-t-il entre ces différentes découvertes?

— L'art de rendre clair et agréable un exposé portant sur des problèmes ardus (dans la première partie); les moyens employés par Voltaire pour étonner.

— Dans la *Lettre à l'Académie française,* publiée en tête d'*Irène* en 1778, Voltaire écrivait : « Nous sommes tous à présent les disciples de Newton; nous le remercions d'avoir seul trouvé et prouvé le vrai système du monde, d'avoir enseigné au genre humain à voir la lumière; et nous lui pardonnons d'avoir commenté les visions de Daniel et l'Apocalypse. » On appréciera ce jugement et l'on notera la permanence des idées de Voltaire.

auteur ont acquis au bout de deux cents ans le droit de passer pour sublimes; les auteurs modernes l'ont presque tous copié; mais ce qui réussissait chez Shakespeare est sifflé chez eux, et vous croyez bien que la vénération qu'on a pour cet Ancien augmente à mesure que l'on méprise les Modernes. On ne fait pas réflexion qu'il ne faudrait pas l'imiter, et le mauvais succès de ses copistes fait seulement qu'on le croit inimitable.

Vous savez que dans la tragédie du *More de Venise*, pièce très touchante, un mari étrangle sa femme sur le théâtre, et quand la pauvre femme est étranglée, elle s'écrie qu'elle meurt très injustement. Vous n'ignorez pas que dans *Hamlet* des fossoyeurs creusent une fosse en buvant, en chantant des vaudevilles, et en faisant sur les têtes des morts qu'ils rencontrent des plaisanteries convenables à gens de leur métier. Mais ce qui vous surprendra, c'est qu'on a imité ces sottises sous le règne de Charles Second, qui était celui de la politesse et l'âge d'or des beaux-arts.

Otway[78], dans sa *Venise sauvée*, introduit le Sénateur Antonio et la courtisane Naki au milieu des horreurs de la conspiration du Marquis de Bedmar. Le vieux Sénateur Antonio fait auprès de sa courtisane toutes les singeries d'un vieux débauché impuissant et hors du bon sens; il contrefait le taureau et le chien, il mord les jambes de sa maîtresse, qui lui donne des coups de pied et des coups de fouet. On a retranché de la pièce d'Otway ces bouffonneries, faites pour la plus vile canaille; mais on a laissé dans le *Jules César* de Shakespeare les plaisanteries des cordonniers et des savetiers romains introduits sur la scène avec Brutus et Cassius. C'est que la sottise d'Otway est moderne, et que celle de Shakespeare est ancienne.

Vous vous plaindrez sans doute que ceux qui, jusqu'à présent, vous ont parlé du théâtre anglais, et surtout de ce fameux Shakespeare, ne vous aient encore fait voir que ses erreurs, et que personne n'ait traduit aucun de ces endroits frappants qui demandent grâce pour toutes ses fautes. Je vous répondrai qu'il est bien aisé de rapporter en prose les erreurs d'un poète, mais très difficile de traduire ses beaux vers. Tous les grimauds qui s'érigent en critiques des Écrivains célèbres compilent des volumes; j'aimerais mieux deux pages qui nous fissent connaître quelques beautés; car je maintiendrai toujours, avec les gens de bon goût, qu'il y a plus à profiter dans douze vers d'Homère

78. Thomas *Otway :* poète dramatique anglais (1652-1685).

55 et de Virgile que dans toutes les critiques qu'on a faites de ces deux grands hommes.

J'ai hasardé de traduire quelques morceaux des meilleurs poètes anglais : en voici un de Shakespeare. Faites grâce à la copie en faveur de l'original; et souvenez-vous toujours,
60 quand vous voyez une traduction, que vous ne voyez qu'une faible estampe d'un beau tableau.

J'ai choisi le monologue de la tragédie d'*Hamlet*, qui est su de tout le monde et qui commence par ce vers :

To be or not to be, that is the question.

65 C'est Hamlet, prince de Danemark, qui parle :

Demeure; il faut choisir, et passer à l'instant
De la vie à la mort, ou de l'être au néant.
Dieux cruels! s'il en est, éclairez mon courage.
Faut-il vieillir courbé sous la main qui m'outrage,
70 Supporter ou finir mon malheur et mon sort?
Qui suis-je? qui m'arrête? et qu'est-ce que la mort?
C'est la fin de nos maux, c'est mon unique asile;
Après de longs transports, c'est un sommeil tranquille;
On s'endort, et tout meurt. Mais un affreux réveil
75 Doit succéder peut-être aux douceurs du sommeil.
On nous menace, on dit que cette courte vie
De tourments éternels est aussitôt suivie.
O mort! moment fatal! affreuse éternité!
Tout cœur à ton seul nom se glace, épouvanté.
80 Eh! qui pourrait sans toi supporter cette vie,
De nos Prêtres menteurs bénir l'hypocrisie,
D'une indigne maîtresse encenser les erreurs,
Ramper sous un Ministre, adorer ses hauteurs,
Et montrer les langueurs de son âme abattue
85 A des amis ingrats qui détournent la vue?
La mort serait trop douce en ces extrémités;
Mais le scrupule parle, et nous crie : « Arrêtez. »
Il défend à nos mains cet heureux homicide,
Et d'un Héros guerrier fait un chrétien timide, etc.

90 Ne croyez pas que j'aie rendu ici l'Anglais mot pour mot; malheur aux faiseurs de traductions littérales, qui en traduisant chaque parole énervent le sens! C'est bien là qu'on peut dire que la lettre tue, et que l'esprit vivifie.

Voici encore un passage d'un fameux tragique anglais,
95 Dryden[79], poète du temps de Charles Second, auteur plus fécond que judicieux, qui aurait une réputation sans mélange

---

79. John *Dryden :* poète et auteur dramatique anglais (1631-1700). On lui doit un *Essai sur la poésie dramatique*.

s'il n'avait fait que la dixième partie de ses ouvrages et dont le grand défaut est d'avoir voulu être universel.

Ce morceau commence ainsi :

When I consider life, t'is all a cheat.
Yet fool'd by hope men favour the deceit.
De desseins en regrets et d'erreurs en désirs
Les mortels insensés promènent leur folie.
Dans des malheurs présents, dans l'espoir des plaisirs,
Nous ne vivons jamais, nous attendons la vie.
Demain, demain, dit-on, va combler tous nos vœux;
Demain vient, et nous laisse encor plus malheureux.
Quelle est l'erreur, hélas! du soin qui nous dévore?
Nul de nous ne voudrait recommencer son cours :
De nos premiers moments nous maudissons l'aurore,
Et de la nuit qui vient nous attendons encore
Ce qu'ont en vain promis les plus beaux de nos jours, etc.

C'est dans ces morceaux détachés que les tragiques Anglais ont jusqu'ici excellé; leurs pièces, presque toutes barbares, dépourvues de bienséance, d'ordre, de vraisemblance, ont des lueurs étonnantes au milieu de cette nuit. Le style est trop ampoulé, trop hors de la nature, trop copié des écrivains hébreux si remplis de l'enflure asiatique; mais aussi il faut avouer que les échasses du style figuré, sur lesquelles la langue anglaise est guindée, élèvent aussi l'esprit bien haut, quoique par une marche irrégulière.

Le premier Anglais qui ait fait une pièce raisonnable et écrite d'un bout à l'autre avec élégance est l'illustre M. Addison[80]. Son *Caton d'Utique* est un chef-d'œuvre pour la diction et pour la beauté des vers. Le rôle de Caton est à mon gré fort au-dessus de celui de Cornélie dans le *Pompée* de Corneille; car Caton est grand sans enflure, et Cornélie, qui d'ailleurs n'est pas un personnage nécessaire, vise quelquefois au galimatias. Le Caton de M. Addison me paraît le plus beau personnage qui soit sur aucun théâtre, mais les autres rôles de la pièce n'y répondent pas, et cet ouvrage si bien écrit est défiguré par une intrigue froide d'amour, qui répand sur la pièce une langueur qui la tue.

La coutume d'introduire de l'amour à tort et à travers dans les ouvrages dramatiques passa de Paris à Londres vers l'an 1660 avec nos rubans et nos perruques. Les femmes, qui parent les spectacles, comme ici, ne veulent plus souffrir qu'on leur parle

80. *Addison :* poète et publiciste anglais (1672-1719).

d'autre chose que d'amour. Le sage Addison eut la molle complaisance de plier la sévérité de son caractère aux mœurs 140 de son temps, et gâta un chef-d'œuvre pour avoir voulu plaire.

Depuis lui, les pièces sont devenues plus régulières, le peuple plus difficile, les auteurs plus corrects et moins hardis. J'ai vu des pièces nouvelles fort sages, mais froides. Il semble que les Anglais n'aient été faits jusqu'ici que pour produire des beautés 145 irrégulières. Les monstres brillants de Shakespeare plaisent mille fois plus que la sagesse moderne. Le génie poétique des Anglais ressemble jusqu'à présent à un arbre touffu planté par la nature, jetant au hasard mille rameaux, et croissant inégalement et avec force; il meurt, si vous voulez forcer sa 150 nature et le tailler en arbre des jardins de Marly. **(37)**

DIX-NEUVIÈME LETTRE

Sur la comédie.

Je ne sais comment le sage et ingénieux M. de Muralt, dont nous avons les Lettres sur les Anglais et sur les Français, s'est borné, en parlant de la comédie, à critiquer un comique nommé Shadwell[81]. Cet Auteur était assez méprisé de son 5 temps; il n'était point le poète des honnêtes gens; ses pièces, goûtées pendant quelques représentations par le peuple, étaient dédaignées par tous les gens de bon goût, et ressemblaient à

81. *Shadwell :* poète anglais (v. 1642-1692).

QUESTIONS

37. Sur la lettre XVIII. — Shakespeare : quels mérites Voltaire lui accorde-t-il? Quels reproches exprime-t-il? N'y a-t-il pas un paradoxe à considérer comme dangereux le mérite même de ce grand écrivain?

— La traduction : on tentera de juger ici le mérite de Voltaire traducteur; on posera les problèmes de la traduction littéraire et l'on situera notre auteur par référence à la querelle des Anciens et des Modernes sur ce point.

— Voltaire critique littéraire : en quoi est-il attaché aux canons esthétiques classiques? Dans quelle mesure admet-il des accommodements avec ces critères, dans le détail? Le rôle de l'amour dans les tragédies; rapprochement avec Corneille.

— Le but de Voltaire ici : où voit-on qu'il veut surtout faire connaître les beautés des poètes anglais? Pourquoi? L'assimilation à des « farces » des tragédies anglaises : est-ce une boutade ou une question de structure, de goût (unité de ton ou hétérogénéité)?

tant de pièces que j'ai vues, en France, attirer la foule et révolter les Lecteurs, et dont on a pu dire :

> Tout Paris les condamne, et tout Paris les court.

M. de Muralt aurait dû, ce semble, nous parler d'un auteur excellent qui vivait alors : c'était M. Wicherley[82], qui fut longtemps l'amant déclaré de la maîtresse la plus illustre de Charles Second. Cet homme, qui passait sa vie dans le plus grand monde, en connaissait parfaitement les vices et les ridicules, et les peignait du pinceau le plus ferme et des couleurs les plus vraies.

Il a fait un misanthrope, qu'il a imité de Molière. Tous les traits de Wicherley y sont plus forts et plus hardis que ceux de notre misanthrope; mais aussi ils ont moins de finesse et de bienséance. L'auteur Anglais a corrigé le seul défaut qui soit dans la pièce de Molière; ce défaut est le manque d'intrigue et d'intérêt. La pièce anglaise est intéressante, et l'intrigue en est ingénieuse, elle est trop hardie sans doute pour nos mœurs. C'est un capitaine de vaisseau plein de valeur, de franchise, et de mépris pour le genre humain; il a un ami sage et sincère dont il se défie, et une maîtresse dont il est tendrement aimé, sur laquelle il ne daigne pas jeter les yeux; au contraire, il a mis toute sa confiance dans un faux ami qui est le plus indigne homme qui respire, et il a donné son cœur à la plus coquette et à la plus perfide de toutes les femmes; il est bien assuré que cette femme est une Pénélope, et ce faux ami un Caton. Il part pour s'aller battre contre les Hollandais, et laisse tout son argent, ses pierreries et tout ce qu'il a au monde à cette femme de bien, et recommande cette femme elle-même à cet ami fidèle, sur lequel il compte si fort. Cependant, le véritable honnête homme dont il se défie tant s'embarque avec lui; et la maîtresse qu'il n'a pas seulement daigné regarder se déguise en Page et fait le voyage sans que le Capitaine s'aperçoive de son sexe de toute la campagne.

Le Capitaine, ayant fait sauter son vaisseau dans un combat, revient à Londres, sans secours, sans vaisseau et sans argent, avec son page et son ami, ne connaissant ni l'amitié de l'un, ni l'amour de l'autre. Il va droit chez la perle des femmes,

---

82. *Wycherley :* auteur dramatique anglais (1640-1716). Les deux pièces dont il est question ici sont, imités du *Misanthrope, l'Homme sans détours,* et, de *l'École des femmes* si l'on en croit Voltaire, *la Femme de province.*

qu'il compte retrouver avec sa cassette et sa fidélité : il la retrouve mariée avec l'honnête fripon à qui il s'était confié, et on ne lui a pas plus gardé son dépôt que le reste. Mon homme a toutes les peines du monde à croire qu'une femme de bien puisse faire de pareils tours; mais, pour l'en convaincre mieux, cette honnête dame devient amoureuse du petit page, et veut le prendre à force. Mais, comme il faut que justice se fasse et que, dans une pièce de théâtre, le vice soit puni et la vertu récompensée, il se trouve, à fin de compte, que le Capitaine se met à la place du Page, couche avec son infidèle, fait cocu son traître ami, lui donne un bon coup d'épée au travers du corps, reprend sa cassette et épouse son page. Vous remarquerez qu'on a encore lardé cette pièce d'une Comtesse de Pimbesche, vieille plaideuse, parente du Capitaine, laquelle est bien la plus plaisante créature et le meilleur caractère qui soit au théâtre.

Wicherley a encore tiré de Molière une pièce non moins singulière et non moins hardie : c'est une espèce d'*École des Femmes*.

Le principal personnage de la pièce est un drôle à bonnes fortunes, la terreur des maris de Londres, qui, pour être plus sûr de son fait, s'avise de faire courir le bruit que dans sa dernière maladie les Chirurgiens ont trouvé à propos de le faire Eunuque. Avec cette belle réputation, tous les maris lui amènent leurs femmes, et le pauvre homme n'est plus embarrassé que du choix; il donne surtout la préférence à une petite campagnarde qui a beaucoup d'innocence et de tempérament, et qui fait son mari cocu avec une bonne foi qui vaut mieux que la malice des Dames les plus expertes. Cette pièce n'est pas, si vous voulez, l'école des bonnes mœurs, mais en vérité c'est l'école de l'esprit et du bon Comique.

Un chevalier Vanbrugh[83] a fait des Comédies encore plus plaisantes, mais moins ingénieuses. Ce Chevalier était un homme de plaisir; par-dessus cela, poète et architecte : on prétend qu'il écrivait comme il bâtissait, un peu grossièrement. C'est lui qui a bâti le fameux château de Blenheim, pesant et durable monument de notre malheureuse bataille d'Hochstedt[84]. Si les appartements étaient seulement aussi larges que les

---

83. *Vanbrugh :* architecte et dramaturge anglais (1664-1726). Son œuvre architecturale essentielle est le château de *Blenheim* (1705-1724) pour le duc de Marlborough; **84.** *Hoechstaedt :* ville de Bavière où le Prince Eugène et Marlborough battirent les Français en 1704. Cette bataille s'appelle *bataille de Blenheim* chez les Anglais.

murailles sont épaisses, ce château serait assez commode.

On a mis dans l'épitaphe de Vanbrugh qu'*on souhaitait que la terre ne lui fût point légère, attendu que de son vivant il l'avait si inhumainement chargée.*

Ce Chevalier, ayant fait un tour en France avant la guerre de 1701, fut mis à la Bastille, et y resta quelque temps, sans avoir jamais pu savoir ce qui lui avait attiré cette distinction de la part de notre Ministère. Il fit une Comédie à la Bastille; et ce qui est à mon sens fort étrange, c'est qu'il n'y a dans cette pièce aucun trait contre le pays dans lequel il essuya cette violence.

Celui de tous les Anglais qui a porté le plus loin la gloire du théâtre comique est feu M. Congrève[85]. Il n'a fait que peu de pièces, mais toutes sont excellentes dans leur genre. Les règles du théâtre y sont rigoureusement observées; elles sont pleines de caractères nuancés avec une extrême finesse; on n'y essuie pas la moindre mauvaise plaisanterie; vous y voyez partout le langage des honnêtes gens avec des actions de fripon : ce qui prouve qu'il connaissait bien son monde, et qu'il vivait dans ce qu'on appelle la bonne compagnie. Il était infirme et presque mourant quand je l'ai connu; il avait un défaut, c'était de ne pas assez estimer son premier métier d'auteur, qui avait fait sa réputation et sa fortune. Il me parlait de ses ouvrages comme de bagatelles au-dessous de lui, et me dit, à la première conversation, de ne le voir que sur le pied d'un gentilhomme qui vivait très uniment; je lui répondis que, s'il avait eu le malheur de n'être qu'un gentilhomme comme un autre, je ne le serais jamais venu voir, et je fus très choqué de cette vanité si mal placée.

Ses pièces sont les plus spirituelles et les plus exactes; celles de Vanbrugh, les plus gaies, et celles de Wicherley, les plus fortes.

Il est à remarquer qu'aucun de ces beaux esprits n'a mal parlé de Molière. Il n'y a que les mauvais auteurs anglais qui aient dit du mal de ce grand homme. Ce sont les mauvais musiciens d'Italie qui méprisent Lulli, mais un Buononcini l'estime et lui rend justice, de même qu'un Mead[86] fait cas d'un Helvétius[87] et d'un Silva.

---

85. William *Congreve :* auteur comique anglais (1670-1729); **86.** *Mead :* médecin anglais (1673-1754), professeur au collège des Chirurgiens de Londres, médecin du roi George II; **87.** *Helvétius :* fermier général et philosophe français (1715-1771), auteur du livre *De l'esprit*.

L'Angleterre a encore de bons Poètes comiques, tels que le Chevalier Steele[88] et M. Cibber, excellent Comédien et d'ailleurs poète du Roi, titre qui paraît ridicule, mais qui ne laisse pas de donner mille écus de rente et de beaux privilèges. Notre 125 grand Corneille n'en a pas eu tant.

Au reste ne me demandez pas que j'entre ici dans le moindre détail de ces pièces anglaises dont je suis si grand partisan, ni que je vous rapporte un bon mot ou une plaisanterie des Wicherley et des Congrève; on ne rit point dans une traduction. 130 Si vous voulez connaître la Comédie Anglaise, il n'y a d'autre moyen pour cela que d'aller à Londres, d'y rester trois ans, d'apprendre bien l'anglais et de voir la Comédie tous les jours. Je n'ai pas grand plaisir en lisant Plaute et Aristophane : pourquoi? c'est que je ne suis ni Grec ni Romain. La finesse 135 des bons mots, l'allusion, l'à-propos, tout cela est perdu pour un étranger.

Il n'en est pas de même dans la Tragédie; il n'est question chez elle que de grandes passions et de sottises héroïques consacrées par de vieilles erreurs de fable ou d'histoire. *Œdipe*, 140 *Electre* appartiennent aux Espagnols, aux Anglais, et à nous, comme aux Grecs. Mais la bonne Comédie est la peinture parlante des ridicules d'une nation, et si vous ne connaissez pas la nation à fond, vous ne pouvez guère juger de la peinture. **(38)**

VINGTIÈME LETTRE

SUR LES SEIGNEURS QUI CULTIVENT LES LETTRES.

Il a été un temps en France où les Beaux-Arts étaient cultivés par les premiers de l'État. Les Courtisans surtout s'en mêlaient, malgré la dissipation, le goût des riens, la passion pour l'intrigue, toutes divinités du pays.

5 Il me paraît qu'on est actuellement à la Cour dans tout un autre goût que celui des Lettres. Peut-être dans peu de temps la mode de penser reviendra-t-elle : un Roi n'a qu'à vouloir; on fait de cette Nation-ci tout ce qu'on veut. En Angleterre communément on pense, et les lettres y sont plus en honneur

88. Richard *Steele :* auteur dramatique et journaliste anglais (1672-1729).

QUESTIONS

Questions 38, v. p. 109.

qu'en France. Cet avantage est une suite nécessaire de la forme de leur gouvernement. Il y a à Londres environ huit cents personnes qui ont le droit de parler en public et de soutenir les intérêts de la Nation; environ cinq ou six mille prétendent au même honneur à leur tour; tout le reste s'érige en juge de ceux-ci, et chacun peut faire imprimer ce qu'il pense sur les affaires publiques. Ainsi, toute la Nation est dans la nécessité de s'instruire. On n'entend parler que des gouvernements d'Athènes et de Rome; il faut bien, malgré qu'on en ait, lire les Auteurs qui en ont traité; cette étude conduit naturellement aux Belles-Lettres. En général, les hommes ont l'esprit de leur état. Pourquoi d'ordinaire nos Magistrats, nos Avocats, nos Médecins et beaucoup d'Ecclésiastiques ont-ils plus de lettres, de goût et d'esprit que l'on n'en trouve dans toutes les autres professions? C'est que réellement leur état est d'avoir l'esprit cultivé, comme celui d'un Marchand est de connaître son négoce. Il n'y a pas longtemps qu'un Seigneur Anglais fort jeune[89] me vint voir à Paris en revenant d'Italie; il avait fait en vers une description de ce pays-là, aussi poliment écrite que tout ce qu'ont fait le comte de Rochester[90] et nos Chaulieu[91], nos Sarrasin[92] et nos Chapelle[93].

La traduction que j'en ai faite est si loin d'atteindre à la force et à la bonne plaisanterie de l'original que je suis obligé d'en demander sérieusement pardon à l'auteur et à ceux qui entendent l'anglais; cependant, comme je n'ai pas d'autre

---

89. Il s'agit de John Hervey (né en 1696); **90.** *Rochester :* poète anglais et grand seigneur libertin (1647-1680), l'un des derniers représentants de la poésie mondaine de la Restauration; **91.** Guillaume Amfrye, abbé de *Chaulieu*, poète anacréontique français (1639-1720); **92.** Jean-François *Sarasin :* poète français (1615-1654), ami de Ménage, de Pellisson, de Mlle de Scudéry, de Segrais et rival de Voiture; **93.** *Chapelle :* poète français (1626-1686), ami de La Fontaine.

QUESTIONS

38. Sur la lettre XIX. — La comédie anglaise telle que la présente Voltaire. La comparaison avec Molière : on jugera de la valeur comparée des pièces par le canevas que rapporte l'auteur ici et la lecture du *Misanthrope* et de *l'École des femmes*. Que loue Voltaire dans les « imitations » anglaises? Comparez avec *De la poésie dramatique* de Diderot (« Nouveaux Classiques Larousse »).

— Bienséances et procédés de farce : le mélange est-il possible pour Voltaire? Comparez avec son jugement sur Shakespeare.

— L'analyse des qualités propres à chaque auteur comique anglais permet-elle de se faire une idée de ce que Voltaire aime comme comédie?

— Tragédie et comédie : les critères sont-ils les mêmes pour Voltaire? En a-t-il toujours été ainsi dans la littérature française sur tous les plans?

« Une soirée chez Mme Geoffrin », peinture de Gabriel Lemonnier.
Musée de Rouen.

Phot. Giraudon.

moyen de faire connaître les vers de Milord..., les voici dans ma langue :

> Qu'ai-je donc vu dans l'Italie?
> Orgueil, astuce et pauvreté,
> Grands compliments, peu de bonté,
> Et beaucoup de cérémonie;
> L'extravagante comédie
> Que souvent l'Inquisition[94]
> Veut qu'on nomme religion,
> Mais qu'ici nous nommons folie.
> La nature, en vain bienfaisante,
> Veut enrichir ces lieux charmants;
> Des Prêtres la main désolante
> Étouffe ses plus beaux présents.
> Les Monsignors, soi-disant grands,
> Seuls dans leurs palais magnifiques,
> Y sont d'illustres fainéants,
> Sans argent et sans domestiques.
> Pour les petits, sans liberté,
> Martyrs du joug qui les domine,
> Ils ont fait vœu de pauvreté,
> Priant Dieu par oisiveté,
> Et toujours jeûnant par famine.
> Ces beaux lieux, du Pape bénis,
> Semblent habités par les diables,
> Et les habitants misérables
> Sont damnés dans le paradis.

Peut-être dira-t-on que ces vers sont d'un hérétique; mais on traduit tous les jours, et même assez mal, ceux d'Horace et de Juvénal, qui avaient le malheur d'être païens. Vous savez bien qu'un traducteur ne doit pas répondre des sentiments de son auteur; tout ce qu'il peut faire, c'est de prier Dieu pour sa conversion, et c'est ce que je ne manque pas de faire pour celle du Milord. **(39)**

---

94. « Il entend sans doute les farces que certains Prédicateurs jouent dans les places publiques. » (Note de Voltaire.)

QUESTIONS

39. Sur la lettre XX. — Montrez que l'intention de Voltaire est d'exalter la noblesse de la profession d'homme de lettres. Quelle en est l'utilité en ce début du XVIIIe siècle, et pour l'auteur, après son affaire de Rohan?

— Comment s'établit pour Voltaire la hiérarchie idéale de la société, d'après le deuxième paragraphe? Liberté d'expression, système politique et essor des lettres selon Voltaire.

— Un procédé détourné de critique religieuse, d'après la traduction proposée par Voltaire à la fin de cette lettre. Qu'ajoute la note reproduite?

VINGT ET UNIÈME LETTRE

Sur le comte de Rochester[95] et M. Waller.

Tout le monde connaît de réputation le Comte de Rochester. M. de Saint-Évremond en a beaucoup parlé[96]; mais il ne nous a fait connaître du fameux Rochester que l'homme de plaisir, l'homme à bonnes fortunes; je voudrais faire connaître
5 en lui l'homme de génie et le grand poète. Entre autres ouvrages qui brillaient de cette imagination ardente qui n'appartenait qu'à lui, il a fait quelques satires sur les mêmes sujets que notre célèbre Despréaux avait choisis. Je ne sais rien de plus utile, pour se perfectionner le goût, que la comparaison des grands
10 génies qui se sont exercés sur les mêmes matières.

Voici comme M. Despréaux parle contre la raison humaine, dans sa satire sur l'homme :

> Cependant, à le voir, plein de vapeurs légères,
> Soi-même se bercer de ses propres chimères,
> 15 Lui seul de la nature est la base et l'appui,
> Et le dixième Ciel ne tourne que pour lui.
> De tous les animaux il est ici le maître;
> Qui pourrait le nier, poursuis-tu? Moi, peut-être :
> Ce maître prétendu qui leur donne des lois.
> 20 Ce Roi des animaux, combien a-t-il de Rois?

Voici à peu près comme s'exprime le comte de Rochester, dans sa satire sur l'homme; mais il faut que le lecteur se ressouvienne toujours que ce sont ici des traductions libres de poètes anglais, et que la gêne de notre versification et les bienséances
25 délicates de notre langue ne peuvent donner l'équivalent de la licence impétueuse du style anglais.

> Cet esprit que je hais, cet esprit plein d'erreur,
> Ce n'est pas ma raison, c'est la tienne, Docteur;
> C'est ta raison frivole, inquiète, orgueilleuse,
> 30 Des sages animaux rivale dédaigneuse,
> Qui croit entre eux et l'Ange occuper le milieu,
> Et pense être ici-bas l'image de son Dieu,
> Vil atome importun, qui croit, doute, dispute,
> Rampe, s'élève, tombe, et nie encor sa chute;
> 35 Qui nous dit : « Je suis libre », en nous montrant ses fers,
> Et dont l'œil trouble et faux croit percer l'Univers,

---

95. *Rochester :* voir note 90. *Waller :* poète anglais (1606-1687), cousin de Cromwell; son œuvre annonce le classicisme anglais; **96.** En 1709 parurent en effet sous le nom de Saint-Evremond, en anglais, des *Mémoires sur la vie de Rochester,* mais leur attribution à cet auteur en est très contestée.

Allez, révérends fous, bienheureux fanatiques!
Compilez bien l'amas de vos riens scolastiques!
Pères de visions et d'énigmes sacrés,
Auteurs du labyrinthe où vous vous égarez,
Allez obscurément éclaircir vos mystères,
Et courez dans l'école adorer vos chimères!
Il est d'autres erreurs : il est de ces dévots,
Condamnés par eux-même à l'ennui du repos.
Ce mystique encloîtré, fier de son indolence,
Tranquille au sein de Dieu, qu'y peut-il faire? Il pense.
Non, tu ne penses point, misérable, tu dors,
Inutile à la terre et mis au rang des morts;
Ton esprit énervé croupit dans la mollesse;
Réveille-toi, sois homme, et sors de ton ivresse.
L'homme est né pour agir, et tu prétends penser!

Que ces idées soient vraies ou fausses, il est toujours certain qu'elles sont exprimées avec une énergie qui fait le poète.

Je me garderai bien d'examiner la chose en philosophe, et de quitter ici le pinceau pour le compas. Mon unique but, dans cette lettre, est de faire connaître le génie des poètes anglais, et je vais continuer sur ce ton.

On a beaucoup entendu parler du célèbre Waller en France. MM. de La Fontaine, Saint-Évremond et Bayle ont fait son éloge; mais on ne connaît de lui que son nom. Il eut à peu près à Londres la même réputation que Voiture eut à Paris, et je crois qu'il la méritait mieux. Voiture vint dans un temps où l'on sortait de la barbarie, et où l'on était encore dans l'ignorance. On voulait avoir de l'esprit, et on n'en avait pas encore. On cherchait des tours au lieu de pensées : les faux brillants se trouvent plus aisément que les pierres précieuses. Voiture, né avec un génie frivole et facile, fut le premier qui brilla dans cette aurore de la littérature française; s'il était venu après les grands hommes qui ont illustré le siècle de Louis XIV, ou il aurait été inconnu, ou l'on n'aurait parlé de lui que pour le mépriser, ou il aurait corrigé son style. M. Despréaux le loue, mais c'est dans ses premières satires; c'est dans le temps où le goût de Despréaux n'était pas encore formé : il était jeune, et dans l'âge où l'on juge des hommes par la réputation, et non pas par eux-mêmes. D'ailleurs, Despréaux était souvent bien injuste dans ses louanges et dans ses censures. Il louait Segrais, que personne ne lit; il insultait Quinault, que tout le monde sait par cœur; et il ne dit rien de La Fontaine. Waller, meilleur que Voiture, n'était pas encore parfait; ses ouvrages galants respirent la grâce; mais la négligence les fait languir,

et souvent les pensées fausses les défigurent. Les Anglais n'étaient pas encore parvenus de son temps à écrire avec correction. Ses ouvrages sérieux sont pleins d'une vigueur qu'on n'attendrait pas de la mollesse de ses autres pièces. Il a fait un éloge
85 funèbre de Cromwell, qui, avec ses défauts, passe pour un chef-d'œuvre. Pour entendre cet ouvrage, il faut savoir que Cromwell mourut le jour d'une tempête extraordinaire.

La pièce commence ainsi :

Il n'est plus; c'en est fait; soumettons-nous au sort :
90 Le ciel a signalé ce jour par des tempêtes,
Et la voix du tonnerre, éclatant sur nos têtes,
Vient d'annoncer sa mort.
Par ses derniers soupirs il ébranle cette île,
Cette île que son bras fit trembler tant de fois,
95 Quand, dans le cours de ses exploits,
Il brisait la tête des rois
Et soumettait un peuple à son joug seul docile.
Mer, tu t'en es troublée. O mer! tes flots émus
Semblent dire en grondant aux plus lointains rivages
100 Que l'effroi de la terre, et ton maître, n'est plus.
Tel au Ciel autrefois s'envola Romulus,
Tel il quitta la terre au milieu des orages,
Tel d'un peuple guerrier il reçut les hommages :
Obéi dans sa vie, à sa mort adoré,
105 Son palais fut un temple, etc.

C'est à propos de cet éloge de Cromwell que Waller fit au roi Charles second cette réponse, qu'on trouve dans le dictionnaire de Bayle. Le Roi, pour qui Waller venait, selon l'usage des Rois et des Poètes, de présenter une pièce farcie de louanges,
110 lui reprocha qu'il avait fait mieux pour Cromwell. Waller répondit : « Sire, nous autres poètes, nous réussissons mieux dans les fictions que dans les vérités. » Cette réponse n'était pas si sincère que celle de l'Ambassadeur Hollandais, qui, lorsque le même Roi se plaignait que l'on avait moins d'égards
115 pour lui que pour Cromwell, répondit : « Ah! Sire, ce Cromwell était tout autre chose. »

Mon but n'est pas de faire un commentaire sur le caractère de Waller ni de personne; je ne considère les gens après leur mort que par leurs ouvrages; tout le reste est pour moi anéanti;
120 je remarque seulement que Waller, né à la Cour, avec soixante mille livres de rente, n'eut jamais ni le sot orgueil ni la nonchalance d'abandonner son talent. Les Comtes de Dorset[97] et de

97. *Dorset :* courtisan et poète anglais (1638-1706).

Roscommon[98], les deux Ducs de Buckingham, Milord Halifax et tant d'autres n'ont pas cru déroger en devenant de très
25 grands poètes et d'illustres écrivains. Leurs ouvrages leur font plus d'honneur que leur nom. Ils ont cultivé les lettres comme s'ils en eussent attendu leur fortune; ils ont, de plus, rendu les arts respectables aux yeux du peuple, qui, en tout, a besoin d'être mené par les Grands, et qui pourtant se règle moins
30 sur eux en Angleterre qu'en aucun lieu du monde. **(40)**

VINGT-DEUXIÈME LETTRE

SUR M. POPE[99] ET QUELQUES AUTRES POÈTES FAMEUX.

Je voulais vous parler de M. Prior[100], un des plus aimables poètes d'Angleterre, que vous avez vu à Paris plénipotentiaire et Envoyé extraordinaire en 1712. Je comptais vous donner aussi quelque idée des poésies de Milord Roscommon, de
5 Milord Dorset[101], etc.; mais je sens qu'il me faudrait faire un gros livre, et qu'après bien de la peine, je ne vous donnerais qu'une idée fort imparfaite de tous ces ouvrages. La poésie est une espèce de musique : il faut l'entendre pour en juger. Quand je vous traduis quelques morceaux de ces poésies étran-
10 gères, je vous note imparfaitement leur musique, mais je ne puis exprimer le goût de leur chant.

---

98. *Roscommon :* poète anglais du XVIIe siècle (v. 1630-1685); **99.** Alexandre *Pope :* poète et philosophe anglais (1688-1744), auteur notamment de l'*Essai sur l'homme ;* **100.** Mathieu *Prior,* poète et diplomate anglais (1664-1721); fils d'un menuisier, il fit ses études à Cambridge, fut protégé par lord Dorset et Charles Montagu; il participa activement aux négociations de la paix de Ryswick, puis du traité d'Utrecht (1712); **101.** Sur ces deux personnages, voir les notes 97 et 98.

QUESTIONS

40. SUR LA LETTRE XXI. — En quoi cette lettre est-elle la suite normale de la lettre XX (thème traité, manière de présenter les choses, comparaison implicite entre l'Angleterre et la France) ?

— Le goût de Voltaire : quelle est l'utilité des comparaisons entre écrivains, d'après le début du texte? Montrez que Voltaire donne les éléments et laisse le lecteur juger. Comparez avec les idées directrices du *Temple du goût*, conçu vers la même époque.

— Le rôle relatif de l'œuvre, de la connaissance de l'homme, de l'histoire dans le jugement littéraire; quelle est votre position sur ce point? Montrez que l'attitude de Voltaire correspond à un point de vue figé, classique, supposant la permanence inconditionnelle des critères de jugement.

Il y a surtout un poème anglais que je désespérerais de vous faire connaître; il s'appelle *Hudibras*[102]. Le sujet est la guerre civile et la secte des Puritains tournée en ridicule. C'est *Don*
15 *Quichotte*, c'est notre *Satire Ménippée* fondus ensemble; c'est, de tous les livres que j'aie jamais lus, celui où j'ai trouvé le plus d'esprit; mais c'est aussi le plus intraduisible. Qui croirait qu'un livre qui saisit tous les ridicules du genre humain, et qui a plus de pensées que de mots, ne peut souffrir la traduction?
20 C'est que presque tout y fait allusion à des aventures particulières : le plus grand ridicule tombe principalement sur les Théologiens, que peu de gens du monde entendent; il faudrait à tous moments un commentaire, et la plaisanterie expliquée cesse d'être plaisanterie : tout commentateur de bons mots
25 est un sot.

Voilà pourquoi on n'entendra jamais bien en France les livres de l'ingénieux Docteur Swift[103], qu'on appelle le Rabelais d'Angleterre. Il a l'honneur d'être Prêtre, comme Rabelais, et de se moquer de tout, comme lui; mais on lui fait grand
30 tort, selon mon petit sens, de l'appeler de ce nom. Rabelais, dans son extravagant et inintelligible livre, a répandu une extrême gaieté et une plus grande impertinence; il a prodigué l'érudition, les ordures et l'ennui; un bon conte de deux pages est acheté par des volumes de sottises. Il n'y a que quelques
35 personnes d'un goût bizarre qui se piquent d'entendre et d'estimer tout cet ouvrage; le reste de la nation rit des plaisanteries de Rabelais et méprise le livre. On le regarde comme le premier des bouffons; on est fâché qu'un homme qui avait tant d'esprit en ait fait un si misérable usage; c'est un Philo-
40 sophe ivre, qui n'a écrit que dans le temps de son ivresse.

M. Swift est Rabelais dans son bon sens, et vivant en bonne compagnie; il n'a pas, à la vérité, la gaieté du premier, mais il a toute la finesse, la raison, le choix, le bon goût qui manquent à notre Curé de Meudon. Ses vers sont d'un goût singulier
45 et presque inimitable; la bonne plaisanterie est son partage en vers et en prose; mais, pour le bien entendre, il faut faire un petit voyage dans son pays.

Vous pouvez plus aisément vous former quelque idée de M. Pope; c'est, je crois, le poète le plus élégant, le plus cor-

102. *Hudibras :* poème de Butler, contemporain de Milton ; il ne sera traduit en français qu'en 1757; **103.** Jonathan *Swift :* écrivain irlandais (1667-1745), auteur des fameux *Voyages de Gulliver,* du *Conte du tonneau,* des *Lettres du drapier.*

rect et, ce qui est encore beaucoup, le plus harmonieux qu'ait eu l'Angleterre. Il a réduit les sifflements aigres de la trompette anglaise aux sons doux de la flûte; on peut le traduire, parce qu'il est extrêmement clair, et que ses sujets pour la plupart sont généraux et du ressort de toutes les nations.

On connaîtra bientôt en France son *Essai sur la Critique*, par la traduction en vers qu'en fait M. l'abbé du Resnel.

Voici un morceau de son poème de *la Boucle de cheveux*, que je viens de traduire avec ma liberté ordinaire; car, encore une fois, je ne sais rien de pis que de traduire un poète mot pour mot.

Umbriel à l'instant, vieux Gnome rechigné,
Va, d'une aile pesante et d'un air renfrogné,
Chercher, en murmurant, la caverne profonde
Où, loin des doux rayons que répand l'œil du monde,
La Déesse aux vapeurs a choisi son séjour.
Les tristes Aquilons y sifflent à l'entour,
Et le souffle malsain de leur aride haleine
Y porte aux environs la fièvre et la migraine.
Sur un riche sofa, derrière un paravent,
Loin des flambeaux, du bruit, des parleurs et du vent,
La quinteuse Déesse incessamment repose,
Le cœur gros de chagrins, sans en savoir la cause,
N'ayant pensé jamais, l'esprit toujours troublé,
L'œil chargé, le teint pâle et l'hypocondre enflé.
La médisante envie est assise auprès d'elle,
Vieux spectre féminin, décrépite pucelle,
Avec un air dévot déchirant son prochain,
Et chansonnant les gens l'Évangile à la main.
Sur un lit plein de fleurs négligemment penchée,
Une jeune beauté non loin d'elle est couchée :
C'est l'Affectation, qui grasseye en parlant,
Écoute sans entendre, et lorgne en regardant,
Qui rougit sans pudeur, et rit de tout sans joie,
De cent maux différents prétend qu'elle est la proie,
Et, pleine de santé sous le rouge et le fard,
Se plaint avec mollesse, et se pâme avec art.

Si vous lisiez ce morceau dans l'original, au lieu de le lire dans cette faible traduction, vous le compareriez à la description de la Mollesse dans *le Lutrin*.

En voilà bien honnêtement pour les poètes anglais. Je vous ai touché un petit mot de leurs philosophes. Pour de bons historiens, je ne leur en connais pas encore; il a fallu qu'un Français ait écrit leur histoire. Peut-être le génie anglais, qui est ou froid ou impétueux, n'a pas encore saisi cette éloquence

95 naïve et cet air noble et simple de l'Histoire; peut-être aussi l'esprit de parti, qui fait voir trouble, a décrédité tous leurs historiens : la moitié de la nation est toujours l'ennemie de l'autre. J'ai trouvé des gens qui m'ont assuré que Milord Marlborough était un poltron, et que M. Pope était un sot, comme,
100 en France, quelques Jésuites trouvent Pascal un petit esprit, et quelques Jansénistes disent que le Père Bourdaloue n'était qu'un bavard. Marie Stuart est une sainte Héroïne pour les Jacobites; pour les autres, c'est une débauchée, une adultère, une homicide : ainsi en Angleterre on a des factums et point
105 d'histoire. Il est vrai qu'il y a à présent un M. Gordon, excellent traducteur de Tacite, très capable d'écrire l'histoire de son pays, mais M. Rapin de Thoyras l'a prévenu. Enfin il me paraît que les Anglais n'ont point de si bons historiens que nous, qu'ils n'ont point de véritables tragédies, qu'ils ont
110 des comédies charmantes, des morceaux de poésie admirables et des philosophes qui devraient être les précepteurs du genre humain.

Les Anglais ont beaucoup profité des ouvrages de notre langue; nous devrions à notre tour emprunter d'eux, après
115 leur avoir prêté; nous ne sommes venus, les Anglais et nous, qu'après les Italiens, qui en tout ont été nos maîtres, et que nous avons surpassés en quelque chose. Je ne sais à laquelle des trois nations il faudra donner la préférence; mais heureux celui qui sait sentir leurs différents mérites! **(41)**

VINGT-TROISIÈME LETTRE

SUR LA CONSIDÉRATION QU'ON DOIT AUX GENS DE LETTRES.

Ni en Angleterre ni en aucun pays du monde on ne trouve des établissements en faveur des beaux-arts comme en France. Il y a presque partout des Universités; mais c'est en France seulement qu'on trouve ces utiles encouragements pour l'Astro-

QUESTIONS

41. SUR LA LETTRE XXII. — Voltaire et Rabelais : valeur de son jugement ici; ce qu'il reflète; qu'est-ce qui intéresse surtout Voltaire chez Rabelais?

— En utilisant les remarques critiques de Voltaire et les traductions qu'il propose dans cette lettre et la précédente, cherchez le trait commun à tous les écrivains. En quoi est-ce à la fois partisan et médiocrement littéraire? (*Suite*, v. p. 119.)

nomie, pour toutes les parties des Mathématiques, pour celle de la Médecine, pour les recherches de l'Antiquité, pour la Peinture, la Sculpture et l'Architecture, Louis XIV s'est immortalisé par toutes ces fondations, et cette immortalité ne lui a pas coûté deux cent mille francs par an.

J'avoue que c'est un de mes étonnements que le Parlement d'Angleterre, qui s'est avisé de promettre vingt mille guinées à celui qui ferait l'impossible découverte des Longitudes, n'ait jamais pensé à imiter Louis XIV dans sa magnificence envers les Arts.

Le mérite trouve à la vérité en Angleterre d'autres récompenses plus honorables pour la nation. Tel est le respect que ce peuple a pour les talents, qu'un homme de mérite y fait toujours fortune. M. Addison[104], en France, eût été de quelque Académie, et aurait pu obtenir, par le crédit de quelque femme, une pension de douze cents livres, ou plutôt on lui aurait fait des affaires, sous prétexte qu'on aurait aperçu, dans sa tragédie de *Caton*, quelques traits contre le portier d'un homme en place; en Angleterre, il a été Secrétaire d'État. M. Newton était Intendant des monnaies du royaume; M. Congreve[105] avait une charge importante; M. Prior[106] a été Plénipotentiaire. Le Docteur Swift[107] est Doyen d'Irlande, et y est beaucoup plus considéré que le Primat. Si la religion de M. Pope[108] ne lui permet pas d'avoir une place, elle n'empêche pas au moins que sa traduction d'Homère ne lui ait valu deux cent mille francs. J'ai vu longtemps en France l'Auteur de *Rhadamiste*[109] près de mourir de faim; et le fils d'un des plus grands hommes que la France ait eus[110], et qui commençait à marcher sur les traces de son père, était réduit à la misère sans M. Fagon[111]. Ce qui encourage le plus les arts en Angleterre, c'est la considération où ils sont : le portrait du premier ministre se trouve

---

104. *Addison :* voir note 80; **105.** *Congreve :* voir note 85; **106.** *Prior :* voir note 100; **107.** *Swift :* voir note 103; **108.** *Pope :* voir note 99; **109.** Il s'agit de Crébillon père, auteur dramatique (1674-1762); **110.** Louis Racine, fils de l'auteur tragique; **111.** *Fagon :* premier médecin de Louis XIV dans la dernière partie de la vie du roi.

QUESTIONS

— Les fondements de la critique littéraire chez Voltaire. Le rôle de la connaissance directe des mœurs pour l'appréciation d'un écrivain : qu'en pensez-vous? Comment se trouve infirmé ou nuancé ce point de vue (déjà émis dans la lettre XIX, « Sur la comédie ») quand il s'agit de Pope? La distinction vous paraît-elle valable?

— Intérêt et valeur du dernier paragraphe de cette lettre.

sur la cheminée de son cabinet; mais j'ai vu celui de M. Pope dans vingt maisons.

M. Newton était honoré de son vivant, et l'a été après sa mort comme il devait l'être. Les principaux de la nation se
40 sont disputé l'honneur de porter le Poêle à son convoi. Entrez à Westminster. Ce ne sont pas les tombeaux des Rois qu'on y admire; ce sont les monuments que la reconnaissance de la nation a érigés aux plus grands hommes qui ont contribué à sa gloire; vous y voyez leurs statues, comme on voyait dans
45 Athènes celles des Sophocle et des Platon; et je suis persuadé que la seule vue de ces glorieux monuments a excité plus d'un esprit et a formé plus d'un grand homme.

On a même reproché aux Anglais d'avoir été trop loin dans les honneurs qu'ils rendent au simple mérite; on a trouvé à
50 redire qu'ils aient enterré dans Westminster la célèbre comédienne Mlle Oldfield[112] à peu près avec les mêmes honneurs qu'on a rendus à M. Newton. Quelques-uns ont prétendu qu'ils avaient affecté d'honorer à ce point la mémoire de cette Actrice, afin de nous faire sentir davantage la barbare et lâche
55 injustice qu'ils nous reprochent, d'avoir jeté à la voirie le corps de Mlle Lecouvreur.

Mais je puis vous assurer que les Anglais, dans la pompe funèbre de Mlle Oldfield, enterrée dans leur Saint-Denis, n'ont rien consulté que leur goût; ils sont bien loin d'attacher l'in-
60 famie à l'art des Sophocle et des Euripide, et de retrancher du corps de leurs Citoyens ceux qui se dévouent à réciter devant eux des ouvrages dont leur nation se glorifie.

Du temps de Charles Premier, et dans le commencement de ces guerres civiles commencées par des Rigoristes fanatiques,
65 qui eux-mêmes en furent enfin les victimes, on écrivait beaucoup contre les spectacles, d'autant plus que Charles Premier et sa femme, fille de notre Henri le Grand, les aimaient extrêmement.

Un Docteur, nommé Prynne, scrupuleux à toute outrance,
70 qui se serait cru damné s'il avait porté une soutane au lieu d'un manteau court, et qui aurait voulu que la moitié des hommes eût massacré l'autre pour la gloire de Dieu et la *propaganda fide*, s'avisa d'écrire un fort mauvais livre[113] contre d'assez bonnes comédies qu'on jouait tous les jours très innocemment
75 devant le Roi et la Reine. Il cita l'autorité des Rabbins et

112. Le 26 octobre 1730 ; **113.** Ce livre, écrit en 1633, s'intitule *Histrio-Mastix.*

Phot. Larousse.

Réception d'un académicien au XVIIe s.
Gravure de Poilly.

quelques passages de saint Bonaventure, pour prouver que l'*Œdipe* de Sophocle était l'ouvrage du Malin, que Térence était excommunié *ipso facto ;* et il ajouta que sans doute Brutus, qui était un Janséniste très sévère, n'avait assassiné César que 80 parce que César, qui était Grand-Prêtre, avait composé une tragédie d'*Œdipe ;* enfin, il dit que tous ceux qui assistaient à un spectacle étaient des excommuniés qui reniaient leur Chrême et leur Baptême. C'était outrager le Roi et toute la famille Royale. Les Anglais respectaient alors Charles Pre- 85 mier; ils ne voulurent pas souffrir qu'on parlât d'excommunier ce même Prince à qui ils firent depuis couper la tête. M. Prynne fut cité devant la Chambre étoilée, condamné à voir son beau livre brûlé par la main du bourreau, et lui, à avoir les oreilles coupées. Son procès se voit dans les actes publics.

90 On se garde bien, en Italie, de flétrir l'Opéra et d'excommunier le Signor Senesino[114] ou la Signora Cuzzoni. Pour moi, j'oserais souhaiter qu'on pût supprimer en France je ne sais quels mauvais livres qu'on a imprimés contre nos spectacles; car, lorsque les Italiens et les Anglais apprennent 95 que nous flétrissons de la plus grande infamie un art dans lequel nous excellons, que l'on condamne comme impie un spectacle représenté chez les Religieux et dans les Couvents, qu'on déshonore des jeux où Louis XIV et Louis XV ont été acteurs, qu'on déclare œuvre du démon des pièces revues par 100 les Magistrats les plus sévères et représentés devant une Reine vertueuse; quand, dis-je, des étrangers apprennent cette insolence, ce manque de respect à l'Autorité Royale, cette barbarie gothique qu'on ose nommer sévérité chrétienne, que voulez-vous qu'ils pensent de notre nation? Et comment peuvent-ils 105 concevoir, ou que nos lois autorisent un art déclaré si infâme, ou qu'on ose marquer de tant d'infamie un art autorisé par les lois, récompensé par les Souverains, cultivé par les grands hommes et admiré des nations; et qu'on trouve chez le même Libraire la déclamation du Père Le Brun contre nos spectacles, 110 à côté des ouvrages immortels des Racine, des Corneille, des Molière, etc.? **(42)**

---

114. *Senesino* entra à l'Opéra de Londres en 1721 ; la *Signora Cuzzoni* fut chanteuse à ce même Opéra entre 1725 et 1728.

QUESTIONS

Questions 42, v. p. 123.

VINGT-QUATRIÈME LETTRE

SUR LES ACADÉMIES.

Les Anglais ont eu, longtemps avant nous, une Académie des Sciences; mais elle n'est pas si bien réglée que la nôtre, et cela par la seule raison peut-être qu'elle est plus ancienne; car, si elle avait été formée après l'Académie de Paris, elle en aurait adopté quelques sages lois et eût perfectionné les autres.

La Société Royale de Londres manque des deux choses les plus nécessaires aux hommes, de récompenses et de règles. C'est une petite fortune sûre à Paris pour un Géomètre, pour un Chimiste, qu'une place à l'Académie; au contraire, il en coûte à Londres pour être de la Société Royale. Quiconque dit en Angleterre : « J'aime les arts », et veut être de la Société, en est dans l'instant. Mais en France, pour être membre et pensionnaire de l'Académie, ce n'est pas assez d'être amateur; il faut être savant, et disputer la place contre des concurrents d'autant plus redoutables qu'ils sont animés par la gloire, par l'intérêt, par la difficulté même, et par cette inflexibilité d'esprit que donne d'ordinaire l'étude opiniâtre des sciences de calcul.

L'Académie des Sciences est sagement bornée à l'étude de la nature, et en vérité c'est un champ assez vaste pour occuper cinquante ou soixante personnes. Celle de Londres mêle indifféremment la littérature à la physique. Il me semble qu'il est mieux d'avoir une Académie particulière pour les belles-lettres, afin que rien ne soit confondu, et qu'on ne voie point une

QUESTIONS

42. SUR LA LETTRE XXIII. — Les deux thèmes de cette lettre : où Voltaire en a-t-il déjà parlé? Y reviendra-t-il dans d'autres textes?

— Les gens de lettres : en quoi, sur un point, la France paraît-elle à Voltaire supérieure à l'Angleterre? Quelle est la portée des critiques faites à la France ensuite? La part de plaidoyer personnel dans cette attaque contre la France (voir la biographie de Voltaire).

— La querelle du théâtre : rappel des données essentielles de la question au XVIIe siècle; les éléments nouveaux au XVIIIe siècle. L'attitude de l'Église à l'égard des comédiens; le mépris dont ceux-ci étaient l'objet à l'époque.

— Le dernier paragraphe : changement de ton; valeur des arguments; portée de la critique. Importance de souligner un désaccord entre l'Église et une royauté de droit divin sur le plan théorique; en est-il de même sur le plan pratique?

dissertation sur les coiffures des Romaines à côté d'une centaine de courbes nouvelles.

Puisque la Société de Londres a peu d'ordre et nul encouragement, et que celle de Paris est sur un pied tout opposé, 30 il n'est pas étonnant que les Mémoires de notre Académie soient supérieurs aux leurs : des soldats bien disciplinés et bien payés doivent à la longue l'emporter sur des volontaires. Il est vrai que la Société Royale a eu un Newton, mais elle ne l'a pas produit; il y avait même peu de ses confrères qui 35 l'entendissent; un génie comme M. Newton appartenait à toutes les Académies de l'Europe, parce que toutes avaient beaucoup à apprendre de lui. **(43)**

Le fameux Docteur Swift[115] forma le dessein, dans les dernières années du règne de la Reine Anne, d'établir une Aca-40 démie pour la langue[116], à l'exemple de l'Académie française. Ce projet était appuyé par le Comte d'Oxford, grand Trésorier, et encore plus par le Vicomte Bolingbroke[117], Secrétaire d'État, qui avait le don de parler sur-le-champ dans le Parlement avec autant de pureté que Swift écrivait dans son cabinet, 45 et qui aurait été le protecteur et l'ornement de cette Académie. Les membres qui la devaient composer étaient des hommes dont les ouvrages dureront autant que la langue anglaise : c'étaient le Docteur Swift, M. Prior[118], que nous avons vu ici Ministre public et qui en Angleterre a la même réputation 50 que La Fontaine a parmi nous; c'étaient M. Pope[119], le Boileau d'Angleterre, M. Congreve[120], qu'on peut en appeler le Molière; plusieurs autres, dont les noms m'échappent ici, auraient tous fait fleurir cette compagnie dans sa naissance. Mais la Reine

115. *Swift :* voir note 103; **116.** Ce projet était intitulé *Proposition pour corriger, développer et affermir la langue anglaise, en une lettre au très honorable Robert Earl d'Oxford et Mortimer* (1712); **117.** *Bolingbroke :* voir note 21; **118.** *Prior :* voir note 100; **119.** *Pope :* voir note 99; **120.** *Congreve :* voir note 85.

QUESTIONS

43. Le parallèle entre l'Académie des sciences anglaise et la française : les reproches faits à la première; leur valeur. Le rôle d'une académie, selon Voltaire, pour l'État, d'une part, et pour les savants, d'autre part. Ultérieurement, Voltaire est revenu sur cette question, indiquant que l'Académie anglaise « n'a point de récompenses comme la nôtre; mais aussi elle est libre ». En outre, il fait le compte des découvertes dues aux savants anglais membres de l'Académie et conclut : « Qu'auraient fait de plus ces grands hommes, s'ils avaient été pensionnaires ou honoraires? » Quel est le problème posé? Quelle est son importance? Vous discuterez cette question.

mourut subitement; les Whigs se mirent dans la tête de faire pendre les protecteurs de l'Académie, ce qui, comme vous croyez bien, fut mortel aux belles-lettres. Les membres de ce corps auraient eu un grand avantage sur les premiers qui composèrent l'Académie française; car Swift, Prior, Congreve, Dryden[121], Pope, Addison[122], etc., avaient fixé la langue anglaise par leurs écrits, au lieu que Chapelain, Colletet, Cassaigne, Faret, Perrin, Cotin, vos premiers Académiciens, étaient l'opprobre de votre nation, et que leurs noms sont devenus si ridicules que, si quelque auteur passable avait le malheur de s'appeler Chapelain ou Cotin, il serait obligé de changer de nom. Il aurait fallu surtout que l'Académie Anglaise se proposât des occupations toutes différentes de la nôtre. Un jour, un bel esprit de ce pays-là me demanda les Mémoires de l'Académie française. « Elle n'écrit point de Mémoires, lui répondis-je; mais elle a fait imprimer soixante ou quatre-vingts volumes de compliments. » Il en parcourut un ou deux; il ne put jamais entendre ce style, quoiqu'il entendît fort bien tous nos bons auteurs. « Tout ce que j'entrevois, me dit-il, dans ces beaux discours, c'est que le Récipiendaire, ayant assuré que son prédécesseur était un grand homme, que le Cardinal de Richelieu était un très grand homme, le Chancelier Séguier un assez grand homme, Louis XIV un plus que grand homme, le Directeur lui répond la même chose, et ajoute que le Récipiendaire pourrait bien aussi être une espèce de grand homme, et que, pour lui, Directeur, il n'en quitte pas sa part. »

Il est aisé de voir par quelle fatalité presque tous ces discours ont fait si peu d'honneur à ce Corps : *vitium est temporis potius quam hominis*[123]. L'usage s'est insensiblement établi que tout Académicien répéterait ces éloges à sa réception : ç'a été une espèce de loi d'ennuyer le public. Si on cherche ensuite pourquoi les plus grands génies qui sont entrés dans ce corps ont fait quelquefois les plus mauvaises harangues, la raison en est encore bien aisée; c'est qu'ils ont voulu briller, c'est qu'ils ont voulu traiter nouvellement une matière toute usée : la nécessité de parler, l'embarras de n'avoir rien à dire et l'envie d'avoir de l'esprit sont trois choses capables de rendre ridicule même le plus grand homme; ne pouvant trouver des pensées nouvelles, ils ont cherché des tours nouveaux, et ont

---

121. *Dryden :* voir note 79; **122.** *Addison :* voir note 80; **123.** « C'est un défaut de l'époque plus que de la personne. »

parlé sans penser, comme des gens qui mâcheraient à vide, et
95 feraient semblant de manger en périssant d'inanition.

Au lieu que c'est une loi dans l'Académie française de faire imprimer tous ces discours, par lesquels seuls elle est connue, ce devrait être une loi de ne les imprimer pas.

L'Académie des Belles-Lettres s'est proposé un but plus
100 sage et plus utile, c'est de présenter au public un recueil de Mémoires remplis de recherches et de critiques curieuses. Ces Mémoires sont déjà estimés chez les étrangers; on souhaiterait seulement que quelques matières y fussent plus approfondies, et qu'on n'en eût point traité d'autres. On se serait, par exemple,
105 fort bien passé de je ne sais quelle dissertation sur les prérogatives de la main droite sur la main gauche[124], et quelques autres recherches qui, sous un titre moins ridicule, n'en sont guère moins frivoles. **(44)**

L'Académie des Sciences, dans ses recherches plus difficiles
110 et d'une utilité plus sensible, embrasse la connaissance de la nature et la perfection des arts. Il est à croire que des études si profondes et si suivies, des calculs si exacts, des découvertes si fines, des vues si grandes, produiront enfin quelque chose qui servira au bien de l'Univers.

115 Jusqu'à présent, comme nous l'avons déjà observé ensemble, c'est dans les siècles les plus barbares que se sont faites les plus utiles découvertes; il semble que le partage des temps les plus éclairés et des compagnies les plus savantes soit de raisonner sur ce que des ignorants ont inventé. On sait aujourd'hui,
120 après les longues disputes de M. Huyghens[125] et de M. Renaud, la détermination de l'angle le plus avantageux d'un gouvernail de vaisseau avec la quille; mais Christophe Colomb avait découvert l'Amérique sans rien soupçonner de cet angle.

Je suis bien loin d'inférer de là qu'il faille s'en tenir seule-
125 ment à une pratique aveugle; mais il serait heureux que les Physiciens et les Géomètres joignissent, autant qu'il est pos-

---

124. H. Morin, « Des privilèges de la main droite » (*Mémoires de l'Académie,* 1723) ; **125.** *Huygens :* physicien et astronome (1629-1695), né à La Haye.

QUESTIONS

44. L'Académie française et l'Académie des belles-lettres : définissez l'objet de l'une et de l'autre; à quoi tient la supériorité de la dernière selon Voltaire? — Les critiques faites à la première : que sont ces « compliments »? Est-ce la seule activité académique? Dans quelle mesure est-il juste d'incriminer l'époque louis-quatorzième plutôt que l'Académie même?

sible, la pratique à la spéculation. Faut-il que ce qui fait le plus d'honneur à l'esprit humain soit souvent ce qui est le moins utile? Un homme, avec les quatre règles d'arithmétique et du bon sens, devient un grand Négociant, un Jacques Cœur, un Delmet, un Bernard[126], tandis qu'un pauvre algébriste passe sa vie à chercher dans les nombres des rapports et des propriétés étonnantes, mais sans usage, et qui ne lui apprendront pas ce que c'est que le change. Tous les arts sont à peu près dans ce cas; il y a un point, passé lequel les recherches ne sont plus que pour la curiosité : ces vérités ingénieuses et inutiles ressemblent à des étoiles qui, placées trop loin de nous, ne nous donnent point de clarté. **(45)**

Pour l'Académie française, quel service ne rendrait-elle pas aux lettres, à la langue et à la nation, si, au lieu de faire imprimer tous les ans des compliments, elle faisait imprimer les bons ouvrages du siècle de Louis XIV, épurés de toutes les fautes de langage qui s'y sont glissées? Corneille et Molière en sont pleins; La Fontaine en fourmille; celles qu'on ne pourrait pas corriger seraient au moins marquées. L'Europe, qui lit ces auteurs, apprendrait par eux notre langue avec sûreté; sa pureté serait à jamais fixée; les bons livres français, imprimés avec ce soin aux dépens du Roi, seraient un des plus glorieux monuments de la nation. J'ai ouï dire que M. Despréaux avait fait autrefois cette proposition, et qu'elle a été renouvelée par un homme dont l'esprit, la sagesse et la saine critique sont connus; mais cette idée a eu le sort de beaucoup d'autres projets utiles, d'être approuvée et d'être négligée. **(46) (47)**

126. *Jacques Cœur :* riche commerçant de Bourges (v. 1395-1456), argentier de Charles VII. Peter *Delmet :* lord-maire de Londres. Samuel *Bernard :* financier sous Louis XIV et Louis XV (1651-1739).

QUESTIONS

45. Recherche spéculative et recherche appliquée selon Voltaire. Au nom de quoi condamne-t-il la première? Est-ce raisonnable, même au nom de son principe : la science doit servir au progrès de l'humanité?

46. Quelle mission Voltaire assigne-t-il ici à l'Académie? Pensez-vous que ce soit conforme aux buts que Richelieu avait assignés à la Compagnie? — Quel lien existe entre ce passage et le *Commentaire sur Corneille*, que Voltaire fera paraître en 1764? — Est-il indiscutable de « corriger » les écrivains des siècles passés? Sur quelle idée repose un tel procédé? Précisez les buts que l'auteur fixe à une telle entreprise.

47. SUR L'ENSEMBLE DE LA LETTRE XXIV. — Ce que Voltaire attend de l'Académie sur les plans littéraire, linguistique et scientifique. Confrontez les faits, tels que l'auteur les décrit, avec ce programme.

— La science et sa mission selon Voltaire.

VINGT-CINQUIÈME LETTRE

SUR LES PENSÉES DE M. PASCAL.

Je vous envoie les remarques critiques que j'ai faites depuis longtemps sur les *Pensées* de M. Pascal. Ne me comparez point ici, je vous prie, à Ézéchias, qui voulut faire brûler tous les livres de Salomon. Je respecte le génie et l'éloquence de
5 Pascal; mais plus je les respecte, plus je suis persuadé qu'il aurait lui-même corrigé beaucoup de ces *Pensées*, qu'il avait jetées au hasard sur le papier, pour les examiner ensuite : et c'est en admirant son génie que je combats quelques-unes de ses idées.

10 Il me paraît qu'en général l'esprit dans lequel M. Pascal écrivit ces *Pensées* était de montrer l'homme dans un jour odieux. Il s'acharne à nous peindre tous méchants et malheureux. Il écrit contre la nature humaine à peu près comme il écrivait contre les Jésuites. Il impute à l'essence de notre nature
15 ce qui n'appartient qu'à certains hommes. Il dit éloquemment des injures au genre humain. J'ose prendre le parti de l'humanité contre ce misanthrope sublime; j'ose assurer que nous ne sommes ni si méchants ni si malheureux qu'il le dit; je suis, de plus, très persuadé que, s'il avait suivi, dans le livre qu'il
20 méditait, le dessein qui paraît dans ses *Pensées*, il aurait fait un livre plein de paralogismes éloquents et de faussetés admirablement déduites. Je crois même que tous ces livres qu'on a faits depuis peu pour prouver la Religion chrétienne, sont plus capables de scandaliser que d'édifier. Ces auteurs prétendent-ils
25 en savoir plus que Jésus-Christ et les Apôtres? C'est vouloir soutenir un chêne en l'entourant de roseaux; on peut écarter ces roseaux inutiles sans craindre de faire tort à l'arbre.

J'ai choisi avec discrétion[127] quelques pensées de Pascal; je mets les réponses au bas. C'est à vous à juger si j'ai tort
30 ou raison. **(48)**

---

127. *Discrétion* : discernement.

QUESTIONS

48. Analyse de cette déclaration de principe : les différents arguments; le principe qui dirige Voltaire. Quelle était l'intention de Pascal? En quoi y a-t-il dès l'abord opposition de tempéraments, de buts, de systèmes de références entre les deux hommes?

— Sachant que Voltaire n'a cessé toute sa vie d'ajouter des remarques, pourquoi cet acharnement à votre avis? (*Suite*, v. p. 129.)

I. « *Les grandeurs et les misères de l'homme sont tellement visibles qu'il faut nécessairement que la vraie religion nous enseigne qu'il y a en lui quelque grand principe de grandeur, et en même temps quelque grand principe de misère. Car il faut que la véritable Religion connaisse à fond notre nature, c'est-à-dire qu'elle connaisse tout ce qu'elle a de grand et tout ce qu'elle a de misérable, et la raison de l'un et de l'autre. Il faut encore qu'elle nous rende raison des étonnantes contrariétés qui s'y rencontrent.* »

Cette manière de raisonner paraît fausse et dangereuse : car la fable de Prométhée et de Pandore, les androgynes de Platon et les dogmes des Siamois rendraient aussi bien raison de ces contrariétés apparentes. La Religion chrétienne n'en demeurera pas moins vraie, quand même on n'en tirerait pas ces conclusions ingénieuses, qui ne peuvent servir qu'à faire briller l'esprit.

Le Christianisme n'enseigne que la simplicité, l'humanité, la charité; vouloir le réduire à la métaphysique, c'est en faire une source d'erreurs.

II. « *Qu'on examine sur cela toutes les Religions du monde, et qu'on voie s'il y en a une autre que la Chrétienne qui y satisfasse. Sera-ce celle qu'enseignaient les Philosophes qui nous proposent pour tout bien un bien qui est en nous? Est-ce le vrai bien? Ont-ils trouvé le remède à nos maux? Est-ce avoir guéri la présomption de l'homme que de l'avoir égalé à Dieu? Et ceux qui nous ont égalés aux bêtes et qui nous ont donné des plaisirs de la terre pour tout bien, ont-ils apporté le remède à nos concupiscences?* »

Les Philosophes n'ont point enseigné de religion; ce n'est pas leur philosophie qu'il s'agit de combattre. Jamais philosophe ne s'est dit inspiré de Dieu, car dès lors il eût cessé d'être Philosophe, et il eût fait le prophète. Il ne s'agit pas

QUESTIONS

— Étude des remarques : on confrontera d'abord le texte de Pascal cité avec celui que nous donnent les éditions modernes (voir Table de concordance, page 27) ; on cherchera l'importance que peuvent avoir les variantes décelées. Puis on analysera les arguments de Voltaire, que l'on regroupera ensuite en un dossier présenté par thèmes, ce qui devra faire apparaître les différents aspects de la pensée de Voltaire. On en dégagera ce qui fait l'opposition inconciliable entre Voltaire et Pascal. Enfin, pour chaque remarque, on étudiera la technique de l'argumentation en s'efforçant d'isoler les traits caractéristiques de la méthode voltairienne de discussion. On regroupera l'ensemble par catégories, avec la référence des exemples trouvés.

de savoir si Jésus-Christ doit l'emporter sur Aristote; il s'agit de prouver que la religion de Jésus-Christ est la véritable, 65 et que celles de Mahomet, des Païens et toutes les autres sont fausses.

III. « *Et cependant sans ce mystère, le plus incompréhensible de tous, nous sommes incompréhensibles à nous-mêmes. Le nœud de notre condition prend ses retours et ses plis dans l'abîme du* 70 *péché originel, de sorte que l'homme est plus inconcevable sans ce mystère que ce mystère n'est inconcevable à l'homme.* »

Est-ce raisonner que de dire : *L'homme est inconcevable sans ce mystère inconcevable.* Pourquoi vouloir aller plus loin que l'Écriture? N'y a-t-il pas de la témérité à croire qu'elle 75 a besoin d'appui, et que ces idées philosophiques peuvent lui en donner?

Qu'aurait répondu M. Pascal à un homme qui lui aurait dit : « Je sais que le mystère du péché originel est l'objet de ma foi et non de ma raison. Je conçois fort bien sans mystère 80 ce que c'est que l'homme; je vois qu'il vient au monde comme les autres animaux; que l'accouchement des mères est plus douloureux à mesure qu'elles sont plus délicates; que quelquefois des femmes et des animaux femelles meurent dans l'enfantement; qu'il y a quelquefois des enfants mal organisés qui 85 vivent privés d'un ou deux sens et de la faculté du raisonnement; que ceux qui sont le mieux organisés sont ceux qui ont les passions les plus vives; que l'amour de soi-même est égal chez tous les hommes, et qu'il leur est aussi nécessaire que les cinq sens; que cet amour-propre nous est donné de Dieu 90 pour la conservation de notre être, et qu'il nous a donné la religion pour régler cet amour-propre; que nos idées sont justes ou inconséquentes, obscures ou lumineuses, selon que nos organes sont plus ou moins solides, plus ou moins déliés, et selon que nous sommes plus ou moins passionnés; que nous 95 dépendons en tout de l'air qui nous environne, des aliments que nous prenons, et que, dans tout cela, il n'y a rien de contradictoire. L'homme n'est point une énigme, comme vous vous le figurez, pour avoir le plaisir de la deviner. L'homme paraît être à sa place dans la nature, supérieur aux animaux, auxquels 100 il est semblable par les organes, inférieur à d'autres êtres, auxquels il ressemble probablement par la pensée. Il est, comme tout ce que nous voyons, mêlé de mal et de bien, de plaisir et de peine. Il est pourvu de passions pour agir, et de raison pour gouverner ses actions. Si l'homme était parfait, il serait

Dieu, et ces prétendues contrariétés, que vous appelez *contradictions*, sont les ingrédients nécessaires qui entrent dans le composé de l'homme, qui est ce qu'il doit être. » **(49)**

IV. « *Suivons nos mouvements, observons-nous nous-mêmes, et voyons si nous n'y trouverons pas les caractères vivants de ces deux natures.*

« *Tant de contradictions se trouveraient-elles dans un sujet simple?*

« *Cette duplicité de l'homme est si visible qu'il y en a qui ont pensé que nous avions deux âmes, un sujet simple leur paraissant incapable de telles et si soudaines variétés, d'une présomption démesurée à un horrible abattement de cœur.* »

Nos diverses volontés ne sont point des contradictions dans la nature, et l'homme n'est point un sujet simple. Il est composé d'un nombre innombrable d'organes : si un seul de ces organes est un peu altéré, il est nécessaire qu'il change toutes les impressions du cerveau, et que l'animal ait de nouvelles pensées et de nouvelles volontés. Il est très vrai que nous sommes tantôt abattus de tristesse, tantôt enflés de présomption : et cela doit être quand nous nous trouvons dans des situations opposées. Un animal que son maître caresse et nourrit, et un autre qu'on égorge lentement et avec adresse pour en faire une dissection, éprouvent des sentiments bien contraires : aussi faisons-nous; et les différences qui sont en nous sont si peu contradictoires qu'il serait contradictoire qu'elles n'existassent pas.

Les fous qui ont dit que nous avions deux âmes pouvaient par la même raison nous en donner trente ou quarante; car un homme, dans une grande passion, a souvent trente ou quarante idées différentes de la même chose, et doit nécessairement les avoir, selon que cet objet lui paraît sous différentes faces.

Cette prétendue *duplicité* de l'homme est une idée aussi absurde que métaphysique. J'aimerais autant dire que le chien qui mord et qui caresse est double; que la poule, qui a tant soin de ses petits, et qui ensuite les abandonne jusqu'à les méconnaître, est double; que la glace, qui représente à la fois des objets différents, est double; que l'arbre, qui est tantôt chargé, tantôt dépouillé de feuilles, est double. J'avoue que

QUESTIONS

49. Dans quelle mesure l'addition suivante est-elle révélatrice du point de vue de Voltaire : « Voilà que la Raison peut dire; ce n'est donc point la Raison qui apprend aux hommes la chute de la Nature humaine; c'est la Foi seule à laquelle il faut avoir recours »?

l'homme est inconcevable; mais tout le reste de la nature l'est aussi, et il n'y a pas plus de contradictions apparentes dans l'homme que dans tout le reste. **(50)**

145 V. « *Ne parier point que Dieu est, c'est parier qu'il n'est pas. Lequel prendrez-vous donc? Pesons le gain et la perte, en prenant le parti de croire que Dieu est. Si vous gagnez, vous gagnez tout; si vous perdez, vous ne perdez rien. Pariez donc qu'il est, sans hésiter. — Oui, il faut gager; mais je gage peut-être trop. —*
150 *Voyons, puisqu'il y a pareil hasard de gain et de perte, quand vous n'auriez que deux vies à gagner pour une, vous pourriez encore gager.* »

Il est évidemment faux de dire : « Ne point parier que Dieu est, c'est parier qu'il n'est pas »; car celui qui doute et demande
155 à s'éclairer ne parie assurément ni pour ni contre.

D'ailleurs cet article paraît un peu indécent et puéril; cette idée de jeu, de perte et de gain, ne convient point à la gravité du sujet.

De plus, l'intérêt que j'ai à croire une chose n'est pas une
160 preuve de l'existence de cette chose. Je vous donnerai, me dites-vous, l'empire du monde, si je crois que vous avez raison. Je souhaite alors de tout mon cœur que vous ayez raison; mais, jusqu'à ce que vous me l'ayez prouvé, je ne puis vous croire.

165 Commencez, pourrait-on dire à M. Pascal, par convaincre ma raison. J'ai intérêt, sans doute, qu'il y ait un Dieu; mais si, dans votre système, Dieu n'est venu que pour si peu de personnes; si le petit nombre des élus est si effrayant; si je ne puis rien du tout par moi-même, dites-moi, je vous prie, quel
170 intérêt j'ai à vous croire? N'ai-je pas un intérêt visible à être persuadé du contraire? De quel front osez-vous me montrer un bonheur infini, auquel, d'un million d'hommes, à peine un seul a droit d'aspirer? Si vous voulez me convaincre, prenez-vous-y d'une autre façon, et n'allez pas tantôt me parler de
175 jeu de hasard, de pari, de croix et de pile, et tantôt m'effrayer par les épines que vous semez sur le chemin que je veux et que je dois suivre. Votre raisonnement ne servirait qu'à faire

QUESTIONS

50. Intérêt de cette addition en tête de la remarque : « Cette pensée est prise entièrement de Montaigne ainsi que beaucoup d'autres; elle se trouve au chapitre *De l'inconstance de nos actions.* Mais le sage Montaigne s'explique en homme qui doute. » — Quelle idée de la situation de l'homme dans l'univers se dégage de ces deux premières remarques?

des athées, si la voix de toute la nature ne nous criait qu'il y a un Dieu, avec autant de force que ces subtilités ont de faiblesse. **(51)**

VI. « *En voyant l'aveuglement et la misère de l'homme, et ces contrariétés étonnantes qui se découvrent dans sa nature, et regardant tout l'univers muet, et l'homme sans lumière, abandonné à lui-même, et comme égaré dans ce recoin de l'univers, sans savoir qui l'y a mis, ce qu'il y est venu faire, ce qu'il y deviendra en mourant, j'entre en effroi comme un homme qu'on aurait emporté endormi dans une île déserte et effroyable, et qui s'éveillerait sans connaître où il est et sans avoir aucun moyen d'en sortir ; et sur cela j'admire comment on n'entre pas en désespoir d'un si misérable état.* »

En lisant cette réflexion, je reçois une lettre d'un de mes amis, qui demeure dans un pays fort éloigné[128]. Voici ses paroles :

« Je suis ici comme vous m'y avez laissé, ni plus gai, ni plus triste, ni plus riche, ni plus pauvre, jouissant d'une santé parfaite, ayant tout ce qui rend la vie agréable, sans amour, sans avarice, sans ambition et sans envie; et tant que tout cela durera, je m'appellerai hardiment un homme très heureux. »

Il y a beaucoup d'hommes aussi heureux que lui. Il en est des hommes comme des animaux; tel chien couche et mange avec sa maîtresse; tel autre tourne la broche et est tout aussi content; tel autre devient enragé, et on le tue. Pour moi, quand je regarde Paris ou Londres, je ne vois aucune raison pour entrer dans ce désespoir dont parle M. Pascal; je vois une ville qui ne ressemble en rien à une île déserte, mais peuplée, opulente, policée, et où les hommes sont heureux autant que la nature humaine le comporte. Quel est l'homme sage qui sera prêt à se pendre parce qu'il ne sait pas comme on voit Dieu face à face, et que sa raison ne peut débrouiller le mystère de la Trinité? Il faudrait autant se désespérer de n'avoir pas quatre pieds et deux ailes.

Pourquoi nous faire horreur de notre être? Notre existence n'est point si malheureuse qu'on veut nous le faire accroire.

---

128. C'est Falkener, qui fut finalement envoyé comme ambassadeur à Constantinople en 1735 après y avoir fait plusieurs séjours.

QUESTIONS

51. On rapprochera cette remarque de la Documentation thématique du « Classique » consacré aux *Pensées* de Pascal (« Sur le pari »).

Regarder l'univers comme un cachot, et tous les hommes
215 comme des criminels qu'on va exécuter, est l'idée d'un fanatique. Croire que le monde est un lieu de délices où l'on ne doit avoir que du plaisir, c'est la rêverie d'un Sybarite. Penser que la terre, les hommes et les animaux sont ce qu'ils doivent être dans l'ordre de la Providence, est, je crois, d'un homme
220 sage. **(52)**

VII. « *(Les Juifs pensent) que Dieu ne laissera pas éternellement les autres peuples dans ces ténèbres; qu'il viendra un libérateur pour tous; qu'ils sont au monde pour l'annoncer; qu'ils sont formés exprès pour être les hérauts de ce grand événement,*
225 *et pour appeler tous les peuples à s'unir à eux dans l'attente de ce libérateur.* »

Les Juifs ont toujours attendu un libérateur; mais leur libérateur est pour eux et non pour nous. Ils attendent un Messie qui rendra les Juifs maîtres des Chrétiens; et nous
230 espérons que le Messie réunira un jour les Juifs aux Chrétiens : ils pensent précisément sur cela le contraire de ce que nous pensons.

VIII. « *La loi par laquelle ce peuple est gouverné est tout ensemble la plus ancienne loi du monde, la plus parfaite, et la*
235 *seule qui ait toujours été gardée sans interruption dans un Etat. C'est ce que Philon, Juif, montre en divers lieux, et Josèphe admirablement contre Appion, où il fait voir qu'elle est si ancienne que le nom même de loi n'a été connu des plus anciens que plus de mille ans après, en sorte qu'Homère, qui a parlé de tant de*
240 *peuples, ne s'en est jamais servi. Et il est aisé de juger de la perfection de cette loi par sa simple lecture, où l'on voit qu'on y a pourvu à toutes choses avec tant de sagesse, tant d'équité, tant de jugement, que les plus anciens Législateurs Grecs et Romains en ayant quelque lumière en ont emprunté leurs princi-*
245 *pales lois : ce qui paraît par celles qu'ils appellent* des douze Tables, *et par les autres preuves que Josèphe en donne.* »

Il est très faux que la loi des Juifs soit la plus ancienne, puisque avant Moïse, leur législateur, ils demeuraient en Égypte, le pays de la terre le plus renommé pour ses sages lois.

250 Il est très faux que le nom de loi n'ait été connu qu'après

QUESTIONS

52. La sagesse de Voltaire d'après cette remarque, que l'on rapprochera de *Zadig* et de *Candide* en particulier (voir la Documentation thématique de ce dernier texte, IV, Le jardin de Voltaire). On confrontera aussi avec les idées exprimées dans *le Mondain.*

PENSÉES DE M. PASCAL SUR LA RELIGION, ET SUR QUELQUES AUTRES SUJETS.

Phot. Roger-Viollet.

« J'ai choisi avec discrétion quelques pensées de Pascal; je mets les réponses au bas. C'est à vous à juger si j'ai tort ou raison » (p. 128, l. 28).

Première page de l'édition originale des « Pensées » (1670). Paris, Bibliothèque nationale.

Homère; il parle des lois de Minos; le mot de loi est dans Hésiode. Et quand le nom de loi ne se trouverait ni dans Hésiode ni dans Homère, cela ne prouverait rien. Il y avait des Rois et des Juges; donc il y avait des lois.

255 Il est encore très faux que les Grecs et les Romains aient pris des lois des Juifs. Ce ne peut être dans les commencements de leurs républiques car alors ils ne pouvaient connaître les Juifs; ce ne peut être dans le temps de leur grandeur, car alors ils avaient pour ces barbares un mépris connu de toute la terre.

260 IX. « *Ce peuple est encore admirable en sincérité. Ils gardent avec amour et fidélité le livre où Moïse déclare qu'ils ont toujours été ingrats envers Dieu, et qu'il sait qu'ils le seront encore plus après sa mort; mais qu'il appelle le ciel et la terre à témoin contre eux, qu'il le leur a assez dit; qu'enfin Dieu, s'irritant* 265 *contre eux, les dispersera par tous les peuples de la terre; que, comme ils l'ont irrité en adorant des Dieux qui n'étaient point leurs Dieux, il les irritera en appelant un peuple qui n'était point son peuple. Cependant ce livre, qui les déshonore en tant de façons, ils le conservent aux dépens de leur vie. C'est une* 270 *sincérité qui n'a point d'exemple dans le monde, ni sa racine dans la nature.* »

Cette sincérité a partout des exemples, et n'a sa racine que dans la nature. L'orgueil de chaque Juif est intéressé à croire que ce n'est point sa détestable politique, son igno- 275 rance des arts, sa grossièreté qui l'a perdu, mais que c'est la colère de Dieu qui le punit. Il pense avec satisfaction qu'il a fallu des miracles pour l'abattre, et que sa nation est toujours la bien-aimée du Dieu qui la châtie.

Qu'un Prédicateur monte en chaire, et dise aux Français : 280 « Vous êtes des misérables, qui n'avez ni cœur ni conduite; vous avez été battus à Hochstedt et à Ramillies[129] parce que vous n'avez pas su vous défendre »; il se fera lapider. Mais s'il dit : « Vous êtes des catholiques chéris de Dieu; vos péchés infâmes avaient irrité l'Éternel, qui vous livra aux Hérétiques 285 à Hochstedt et à Ramillies; mais, quand vous êtes revenus au Seigneur, alors il a béni votre courage à Denain[130] »; ces paroles le feront aimer de l'auditoire. **(53)**

---

129. Marlborough remporta à *Ramillies* une victoire sur le maréchal de Villeroi le 23 mai 1706. *Hoechstaedt :* voir note 84; **130.** Villars remporta sur le Prince Eugène la victoire de *Denain* en 1712.

QUESTIONS

Questions 53, v. p. 137.

X. « *S'il y a un Dieu, il ne faut aimer que lui, et non les créatures.* »

Il faut aimer, et très tendrement, les créatures; il faut aimer sa patrie, sa femme, son père, ses enfants; et il faut si bien les aimer que Dieu nous les fait aimer malgré nous. Les principes contraires ne sont propres qu'à faire de barbares raisonneurs.

XI. « *Nous naissons injustes; car chacun tend à soi. Cela est contre tout ordre. Il faut tendre au général; et la pente vers soi est le commencement de tout désordre en guerre, en police, en économie, etc.* »

Cela est selon tout ordre. Il est aussi impossible qu'une société puisse se former et subsister sans amour-propre, qu'il serait impossible de faire des enfants sans concupiscence, de songer à se nourrir sans appétit, etc. C'est l'amour de nous même qui assiste l'amour des autres; c'est par nos besoins mutuels que nous sommes utiles au genre humain; c'est le fondement de tout commerce; c'est l'éternel lien des hommes. Sans lui il n'y aurait pas eu un art inventé, ni une société de dix personnes formée. C'est cet amour-propre, que chaque animal a reçu de la nature, qui nous avertit de respecter celui des autres. La loi dirige cet amour-propre, et la religion le perfectionne. Il est bien vrai que Dieu aurait pu faire des créatures uniquement attentives au bien d'autrui. Dans ce cas, les marchands auraient été aux Indes par charité et le maçon eût scié de la pierre pour faire plaisir à son prochain. Mais Dieu a établi les choses autrement. N'accusons point l'instinct qu'il nous donne, et faisons-en l'usage qu'il commande. **(54)**

XII. « *(Le sens caché des prophéties) ne pouvait induire en erreur, et il n'y avait qu'un peuple aussi charnel que celui-là qui s'y pût méprendre. Car quand les biens sont promis en abondance, qui les empêchait d'entendre les véritables biens, sinon leur cupidité, qui déterminait ce sens aux biens de la terre?* »

En bonne foi, le peuple le plus spirituel de la terre l'aurait-il entendu autrement? Ils étaient esclaves des Romains; ils attendaient un libérateur qui les rendrait victorieux et qui ferait respecter Jérusalem dans tout le monde. Comment, avec les lumières de leur raison, pouvaient-ils voir ce vainqueur,

QUESTIONS

53. L'opinion de Voltaire sur les Juifs. Ses motifs? — Valeur psychologique et vérité du dernier paragraphe de cette remarque.

54. Comparez Pascal, La Rochefoucauld (*Maximes;* on utilisera l'Index) et Voltaire devant le thème de l'amour-propre.

325 ce monarque dans Jésus pauvre et mis en croix? Comment pouvaient-ils entendre, par le nom de leur capitale, une Jérusalem céleste, eux à qui le *Décalogue* n'avait pas seulement parlé de l'immortalité de l'âme? Comment un peuple si attaché à sa loi pouvait-il, sans une lumière supérieure, reconnaître
330 dans les prophéties, qui n'étaient pas leur loi, un Dieu caché sous la figure d'un Juif circoncis, qui par sa Religion nouvelle a détruit et rendu abominables la Circoncision et le Sabbat, fondements sacrés de la loi Judaïque? Encore une fois, adorons Dieu sans vouloir percer dans l'obscurité de ses mystères.

335 XIII. « *Le temps du premier avènement de Jésus-Christ est prédit. Le temps du second ne l'est point, parce que le premier devait être caché, au lieu que le second doit être éclatant et tellement manifeste que ses ennemis mêmes le reconnaîtront.* »

Le temps du second avènement de Jésus-Christ a été prédit
340 encore plus clairement que le premier. M. Pascal avait apparemment oublié que Jésus-Christ, dans le chapitre XXI de saint Luc, dit expressément : « Lorsque vous verrez une armée environner Jérusalem, sachez que la désolation est proche... Jérusalem sera foulée aux pieds, et il y aura des signes dans
345 le soleil et dans la lune et dans les étoiles; les flots de la mer feront un très grand bruit... Les vertus des cieux seront ébranlées; et alors ils verront le fils de l'homme, qui viendra sur une nuée avec une grande puissance et une grande majesté. »

Ne voilà-t-il pas le second avènement prédit distinctement?
350 Mais, si cela n'est point arrivé encore, ce n'est point à nous d'oser interroger la Providence.

XIV. « *Le Messie, selon les Juifs charnels, doit être un grand Prince temporel. Selon les Chrétiens charnels, il est venu nous dispenser d'*aimer Dieu, *et nous donner des Sacrements qui*
355 opèrent tout *sans nous. Ni l'un ni l'autre n'est la religion chrétienne ni juive.* »

Cet article est bien plutôt un trait de satire qu'une réflexion Chrétienne. On voit que c'est aux Jésuites qu'on en veut ici. Mais en vérité aucun Jésuite a-t-il jamais dit que Jésus-Christ
360 *est venu nous dispenser d'aimer Dieu?* La dispute sur l'amour de Dieu est une pure dispute de mots, comme la plupart des autres querelles scientifiques qui ont causé des haines si vives et des malheurs si affreux.

Il paraît encore un autre défaut dans cet article. C'est qu'on
365 y suppose que l'attente d'un Messie était un point de Religion chez les Juifs. C'était seulement une idée consolante répandue

parmi cette nation. Les Juifs espéraient un Libérateur. Mais il ne leur était pas ordonné d'y croire comme article de foi. Toute leur religion était renfermée dans les livres de la loi. Les Prophètes n'ont jamais été regardés par les Juifs comme Législateurs.

XV. « *Pour examiner les prophéties, il faut les entendre. Car si l'on croit qu'elles n'ont qu'un sens, il est sûr que le Messie ne sera point venu; mais, si elles ont deux sens, il est sûr qu'il sera venu en Jésus-Christ.* »

La religion Chrétienne est si véritable qu'elle n'a pas besoin de preuves douteuses. Or, si quelque chose pouvait ébranler les fondements de cette sainte et raisonnable religion, c'est ce sentiment de M. Pascal. Il veut que tout ait deux sens dans l'Écriture; mais un homme qui aurait le malheur d'être incrédule pourrait lui dire : Celui qui donne deux sens à ses paroles veut tromper les hommes, et cette duplicité est toujours punie par les lois; comment donc pouvez-vous, sans rougir, admettre dans Dieu ce qu'on punit et ce qu'on déteste dans les hommes? Que dis-je? avec quel mépris et avec quelle indignation ne traitez-vous pas les oracles des païens, parce qu'ils avaient deux sens! Ne pourrait-on pas dire plutôt que les Prophéties qui regardent directement Jésus-Christ n'ont qu'un sens, comme celles de Daniel, de Michée et autres? Ne pourrait-on pas même dire que, quand nous n'aurions aucune intelligence des prophéties, la religion n'en serait pas moins prouvée? **(55)**

XVI. « *La distance infinie des corps aux esprits figure la distance infiniment plus infinie des esprits à la charité; car elle est surnaturelle.* »

Il est à croire que M. Pascal n'aurait pas employé ce galimatias dans son ouvrage, s'il avait eu le temps de le faire.

XVII. « *Les faiblesses les plus apparentes sont des forces à ceux qui prennent bien les choses. Par exemple, les deux Généalogies de saint Mathieu et de saint Luc. Il est visible que cela n'a pas été fait de concert.* »

Les éditeurs des *Pensées* de Pascal auraient-ils dû imprimer cette Pensée, dont l'exposition seule est peut-être capable de faire tort à la religion? A quoi bon dire que ces généalogies, ces points fondamentaux de la religion Chrétienne se

QUESTIONS

55. Voltaire et la critique des Écritures. Quelle est sa position à l'égard du surnaturel? Que reproche-t-il à Pascal en apparence? en réalité? Les deux se compensent-ils ou s'ajoutent-ils?

405 contrarient, sans dire en quoi elles peuvent s'accorder? Il fallait présenter l'antidote avec le poison. Que penserait-on d'un Avocat qui dirait : « Ma partie se contredit, mais cette faiblesse est une force, pour ceux qui savent bien prendre les choses? »

XVIII. « *Qu'on ne nous reproche donc plus le manque de* 410 *clarté, puisque nous en faisons profession; mais que l'on reconnaisse la vérité de la religion dans l'obscurité même de la religion, dans le peu de lumière que nous en avons, et dans l'indifférence que nous avons de la connaître.* »

Voilà d'étranges marques de vérité qu'apporte Pascal! Quelles 415 autres marques a donc le mensonge? Quoi! il suffirait, pour être cru, de dire : *Je suis obscur, je suis inintelligible!* Il serait bien plus sensé de ne présenter aux yeux que les lumières de la foi, au lieu de ces ténèbres d'érudition.

XIX. « *S'il n'y avait qu'une religion, Dieu serait trop mani-* 420 *feste.* »

Quoi! vous dites que, s'il n'y avait qu'une religion, Dieu serait trop manifeste! Eh! oubliez-vous que vous dites, à chaque page, qu'un jour il n'y aura qu'une religion? Selon vous, Dieu sera donc alors trop manifeste. **(56)**

425 XX. « *Je dis que la religion Juive ne consistait en aucune de ces choses, mais seulement en l'amour de Dieu, et que Dieu réprouvait toutes les autres choses.* »

Quoi! Dieu réprouvait tout ce qu'il ordonnait lui-même avec tant de soin aux Juifs, et dans un détail si prodigieux! 430 N'est-il pas plus vrai de dire que la loi de Moïse consistait et dans l'amour et dans le culte? Ramener tout à l'amour de Dieu sent peut-être moins l'amour de Dieu que la haine que tout Janséniste a pour son prochain Moliniste.

XXI. « *La chose la plus importante à la vie, c'est le choix* 435 *d'un métier; le hasard en dispose. La coutume fait les maçons, les soldats, les couvreurs.* »

Qui peut donc déterminer les soldats, les maçons et tous les ouvriers mécaniques, sinon ce qu'on appelle hasard et la coutume? Il n'y a que les arts de génie auxquels on se déter- 440 mine de soi-même. Mais, pour les métiers que tout le monde peut faire, il est très naturel et très raisonnable que la coutume en dispose.

XXII. « *Que chacun examine sa pensée; il la trouvera toujours*

QUESTIONS

56. Quel « défaut d'esprit » Voltaire reproche-t-il à Pascal dans les remarques XVII à XIX?

occupée au passé et à l'avenir. Nous ne pensons presque point au présent; et si nous y pensons, ce n'est que pour en prendre la lumière pour disposer l'avenir. Le présent n'est jamais notre but; le passé et le présent sont nos moyens; le seul avenir est notre objet. »

Il faut, bien loin de se plaindre, remercier l'auteur de la nature de ce qu'il nous donne cet instinct qui nous emporte sans cesse vers l'avenir. Le trésor le plus précieux de l'homme est cette *espérance* qui nous adoucit nos chagrins, et qui nous peint des plaisirs futurs dans la possession des plaisirs présents. Si les hommes étaient assez malheureux pour ne s'occuper que du présent, on ne sèmerait point, on ne bâtirait point, on ne planterait point, on ne pourvoirait à rien : on manquerait de tout au milieu de cette fausse jouissance. Un esprit comme M. Pascal pouvait-il donner dans un lieu commun aussi faux que celui-là? La nature a établi que chaque homme jouirait du présent en se nourrissant, en faisant des enfants, en écoutant des sons agréables, en occupant sa faculté de penser et de sentir, et qu'en sortant de ces états, souvent au milieu de ces états même, il penserait au lendemain, sans quoi il périrait de misère aujourd'hui.

XXIII. « *Mais quand j'y ai regardé de plus près, j'ai trouvé que cet éloignement que les hommes ont du repos, et de demeurer avec eux-mêmes, vient d'une cause bien effective, c'est-à-dire du malheur naturel de notre condition faible et mortelle, et si misérable que rien ne nous peut consoler, lorsque rien ne nous empêche d'y penser, et que nous ne voyons que nous.* »

Ce mot *ne voir que nous* ne forme aucun sens.

Qu'est-ce qu'un homme qui n'agirait point, et qui est supposé se contempler? Non seulement je dis que cet homme serait un imbécile, inutile à la société, mais je dis que cet homme ne peut exister : car que contemplerait-il? son corps, ses pieds, ses mains, ses cinq sens? Ou il serait un idiot, ou bien il ferait usage de tout cela. Resterait-il à contempler sa faculté de penser? Mais il ne peut contempler cette faculté qu'en l'exerçant. Ou il ne pensera à rien, ou bien il pensera aux idées qui lui sont déjà venues, ou il en composera de nouvelles : or il ne peut avoir d'idées que du dehors. Le voilà donc nécessairement occupé ou de ses sens ou de ses idées; le voilà donc hors de soi, ou imbécile.

Encore une fois, il est impossible à la nature humaine de rester dans cet engourdissement imaginaire; il est absurde de le penser; il est insensé d'y prétendre. L'homme est né pour l'action, comme le feu tend en haut et la pierre en bas. N'être point occupé et n'exister pas est la même chose pour l'homme. Toute la différence consiste dans les occupations 490 douces ou tumultueuses, dangereuses ou utiles.

XXIV. « *Les hommes ont un instinct secret qui les porte à chercher le divertissement et l'occupation au-dehors, qui vient du ressentiment de leur misère continuelle; et ils ont un autre instinct secret qui reste de la grandeur de leur première nature,* 495 *qui leur fait connaître que le bonheur n'est en effet que dans le repos.* »

Cet instinct secret étant le premier principe et le fondement nécessaire de la société, il vient plutôt de la bonté de Dieu, et il est plutôt l'instrument de notre bonheur qu'il n'est le 500 ressentiment de notre misère. Je ne sais pas ce que nos premiers pères faisaient dans le paradis terrestre; mais, si chacun d'eux n'avait pensé qu'à soi, l'existence du genre humain était bien hasardée. N'est-il pas absurde de penser qu'ils avaient des sens parfaits, c'est-à-dire des instruments d'action par- 505 faits, uniquement pour la contemplation? Et n'est-il pas plaisant que des têtes pensantes puissent imaginer que la paresse est un titre de grandeur, et l'action, un rabaissement de notre nature? **(57)**

XXV. « *C'est pourquoi, lorsque Cinéas disait à Pyrrhus,* 510 *qui se proposait de jouir du repos avec ses amis après avoir conquis une grande partie du monde, qu'il ferait mieux d'avancer lui-même son bonheur en jouissant dès lors de ce repos, sans l'aller chercher par tant de fatigues, il lui donnait un conseil qui recevait de grandes difficultés, et qui n'était guère plus raison-* 515 *nable que le dessein de ce jeune ambitieux. L'un et l'autre supposait que l'homme se pût contenter de soi-même et de ses biens présents, sans remplir le vide de son cœur d'espérances imaginaires, ce qui est faux. Pyrrhus ne pouvait être heureux ni devant ni après avoir conquis le monde.* »

520 L'exemple de Cinéas est bon dans les satires de Despréaux, mais non dans un livre philosophique. Un roi sage peut être heureux chez lui; et de ce qu'on nous donne Pyrrhus pour un fou, cela ne conclut rien pour le reste des hommes.

XXVI. « *On doit reconnaître que l'homme est si malheureux*

QUESTIONS

57. Action et contemplation. Comment se manifeste le plus ici l'opposition des personnalités de Pascal et de Voltaire?

qu'il s'ennuierait même sans aucune cause étrangère d'ennui, par le propre état de sa condition. »

Au contraire l'homme est si heureux en ce point, et nous avons tant d'obligation à l'auteur de la nature qu'il a attaché l'ennui à l'inaction, afin de nous forcer par là à être utiles au prochain et à nous-même.

XXVII. « *D'où vient que cet homme qui a perdu depuis peu son fils unique et qui, accablé de procès et de querelles, était ce matin si troublé, n'y pense plus maintenant? Ne vous en étonnez pas; il est tout occupé à voir par où passera un cerf que ses chiens poursuivent avec ardeur depuis six heures. Il n'en faut pas davantage pour l'homme, quelque plein de tristesse qu'il soit. Si l'on peut gagner sur lui de le faire entrer en quelque divertissement, le voilà heureux pendant ce temps-là.* »

Cet homme fait à merveille : la dissipation est un remède plus sûr contre la douleur que le Quinquina contre la fièvre; ne blâmons point en cela la nature, qui est toujours prête à nous secourir.

XXVIII. « *Qu'on s'imagine un nombre d'hommes dans les chaînes, et tous condamnés à la mort, dont les uns étant chaque jour égorgés à la vue des autres, ceux qui restent voient leur propre condition dans celle de leurs semblables, et, se regardant les uns les autres avec douleur et sans espérance, attendent leur tour. C'est l'image de la condition des hommes.* »

Cette comparaison assurément n'est pas juste : des malheureux enchaînés qu'on égorge l'un après l'autre, sont malheureux, non seulement parce qu'ils souffrent, mais encore parce qu'ils éprouvent ce que les autres hommes ne souffrent pas. Le sort naturel d'un homme n'est ni d'être enchaîné ni d'être égorgé; mais tous les hommes sont faits, comme les animaux et les plantes, pour croître, pour vivre un certain temps, pour produire leur semblable et pour mourir. On peut dans une satire montrer l'homme tant qu'on voudra du mauvais côté; mais, pour peu qu'on se serve de sa raison, on avouera que de tous les animaux l'homme est le plus parfait, le plus heureux, et celui qui vit le plus longtemps. Au lieu donc de nous étonner et de nous plaindre du malheur et de la brièveté de la vie, nous devons nous étonner et nous féliciter de notre bonheur et de sa durée. A ne raisonner qu'en Philosophe, j'ose dire qu'il y a bien de l'orgueil et de la témérité à prétendre que par notre nature nous devons être mieux que nous ne sommes.

XXIX. « *Les sages parmi les Païens, qui ont dit qu'il n'y a qu'un Dieu, ont été persécutés, les Juifs haïs, les Chrétiens encore plus.* »

570 Ils ont été quelquefois persécutés, de même que le serait aujourd'hui un homme qui viendrait enseigner l'adoration d'un Dieu, indépendante du culte reçu. Socrate n'a pas été condamné pour avoir dit : *Il n'y a qu'un Dieu*, mais pour s'être élevé contre le culte extérieur du pays, et pour s'être 575 fait des ennemis puissants fort mal à propos. A l'égard des Juifs, ils étaient haïs, non parce qu'ils ne croyaient qu'un Dieu, mais parce qu'ils haïssaient ridiculement les autres nations, parce que c'étaient des barbares qui massacraient sans pitié leurs ennemis vaincus, parce que ce vil peuple, super- 580 stitieux, ignorant, privé des arts, privé du commerce, méprisait les peuples les plus policés. Quant aux Chrétiens, ils étaient haïs des Païens parce qu'ils tendaient à abattre la religion et l'empire, dont ils vinrent enfin à bout, comme les Protestants se sont rendus les maîtres dans les mêmes pays, où ils furent 585 longtemps haïs, persécutés et massacrés. **(58)**

XXX. « *Les défauts de Montaigne sont grands. Il est plein de mots sales et déshonnêtes. Cela ne vaut rien. Ses sentiments sur l'homicide volontaire et sur la mort sont horribles.* »

Montaigne parle en Philosophe, non en Chrétien : il dit le 590 pour et le contre de l'homicide volontaire. Philosophiquement parlant, quel mal fait à la société un homme qui la quitte quand il ne peut plus la servir? Un vieillard a la pierre et souffre des douleurs insupportables; on lui dit : « Si vous ne vous faites tailler, vous allez mourir; si l'on vous taille, vous pourrez 595 encore radoter, baver et traîner pendant un an, à charge à vous-même et aux autres. » Je suppose que le bonhomme prenne alors le parti de n'être plus à charge à personne : voilà à peu près le cas que Montaigne expose.

XXXI. « *Combien les lunettes nous ont-elles découvert d'astres* 600 *qui n'étaient point pour nos Philosophes d'auparavant? On attaquait hardiment l'Ecriture sur ce qu'on y trouve en tant d'endroits du grand nombre des étoiles. Il n'y en a que mille vingt-deux, disait-on; nous le savons.* »

Il est certain que la Sainte Écriture, en matière de physique, 605 s'est toujours proportionnée aux idées reçues; ainsi, elle sup-

QUESTIONS

58. Analysez et évaluez les arguments de Voltaire pour expliquer les persécutions. En quoi se révèle-t-il ici historien d'abord?

pose que la terre est immobile, que le soleil marche, etc. Ce n'est point du tout par un raffinement d'Astronomie qu'elle dit que les étoiles sont innombrables, mais pour s'accorder aux idées vulgaires. En effet, quoique nos yeux ne découvrent qu'environ mille vingt-deux étoiles, cependant quand on regarde le ciel fixement, la vue éblouie croit alors en voir une infinité. L'Écriture parle donc selon ce préjugé vulgaire, car elle ne nous a pas été donnée pour faire de nous des physiciens; et il y a grande apparence que Dieu ne révéla ni à Habacuc ni à Baruch, ni à Michée qu'un jour un Anglais nommé Flamstead mettrait dans son catalogue plus de sept mille étoiles aperçues avec le Télescope. **(59)**

XXXII. « *Est-ce courage à un homme mourant d'aller, dans la faiblesse et dans l'agonie, affronter un Dieu tout-puissant et éternel?* »

Cela n'est jamais arrivé; et ce ne peut être que dans un violent transport au cerveau qu'un homme dise : « Je crois un Dieu, et je le brave. »

XXXIII. « *Je crois volontiers les histoires dont les témoins se font égorger.* »

La difficulté n'est pas seulement de savoir si on croira des témoins qui meurent pour soutenir leur déposition, comme ont fait tant de fanatiques, mais encore si ces témoins sont effectivement morts pour cela, si on a conservé leurs dépositions, s'ils ont habité les pays où l'on dit qu'ils sont morts. Pourquoi Josèphe, né dans les temps de la mort du Christ, Josèphe ennemi d'Hérode, Josèphe peu attaché au Judaïsme, n'a-t-il pas dit un mot de tout cela? Voilà ce que M. Pascal eût débrouillé avec succès, comme ont fait depuis tant d'écrivains éloquents.

XXXIV. « *Les sciences ont deux extrémités qui se touchent. La première est la pure ignorance naturelle où se trouvent tous les hommes en naissant; l'autre extrémité est celle où arrivent*

QUESTIONS

59. Portée de cette addition : « Voyez, je vous prie, quelle conséquence on tirerait du sentiment de Pascal. Si les auteurs de la Bible ont parlé du grand nombre des Étoiles en connaissance de cause, ils étaient donc inspirés sur la Physique. Et comment de si grands physiciens ont-ils pu dire que la Lune s'est arrêtée à midi sur Aïalon, et le Soleil sur Gabaon dans la Palestine? qu'il faut que le blé pourrisse pour germer et produire, et cent autres choses semblables?

« Concluons donc que ce n'est pas la Physique, mais la Morale qu'il faut chercher dans la Bible; qu'elle doit faire des Chrétiens, et non des Philosophes. »

les grandes âmes, qui ayant parcouru tout ce que les hommes peuvent savoir, trouvent qu'ils ne savent rien, et se rencontrent 640 *dans cette ignorance d'où ils étaient partis.* »

Cette pensée est un pur sophisme; et la fausseté consiste dans ce mot d'*ignorance* qu'on prend en deux sens différents. Celui qui ne sait ni lire ni écrire est un ignorant; mais un Mathématicien, pour ignorer les principes cachés de la nature, 645 n'est pas au point d'ignorance dont il était parti quand il commença à apprendre à lire. M. Newton ne savait pas pourquoi l'homme remue son bras quand il le veut; mais il n'en était pas moins savant sur le reste. Celui qui ne sait pas l'hébreu, et qui sait le latin, est savant par comparaison avec celui qui 650 ne sait que le français.

XXXV. « *Ce n'est pas être heureux que de pouvoir être réjoui par le divertissement; car il vient d'ailleurs et de dehors; et ainsi il est dépendant, et par conséquent sujet à être troublé par mille accidents qui font les afflictions inévitables.* »

655 Celui-là est actuellement heureux qui a du plaisir, et ce plaisir ne peut venir que de dehors. Nous ne pouvons avoir de sensations ni d'idées que par les objets extérieurs, comme nous ne pouvons nourrir notre corps qu'en y faisant entrer des substances étrangères qui se changent en la nôtre.

660 XXXVI. « *L'extrême esprit est accusé de folie, comme l'extrême défaut. Rien ne passe pour bon que la médiocrité.* »

Ce n'est point l'extrême esprit, c'est l'extrême vivacité et volubilité de l'esprit qu'on accuse de folie. L'extrême esprit est l'extrême justesse, l'extrême finesse, l'extrême étendue, 665 opposée diamétralement à la folie.

L'extrême *défaut d'esprit* est un manque de conception, un vide d'idées; ce n'est point la folie, c'est la stupidité. La folie est un dérangement dans les organes, qui fait voir plusieurs objets trop vite, ou qui arrête l'imagination sur un seul avec 670 trop d'application et de violence. Ce n'est point non plus la médiocrité qui passe pour bonne, c'est l'éloignement des deux vices opposés, c'est ce qu'on appelle *juste milieu*, et non *médiocrité*[131].

XXXVII. « *Si notre condition était véritablement heureuse,* 675 *il ne faudrait pas nous divertir d'y penser.* »

Notre condition est précisément de penser aux objets extérieurs, avec lesquels nous avons un rapport nécessaire. Il est

---

131. *Médiocrité* signifie au temps de Pascal « moyenne », « juste milieu ». Le sens des mots a évolué jusqu'à Voltaire.

faux qu'on puisse divertir un homme de penser à la condition humaine; car, à quelque chose qu'il applique son esprit, il l'applique à quelque chose de lié nécessairement à la condition humaine; et encore une fois, penser à soi avec abstraction des choses naturelles, c'est ne penser à rien du tout, qu'on y prenne bien garde.

Loin d'empêcher un homme de penser à sa condition, on ne l'entretient jamais que des agréments de sa condition. On parle à un savant de réputation et de science; à un prince, de ce qui a rapport à sa grandeur; à tout homme on parle de plaisir.

XXXVIII. « *Les grands et les petits ont mêmes accidents, mêmes fâcheries et mêmes passions. Mais les uns sont au haut de la roue, et les autres près du centre, et ainsi moins agités par les mêmes mouvements.* »

Il est faux que les petits soient moins agités que les grands; au contraire, leurs désespoirs sont plus vifs parce qu'ils ont moins de ressources. De cent personnes qui se tuent à Londres, il y en a quatre-vingt-dix-neuf du bas peuple, et à peine une d'une condition relevée. La comparaison de la roue est ingénieuse et fausse.

XXXIX. « *On n'apprend pas aux hommes à être honnêtes gens, et on leur apprend tout le reste; et cependant ils ne se piquent de rien tant que de cela. Ainsi ils ne se piquent de savoir que la seule chose qu'ils n'apprennent point.* »

On apprend aux hommes à être honnêtes gens, et, sans cela, peu parviendraient à l'être. Laissez votre fils prendre dans son enfance tout ce qu'il trouvera sous sa main, à quinze ans il volera sur le grand chemin; louez-le d'avoir dit un mensonge, il deviendra faux témoin; flattez sa concupiscence, il sera sûrement débauché. On apprend tout aux hommes, la vertu, la religion.

XL. « *Le sot projet que Montaigne a eu de se peindre! Et cela, non pas en passant et contre ses maximes, comme il arrive à tout le monde de faillir, mais par ses propres maximes et par un dessein premier et principal; car de dire des sottises par hasard et par faiblesse, c'est un mal ordinaire; mais d'en dire à dessein, c'est ce qui n'est pas supportable, et d'en dire de telles que celle-là.* »

Le charmant projet que Montaigne a eu de se peindre naïvement comme il a fait! Car il a peint la nature humaine; et le

pauvre projet de Nicole, de Malebranche, de Pascal, de décrier
720 Montaigne! **(60)**

XLI. « *Lorsque j'ai considéré d'où vient qu'on ajoute tant de foi à tant d'imposteurs qui disent qu'ils ont des remèdes, jusqu'à mettre souvent sa vie entre leurs mains, il m'a paru que la véritable cause est qu'il y a de vrais remèdes; car il ne serait pas*
725 *possible qu'il y en eût tant de faux, et qu'on y donnât tant de créance, s'il n'y en avait de véritables. Si jamais il n'y en avait eu, et que tous les maux eussent été incurables, il est impossible que les hommes se fussent imaginé qu'ils en pourraient donner, et encore plus, que tant d'autres eussent donné créance à ceux*
730 *qui se fussent vantés d'en avoir. De même que si un homme se vantait d'empêcher de mourir, personne ne le croirait, parce qu'il n'y a aucun exemple de cela. Mais, comme il y a eu quantité de remèdes qui se sont trouvés véritables par la connaissance même des plus grands hommes, la créance des hommes s'est*
735 *pliée par là, parce que la chose ne pouvant être niée en général (puisqu'il y a des effets particuliers qui sont véritables), le peuple, qui ne peut pas discerner lesquels d'entre ces effets particuliers sont les véritables, les croit tous. De même, ce qui fait qu'on croit tant de faux effets de la lune, c'est qu'il y en a de vrais,*
740 *comme le flux de la mer.*

« *Ainsi, il me paraît aussi évidemment qu'il n'y a tant de faux miracles, de fausses révélations, de sortilèges, que parce qu'il y en a de vrais.* »

Il me semble que la nature humaine n'a pas besoin du vrai
745 pour tomber dans le faux. On a imputé mille fausses influences à la lune avant qu'on imaginât le moindre rapport véritable avec le flux de la mer. Le premier homme qui a été malade a cru sans peine le premier charlatan. Personne n'a vu de loups-garous ni de sorciers, et beaucoup y ont cru. Personne n'a vu
750 de transmutation de métaux, et plusieurs ont été ruinés par la créance de la pierre philosophale. Les Romains, les Grecs, tous les Païens ne croyaient-ils donc aux faux miracles dont ils

QUESTIONS

60. Voltaire et Montaigne : dans quelle mesure Montaigne lui sert-il contre Pascal? Quelle lumière peut-on tirer de ces lignes, substituées dans l'édition vulgate au dernier membre de phrase de ce texte : « Si Nicole et Malebranche avaient toujours parlé d'eux-mêmes, ils n'auraient pas réussi ! Mais un gentilhomme campagnard du temps de Henri III, qui est savant dans un siècle d'ignorance, philosophe parmi des fanatiques, et qui peint sous son nom nos faiblesses et nos folies, est un homme qui sera toujours aimé. »?

étaient inondés que parce qu'ils en avaient vu de véritables?

XLII. « *Le port règle ceux qui sont dans un vaisseau; mais où trouverons-nous ce point dans la morale?* »

Dans cette seule maxime reçue de toutes les nations :

« Ne faites pas à autrui ce que vous ne voudriez pas qu'on vous fît. »

XLIII. « Ferox gens nullam esse vitam sine armis putat. *Ils aiment mieux la mort que la paix; les autres aiment mieux la mort que la guerre. Toute opinion peut être préférée à la vie, dont l'amour paraît si fort et si naturel.* »

C'est des Catalans que Tacite a dit cela; mais il n'y en a point dont on ait dit et dont on puisse dire : « Elle aime mieux la mort que la guerre. »

XLIV. « *A mesure qu'on a plus d'esprit, on trouve qu'il y a plus d'hommes originaux. Les gens du commun ne trouvent pas de différence entre les hommes.* »

Il y a très peu d'hommes vraiment originaux; presque tous se gouvernent, pensent et sentent par l'influence de la coutume et de l'éducation : rien n'est si rare qu'un esprit qui marche dans une route nouvelle; mais parmi cette foule d'hommes qui vont de compagnie, chacun a de petites différences dans la démarche, que les vues fines aperçoivent.

XLV. « *Il y a donc deux sortes d'esprit, l'un de pénétrer vivement et profondément les conséquences des principes, et c'est là l'esprit de justesse; l'autre de comprendre un grand nombre de principes sans les confondre, et c'est là l'esprit de Géométrie.* »

L'usage veut, je crois, aujourd'hui qu'on appelle *esprit géométrique* l'esprit méthodique et conséquent.

XLVI. « *La mort est plus aisée à supporter sans y penser, que la pensée de la mort sans péril.* »

On ne peut pas dire qu'un homme supporte la mort aisément ou malaisément, quand il n'y pense point du tout. Qui ne sent rien ne supporte rien.

XLVII. « *Nous supposons que tous les hommes conçoivent et sentent de la même sorte les objets qui se présentent à eux; mais nous le supposons bien gratuitement, car nous n'en avons aucune preuve. Je vois bien qu'on applique les mêmes mots dans les mêmes occasions, et que toutes les fois que deux hommes voient, par exemple, de la neige, ils expriment tous deux la vue de ce même objet par les mêmes mots, en disant l'un et l'autre qu'elle est blanche; et de cette conformité d'application on tire*

795 *une puissante conjecture d'une conformité d'idée ; mais cela n'est pas absolument convaincant, quoiqu'il y ait lieu à parier pour l'affirmative.* »

Ce n'était pas la couleur blanche qu'il fallait apporter en preuve. Le blanc, qui est un assemblage de tous les rayons, 800 paraît éclatant à tout le monde, éblouit un peu à la longue, fait à tous les yeux le même effet; mais on pourrait dire que peut-être les autres couleurs ne sont pas aperçues de tous les yeux de la même manière.

XLVIII. « *Tout notre raisonnement se réduit à céder au* 805 *sentiment.* »

Notre raisonnement se réduit à céder au sentiment en fait de goût, non en fait de science.

XLIX. « *Ceux qui jugent d'un ouvrage par règle sont à l'égard des autres comme ceux qui ont une montre à l'égard de ceux* 810 *qui n'en ont point. L'un dit : « Il y a deux heures que nous « sommes ici »; l'autre dit : « Il n'y a que trois quarts d'heure.* » *Je regarde ma montre; je dis à l'un : « Vous vous ennuyez* »; *et à l'autre : « Le temps ne vous dure guère.* »

En ouvrages de goût, en musique, en poésie, en peinture, 815 c'est le goût qui tient lieu de montre; et celui qui n'en juge que par règles en juge mal.

L. « *César était trop vieux, ce me semble, pour s'aller amuser à conquérir le monde. Cet amusement était bon à Alexandre; c'était un jeune homme qu'il était difficile d'arrêter; mais César* 820 *devait être plus mûr.* »

L'on s'imagine d'ordinaire qu'Alexandre et César sont sortis de chez eux dans le dessein de conquérir la terre; ce n'est point cela : Alexandre succéda à Philippe dans le généralat de la Grèce, et fut chargé de la juste entreprise de venger 825 les Grecs des injures du Roi de Perse : il battit l'ennemi commun, et continua ses conquêtes jusqu'à l'Inde, parce que le royaume de Darius s'étendait jusqu'à l'Inde; de même que le duc de Marlborough serait venu jusqu'à Lyon sans le Maréchal de Villars.

830 A l'égard de César, il était un des premiers de la République. Il se brouilla avec Pompée, comme les Jansénistes avec les Molinistes; et alors, ce fut à qui s'exterminerait. Une seule bataille, où il n'y eut pas dix mille hommes de tués, décida de tout.

835 Au reste la pensée de M. Pascal est peut-être fausse en tout sens. Il fallait la maturité de César pour se démêler de tant

d'intrigues; et il est étonnant qu'Alexandre, à son âge, ait renoncé au plaisir pour faire une guerre si pénible. **(61)**

LI. « *C'est une plaisante chose à considérer, de ce qu'il y a des gens dans le monde qui, ayant renoncé à toutes les Lois de Dieu et de la nature, s'en sont fait eux-mêmes auxquelles ils obéissent exactement, comme par exemple, les voleurs, etc.* »

Cela est encore plus utile que plaisant à considérer; car cela prouve que nulle société d'hommes ne peut subsister un seul jour sans règles.

LII. « *L'homme n'est ni Ange ni bête : et le malheur veut que qui veut faire l'Ange fait la bête.* »

Qui veut détruire les passions, au lieu de les régler, veut faire l'*Ange*.

LIII. « *Un cheval ne cherche point à se faire admirer de son compagnon : on voit bien entre eux quelque sorte d'émulation à la course, mais c'est sans conséquence; car, étant à l'étable, le plus pesant et le plus mal taillé ne cède pas pour cela son avoine à l'autre. Il n'en est pas de même parmi les hommes : leur vertu ne se satisfait pas d'elle-même; et ils ne sont point contents s'ils n'en tirent avantage contre les autres.* »

L'homme le plus mal taillé ne cède pas non plus son pain à l'autre, mais le plus fort l'enlève au plus faible; et chez les animaux et chez les hommes, les gros mangent les petits. **(62)**

LIV. « *Si l'homme commençait par s'étudier lui-même, il verrait combien il est incapable de passer outre. Comment se pourrait-il faire qu'une partie connût le tout? Il aspirera peut-être à connaître au moins les parties avec lesquelles il a de la proportion. Mais les parties du monde ont toutes un tel rapport et un tel enchaînement l'une avec l'autre, que je crois impossible de connaître l'une sans l'autre et sans le tout.* »

Il ne faudrait point détourner l'homme de chercher ce qui lui est utile, par cette considération qu'il ne peut tout connaître.

> Non possis oculo quantum contendere Lynceus,
> Non tamen idcirco contemnas lippus inungi[132].

---

132. Horace, *Epîtres,* I, I, vers 28-29 : « Tu ne saurais prétendre à porter ton regard aussi loin que Lyncée [= l'un des Argonautes] : ce n'est pas une raison pour dédaigner, si tu as une ophtalmie, d'user d'un onguent. »

QUESTIONS

61. Appréciez, en vous référant aux ouvrages historiques utiles, la mise au point de Voltaire.

62. Voltaire et Hobbes.

Nous connaissons beaucoup de vérités; nous avons trouvé beaucoup d'inventions utiles. Consolons-nous de ne pas savoir les rapports qui peuvent être entre une araignée et l'anneau de Saturne, et continuons à examiner ce qui est à notre portée.

875 LV. « *Si la foudre tombait sur les lieux bas, les poètes et ceux qui ne savent raisonner que sur les choses de cette nature manqueraient de preuves.* »

Une comparaison n'est preuve ni en poésie ni en prose : elle sert en poésie d'embellissement, et en prose elle sert à 880 éclaircir et à rendre les choses plus sensibles. Les poètes qui ont comparé les malheurs des grands à la foudre qui frappe les montagnes feraient des comparaisons contraires, si le contraire arrivait.

LVI. « *C'est cette composition d'esprit et de corps qui a fait 885 que presque tous les Philosophes ont confondu les idées des choses, et attribué aux corps ce qui n'appartient qu'aux esprits, et aux esprits ce qui ne peut convenir qu'aux corps.* »

Si nous savions ce que c'est qu'*esprit*, nous pourrions nous plaindre de ce que les philosophes lui ont attribué ce qui ne 890 lui appartient pas; mais nous ne connaissons ni l'esprit ni le corps; nous n'avons aucune idée de l'un, et nous n'avons que des idées très imparfaites de l'autre. Donc nous ne pouvons savoir quelles sont leurs limites.

LVII. « *Comme on dit* beauté poétique, *on devrait dire aussi* 895 beauté géométrique *et* beauté médicinale. *Cependant on ne le dit point; et la raison en est qu'on sait bien quel est l'objet de la géométrie, et quel est l'objet de la médecine, mais on ne sait pas en quoi consiste l'agrément qui est l'objet de la poésie. On ne sait ce que c'est que ce modèle naturel qu'il faut imiter;* 900 *et, à faute de cette connaissance, on a inventé de certains termes bizarres :* siècle d'or, merveille de nos jours, fatal laurier, bel astre, *etc.; et on appelle ce jargon beauté poétique. Mais qui s'imaginera une femme vêtue sur ce modèle, verra une jolie Demoiselle toute couverte de miroirs et de chaînes de laiton.* »

905 Cela est très faux : on ne doit pas dire *beauté géométrique* ni *beauté médicinale*, parce qu'un théorème et une purgation n'affectent point les sens agréablement, et qu'on ne donne le nom de *beauté* qu'aux choses qui charment les sens, comme la musique, la peinture, l'éloquence, la poésie, l'architecture 910 régulière, etc.

La raison qu'apporte M. Pascal est tout aussi fausse. On sait très bien en quoi consiste l'objet de la poésie; il consiste à peindre avec force, netteté, délicatesse et harmonie; la poésie est l'éloquence harmonieuse. Il fallait que M. Pascal eût bien peu de goût pour dire que *fatal laurier*, *bel astre* et autres sottises sont des beautés poétiques; et il fallait que les éditeurs de ces *Pensées* fussent des personnes bien peu versées dans les belles-lettres pour imprimer une réflexion si indigne de son illustre auteur. **(63)**

Je ne vous envoie point mes autres remarques sur les *Pensées* de M. Pascal, qui entraîneraient des discussions trop longues. C'est assez d'avoir cru apercevoir quelques erreurs d'inattention dans ce grand génie; c'est une consolation pour un esprit aussi borné que le mien d'être bien persuadé que les plus grands hommes se trompent comme le vulgaire.

QUESTIONS

63. Analysez l'affrontement entre Pascal et Voltaire en matière de goût. La conformité des remarques de Voltaire avec ce qu'il a écrit sur la question dans les lettres précédentes. Quelle est votre position?

Phot. du Chapitre de Durham.

DOCUMENTATION THÉMATIQUE

réunie par la Rédaction des Nouveaux Classiques Larousse.

1. Les idées religieuses de Voltaire :
   - **1.1.** Aspect critique;
   - **1.2.** Ce que croit Voltaire.

2. Voltaire et la politique :
   - **2.1.** Quel est le meilleur gouvernement?
   - **2.2.** Les solutions que Voltaire élimine;
   - **2.3.** La tentation du despotisme éclairé;
   - **2.4.** Le système anglais.

3. Voltaire et les problèmes économiques :
   - **3.1.** Prestige et bonheur matériel;
   - **3.2.** La lutte contre les fléaux;
   - **3.3.** L'action directe;
   - **3.4.** La synthèse de l'action et de la réflexion : Ferney.

1. LES IDÉES RELIGIEUSES DE VOLTAIRE

1.1. ASPECT CRITIQUE

A. Critique négative.

◆ Les presbytériens.

Voltaire ne les aime guère; il les considère comme les jansénistes du protestantisme. On rapprochera de la Lettre VI les extraits suivants :

Si les épiscopaux les avaient poursuivis dans leur ancienne patrie, c'étaient des tigres qui avaient fait la guerre à des ours. Ils portèrent en Amérique leur humeur sombre et féroce, et vexèrent en toute manière les pacifiques Pennsylvaniens, dès que ces nouveaux venus commencèrent à s'établir. (*Essai sur les mœurs,* chap. CLIII.)

Le presbytérianisme établit en Ecosse, dans les temps malheureux, une espèce de république dont le pédantisme et la dureté étaient beaucoup plus intolérables que la rigueur du climat, et même que la tyrannie des évêques qui avait excité tant de plaintes. Il n'a cessé d'être dangereux en Ecosse que quand la raison, la loi et la force l'ont réprimé. (*Le Siècle de Louis XIV,* chap. XXXVI.)

Ce qu'il leur reproche surtout est de se conduire en fanatiques :

La fureur de la guerre civile était nourrie par cette austérité sombre et atroce que les puritains affectaient. Le parlement prit ce temps pour faire brûler par le bourreau un petit livre du roi Jacques Ier, dans lequel ce monarque savant soutenait qu'il était permis de se divertir le dimanche après le service divin. On croyait par là servir la religion et outrager le roi régnant. Quelque temps après, ce même parlement s'avisa d'indiquer un jour de jeûne par semaine, et d'ordonner qu'on payât la valeur du repas qu'on se retranchait, pour subvenir à la guerre civile. L'empereur Rodolphe avait cru se soutenir contre les Turcs par des aumônes. Le parti parlementaire essaya dans Londres de vaincre par des jeûnes.

De tant de troubles qui ont si souvent bouleversé l'Angleterre avant qu'elle ait pris la forme stable et heureuse qu'elle a de nos jours, les troubles de ces années, jusqu'à la mort du roi, furent les seuls où l'excès du ridicule se mêla aux excès de la fureur. Ce ridicule que les réformateurs avaient tant reproché à la communion romaine, devint le partage des presbytériens. Les évêques se conduisirent en lâches; ils devaient mourir pour défendre une cause qu'ils croyaient juste; mais les presbytériens se conduisirent en insensés : leurs habillements, leurs discours, leurs basses allusions aux passages de l'Evangile, leurs contorsions, leurs sermons, leurs prédictions, tout en eux aurait mérité, dans des temps plus tranquilles, d'être joué à la foire de Londres, si cette farce n'avait été trop dégoûtante. Mais malheureusement l'absurdité de ces fanatiques se joignait à la fureur : les mêmes hommes dont les enfants se seraient moqués imprimaient la terreur en se baignant dans le sang; ils étaient à la fois les plus fous de tous les hommes et les plus redoutables. (*Essai sur les mœurs,* chap. CLXXX.)

◆ L'Eglise catholique.

On connaît la manière dont toute sa vie Voltaire attaqua l'Eglise catholique; toutefois, il est assez rare de rencontrer des textes dont la violence soit égale à celle qui apparaît dans cet extrait de *l'Examen important de Milord Bolingbroke ou le Tombeau du fanatisme* (1767), dans le chapitre XXXVIII et la conclusion.

EXCÈS DE L'ÉGLISE ROMAINE.

Ce n'est que dans l'Eglise romaine incorporée avec la férocité des descendants des Huns, des Goths, et des Vandales, qu'on voit cette série continue de scandales et de barbaries inconnues chez tous les prêtres des autres religions du monde.
Les prêtres ont partout abusé, parce qu'ils sont hommes. Il fut même, et il est encore chez les brames des fripons et des scélérats, quoique cette ancienne secte soit sans contredit la plus honnête de toutes. L'Eglise romaine l'a emporté en crimes sur toutes les sectes du monde, parce qu'elle a eu des richesses et du pouvoir [...].
On me dira que je ne parle que des crimes ecclésiastiques, et que je passe sous silence ceux des séculiers. C'est que les abominations des prêtres, et surtout des prêtres papistes, font un plus grand contraste avec ce qu'ils enseignent au peuple; c'est qu'ils joignent à la foule de leurs forfaits un crime non moins affreux, s'il est possible, celui de l'hypocrisie; c'est que plus leurs mœurs doivent être pures, plus ils sont coupables. Ils insultent au genre humain; ils persuadent à des imbéciles de s'enterrer vivants dans un monastère. Ils prêchent une vêture, ils administrent leurs huiles, et au sortir de là ils vont se plonger dans la volupté ou dans le carnage : c'est ainsi que l'Eglise fut gouvernée depuis les fureurs d'Athanase et d'Arius jusqu'à nos jours.
Qu'on me parle avec la même bonne foi que je m'explique; pense-t-on qu'il y ait eu un seul de ces monstres qui ait cru les dogmes impertinents qu'ils ont prêchés? Y a-t-il eu un seul pape qui, pour peu qu'il ait eu de sens commun, ait cru l'incarnation de Dieu, la mort de Dieu, la résurrection de Dieu, la

Trinité de Dieu, la transsubstantiation de la farine en Dieu, et toutes ces odieuses chimères qui ont mis les chrétiens au-dessous des brutes? Certes ils n'en ont rien cru, et parce qu'ils ont senti l'horrible absurdité du christianisme ils se sont imaginé qu'il n'y a point de Dieu; prenons-y garde, c'est l'absurdité des dogmes chrétiens qui fait les athées.

Conclusion.

Je conclus que tout homme sensé, tout homme de bien doit avoir la secte chrétienne en horreur. Le grand nom de théiste, qu'on ne révère pas assez, est le seul nom qu'on doive prendre. Le seul Evangile qu'on doive lire, c'est le grand livre de la nature, écrit de la main de Dieu, et scellé de son cachet. La seule religion qu'on doive professer est celle d'adorer Dieu et d'être honnête homme. Il est aussi impossible que cette religion pure et éternelle produise du mal qu'il était impossible que le fanatisme chrétien n'en fît pas.

On ne pourra jamais faire dire à la religion naturelle : je suis venue apporter, non pas la paix, mais le glaive. Au lieu que c'est la première confession de foi qu'on met dans la bouche du Juif qu'on a nommé le Christ.

Les hommes sont bien aveugles et bien malheureux de préférer une secte absurde, sanguinaire, soutenue par des bourreaux, et entourée de bûchers; une secte qui ne peut être approuvée que par ceux à qui elle donne du pouvoir et des richesses; une secte particulière qui n'est reçue que dans une petite partie du monde; à une religion simple et universelle qui, de l'aveu même des christicoles, était la religion du genre humain du temps de Seth, d'Enoch, de Noé. Si la religion de leurs premiers patriarches est vraie, certes la secte de Jésus est fausse. Les souverains se sont soumis à cette secte, croyant qu'ils en seraient plus chers à leurs peuples, en se chargeant eux-mêmes du joug que leurs peuples portaient. Ils n'ont pas vu qu'ils se faisaient les premiers esclaves des prêtres, et ils n'ont pu encore parvenir dans la moitié de l'Europe à se rendre indépendants.

Et quel roi, je vous prie, quel magistrat, quel père de famille, n'aimera pas mieux être le maître chez lui que d'être l'esclave d'un prêtre?

Quoi! le nombre innombrable des citoyens molestés, excommuniés, réduits à la mendicité, égorgés, jetés à la voirie, le nombre des princes détrônés et assassinés, n'a pas encore ouvert les yeux des hommes! Et si on les entrouvre, on n'a pas encore renversé cette idole funeste!

Que mettrons-nous à la place? dites-vous. Quoi! un animal féroce a sucé le sang de mes proches, je vous dis de vous défaire de cette bête, et vous me demandez ce qu'on mettra à sa place ! Vous me le demandez ! vous, cent fois plus odieux que les pontifes païens, qui se contentaient tranquillement de leurs cérémonies et de leurs sacrifices, qui ne prétendaient point enchaîner les esprits par des dogmes, qui ne disputèrent jamais aux magistrats leur puissance, qui n'introduisirent point la discorde chez les hommes. Vous avez le front de demander ce qu'il faut mettre à la place de vos fables ! Je vous réponds : Dieu, la vérité, la vertu, des lois, des peines, et des récompenses. Prêchez la probité, et non le dogme. Soyez les prêtres de Dieu, et non d'un homme.

Après avoir pesé devant Dieu le christianisme dans les balances de la vérité, il faut le peser dans celles de la politique. Telle est la misérable condition humaine que le vrai n'est pas toujours avantageux. Il y aurait du danger et peu de raison à vouloir faire tout d'un coup du christianisme ce qu'on a fait du papisme. Je tiens que, dans notre île, on doit laisser subsister la hiérarchie établie par un acte de parlement, en la soumettant toujours à la législation civile, et en l'empêchant de nuire. Il serait sans doute à désirer que l'idole fût renversée, et qu'on offrît à Dieu des hommages plus purs ; mais le peuple n'en est pas encore digne. Il suffit, pour le présent, que notre Eglise soit contenue dans ses bornes. Plus les laïques seront éclairés, moins les prêtres pourront faire de mal. Tâchons de les éclairer eux-mêmes, de les faire rougir de leurs erreurs, et de les amener peu à peu jusqu'à être citoyens.

B. Voltaire et l'athéisme.

Dans ses *Homélies prononcées à Londres en 1765,* Voltaire fait parler un prédicateur qui consacre son premier discours à l'athéisme. En voici la conclusion, à travers laquelle on cherchera la position de l'auteur :

Il y a eu des athées chez tous les peuples connus ; mais je doute beaucoup que cet athéisme ait été une persuasion pleine, une conviction lumineuse, dans laquelle l'esprit se repose sans aucun doute, comme dans une démonstration géométrique. N'était-ce pas plutôt une demi-persuasion fortifiée par la rage d'une passion violente, et par l'orgueil, qui tiennent lieu d'une conviction entière ? Les Phalaris, les Busiris (et il y en a dans toutes les conditions) se moquaient avec raison des fables de Cerbère et des Euménides : ils voyaient bien qu'il était ridicule d'imaginer que Thésée fût éternellement assis sur une escabelle, et qu'un vautour déchirât toujours le foie renaissant de Prométhée. Ces extravagances, qui déshonoraient la Divinité, l'anéantissaient à leurs yeux. Ils disaient confusément dans leur cœur : On ne nous a jamais dit que des inepties sur la Divinité ; cette Divinité n'est donc qu'une chimère. Ils foulaient aux pieds une vérité consolante et terrible, parce qu'elle était entourée de mensonges.

O malheureux théologiens de l'école, que cet exemple vous apprenne à ne pas annoncer Dieu ridiculement ! C'est vous qui, par vos platitudes, répandez l'athéisme que vous combattez : c'est vous qui faites les athées de cour, auxquels il suffit d'un argument spécieux pour justifier toutes les horreurs. Mais si le torrent des affaires et celui de leurs passions funestes leur avaient laissé le temps de rentrer en eux-mêmes, ils auraient dit : Les mensonges des prêtres d'Isis et des prêtres de Cybèle ne doivent m'irriter que contre eux, et non pas contre la Divinité, qu'ils outragent. Si le Phlégéton et le Cocyte n'existent point, cela n'empêche pas que Dieu existe. Je veux mépriser les fables, et adorer la vérité. Si on m'a peint Dieu comme un tyran ridicule, je ne le croirai pas moins sage et moins juste. Je ne dirai pas avec Orphée que les ombres des hommes vertueux se promènent dans les Champs Elysées ; je n'admettrai point la métempsycose des pharisiens, encore moins l'anéantissement de l'âme avec les saducéens. Je reconnaîtrai une providence éternelle, sans oser deviner quels seront les moyens et les effets de sa miséricorde et de sa justice. Je n'abuserai point de la raison que Dieu m'a donnée ; je croirai qu'il y a du vice et de la vertu, comme il y a de la santé et de la maladie ; et enfin, puisqu'un pouvoir invisible dont je sens continuellement l'influence, m'a fait un être pensant et agissant, je conclurai que mes pensées et mes actions doivent être dignes de ce pouvoir qui m'a fait naître.

Ne nous dissimulons point ici qu'il y a eu des athées vertueux. La secte d'Epicure a produit de très honnêtes gens : Epicure était lui-même un homme de bien, je l'avoue. L'instinct de la vertu, qui consiste dans un tempérament doux et éloigné de toute violence, peut très bien subsister avec une philosophie erronée. Les épicuriens et les plus fameux athées de nos jours, occupés des agréments de la société, de l'étude et du soin de posséder leur âme en paix, ont fortifié cet instinct qui les porte à ne jamais nuire, en renonçant au tumulte des affaires qui bouleversent l'âme, et à l'ambition qui la pervertit. Il y a des lois dans la société qui sont plus rigoureusement observées que celles de l'Etat et de la religion. Quiconque a payé les services de ses amis par une noire ingratitude, quiconque a calomnié un honnête homme, quiconque aura mis dans sa conduite une indécence révoltante, ou qui sera connu par une avarice sordide et impitoyable, ne sera point puni par les lois, mais il le sera par la société des honnêtes gens, qui porteront contre lui un arrêt irrévocable de bannissement; il ne sera jamais reçu parmi eux. Ainsi donc un athée de mœurs douces et agréables, retenu d'ailleurs par le frein que la société des hommes impose, peut très bien mener une vie innocente, heureuse, honorée. On en a vu des exemples de siècle en siècle, depuis le célèbre Atticus, également ami de César et de Cicéron, jusqu'au fameux magistrat Des Barreaux, qui, ayant fait attendre trop longtemps un plaideur dont il rapportait le procès, lui paya de son argent la somme dont il s'agissait.

On me citera encore, si l'on veut, le sophiste géométrique Spinoza, dont la modération, le désintéressement et la générosité ont été dignes d'Epictète. On me dira que le célèbre athée Lamettrie était un homme doux et aimable dans la société, honoré, pendant sa vie et après sa mort, des bontés d'un grand roi, qui, sans faire attention à ses sentiments philosophiques, a récompensé en lui les vertus. Mais mettez ces doux et tranquilles athées dans de grandes places; jetez-les dans les factions; qu'ils aient à combattre un César Borgia, ou un Cromwell, ou même un cardinal de Retz; pensez-vous qu'alors ils ne deviendront pas aussi méchants que leurs adversaires? Voyez dans quelle alternative vous les jetez; ils seront des imbéciles s'ils ne sont pas des pervers. Leurs ennemis les attaquent par des crimes; il faut bien qu'ils se défendent avec les mêmes armes, ou qu'ils périssent. Certainement leurs principes ne s'opposeront point aux assassinats, aux empoisonnements, qui leur paraîtront nécessaires.

Il est donc démontré que l'athéisme peut tout au plus laisser subsister les vertus sociales dans la tranquille apathie de la vie privée; mais qu'il doit porter à tous les crimes dans les orages de la vie publique.

Une société particulière d'athées, qui ne se disputent rien, et qui perdent doucement leurs jours dans les amusements de la volupté, peut durer quelque temps sans trouble; mais, si le monde était gouverné par des athées, il vaudrait autant être sous l'empire immédiat de ces êtres infernaux qu'on nous peint acharnés contre leurs victimes. En un mot, des athées qui ont en main le pouvoir seraient aussi funestes au genre humain que des superstitieux. Entre ces deux monstres la raison nous tend les bras : et ce sera l'objet de mon second discours.

C. Critique favorable.

◆ Les quakers.

Voltaire est revenu souvent sur cette secte et toujours de façon favorable, même si parfois il souligne certains ridicules. Il apprécie d'abord en eux une tendance au déisme qui va dans le sens où lui-même incline.

> Ceux que l'on appelait alors anabaptistes en Angleterre sont les pères de ces quakers pacifiques, dont la religion a été tant tournée en ridicule, et dont on a été forcé de respecter les mœurs. Ils ressemblaient très peu par les dogmes, et encore moins par leur conduite, à ces anabaptistes d'Allemagne, ramas d'hommes rustiques et féroces que nous avons vus pousser les fureurs d'un fanatisme sauvage aussi loin que peut aller la nature humaine abandonnée à elle-même. Les anabaptistes anglais n'avaient point encore de corps de doctrine arrêté; aucune secte établie populairement n'en peut jamais avoir qu'à la longue; mais ce qui est très extraordinaire, c'est que, se croyant chrétiens, et ne se piquant nullement de philosophie, ils n'étaient réellement que des déistes : car ils ne reconnaissaient Jésus-Christ que comme un homme à qui Dieu avait daigné donner des lumières plus pures qu'à ses contemporains. Les plus savants d'entre eux prétendaient que le terme de *fils de Dieu* ne signifie chez les Hébreux qu'*homme de bien* comme *fils de Satan* ou *de Bélial* ne veut dire que *méchant homme*. La plupart des dogmes, disaient-ils, qu'on a tirés de l'Ecriture sont des subtilités de philosophie dont on a enveloppé des vérités simples et naturelles. Ils ne reconnaissaient ni l'histoire de la chute de l'homme, ni le mystère de la Sainte-Trinité, ni par conséquent celui de l'Incarnation. Le baptême des enfants était absolument rejeté chez eux; ils en conféraient un nouveau aux adultes : plusieurs même ne regardaient le baptême que comme une ancienne ablution orientale adoptée par les Juifs, renouvelée par saint Jean-Baptiste, et que le Christ ne mit jamais en usage avec aucun de ses disciples. C'est en cela surtout qu'ils ressemblèrent le plus aux quakers qui sont venus après eux, et c'est principalement leur aversion pour le baptême des enfants qui leur fit donner par le peuple le nom d'*anabaptistes*. Ils pensaient suivre l'Evangile à la lettre; et en mourant pour leur secte, ils croyaient mourir pour le christianisme : bien différents en cela des théistes ou des déicoles, qui établirent plus que jamais leurs opinions secrètes au milieu de tant de sectes publiques. (*Essai sur les mœurs,* chap. CXXXVI.)

Il apprécie encore le fait qu'ils distinguent théologie et morale, comme l'atteste cet extrait du chapitre CLIII de l'*Essai sur les mœurs :*

> Ses compagnons [= de W. Penn] professaient la simplicité et l'égalité des premiers disciples de Christ. Point d'autres dogmes que ceux qui sortirent de sa bouche; ainsi presque tout se bornait à aimer Dieu et les hommes : point de baptême, parce que Jésus ne baptisa personne; point de prêtres, parce que les premiers disciples étaient également conduits par le Christ lui-même. Je ne fais ici que le devoir d'un historien

> fidèle, et j'ajouterai que si Penn et ses compagnons errèrent dans la théologie, cette source intarissable de querelles et de malheurs, ils s'élevèrent au-dessus de tous les peuples par la morale.

Enfin, ils sont pacifiques. Deux extraits des *Questions sur l' « Encyclopédie »* (1771-1772) témoignent de l'invariabilité de Voltaire à l'égard des quakers et décrivent « le paradis pennsylvanien » :

> Voilà sur quoi se fonde la nombreuse et respectable société des Pennsylvains, ainsi que les petites sectes qui l'imitent. Quand je les appelle *respectable,* ce n'est point par leur aversion pour la splendeur de l'Eglise catholique. Je plains sans doute, comme je le dois, leurs erreurs. C'est leur vertu, c'est leur modestie, c'est leur esprit de paix que je respecte. (Article « Esséniens ».)

QUAKERS.

Quaker ou qouacre, ou primitif, ou membre de la Primitive Eglise chrétienne, ou Pennsylvanien, ou Philadelphien.

> De tous ces titres, celui que j'aime le mieux est celui de Philadelphien, *ami des frères.* Il y a bien des sortes de vanités ; mais la plus belle est celle qui, ne s'arrogeant aucun titre, rend presque tous les autres ridicules.
>
> Je m'accoutume bientôt à voir un bon Philadelphien me traiter d'ami et de frère ; ces mots raniment dans mon cœur la charité, qui se refroidit trop aisément. Mais que deux moines s'appellent, s'écrivent Votre Révérence ; qu'ils se fassent baiser la main en Italie et en Espagne : c'est le dernier degré d'un orgueil en démence ; c'est le dernier degré de sottise dans ceux qui la baisent ; c'est le dernier degré de la surprise et du rire dans ceux qui sont témoins de ces inepties. La simplicité du Philadelphien est la satire continuelle des évêques qui se monseigneurisent.
>
> « N'avez-vous point honte, disait un laïque au fils d'un manœuvre, devenu évêque, de vous intituler monseigneur et prince ? Est-ce ainsi qu'en usaient Barnabé, Philippe et Jude ? — Va, va, dit le prélat, si Barnabé, Philippe et Jude l'avaient pu, ils l'auraient fait ; et la preuve est que leurs successeurs l'on fait dès qu'ils l'ont pu. »
>
> Un autre, qui avait un jour à sa table plusieurs Gascons, disait : « Il faut bien que je sois monseigneur, puisque tous ces messieurs sont marquis. » *Vanitas vanitatum.*
>
> J'ai déjà parlé des quakers à l'article *Eglise primitive,* et c'est pour cela que j'en veux parler encore. Je vous prie, mon cher lecteur, de ne point dire que je me répète : car s'il y a deux ou trois pages répétées dans ce Dictionnaire, ce n'est pas ma faute, c'est celle des éditeurs. Je suis malade au mont Krapack,

> je ne puis avoir l'œil à tout. J'ai des associés qui travaillent comme moi à la vigne du Seigneur, qui cherchent à inspirer la paix et la tolérance, l'horreur pour le fanatisme, la persécution, la calomnie, la dureté de mœurs, et l'ignorance insolente.
>
> Je vous dirai, sans me répéter, que j'aime les quakers. Oui, si la mer ne me faisait pas un mal insupportable, ce serait dans ton sein, ô Pennsylvanie, que j'irais finir le reste de ma carrière, s'il y a du reste. Tu es située au quarantième degré, dans le climat le plus doux et le plus favorable ; tes campagnes sont fertiles, tes maisons commodément bâties, tes habitants industrieux, tes manufactures en honneur. Une paix éternelle règne parmi tes citoyens ; les crimes y sont presque inconnus, et il n'y a qu'un seul exemple d'un homme banni du pays. Il le méritait bien : c'était un prêtre anglican qui, s'étant fait quaker, fut indigne de l'être. Ce malheureux fut sans doute possédé du diable, car il osa prêcher l'intolérance : il s'appelait Georges Keith ; on le chassa ; je ne sais pas où il est allé, mais puissent tous les intolérants aller avec lui !
>
> Aussi de trois cent mille habitants qui vivent heureux chez toi, il y a deux cent mille étrangers. On peut, pour douze guinées, acquérir cent arpents de très bonne terre ; et dans ces cent arpents on est véritablement roi car on est libre, on est citoyen ; vous ne pouvez faire de mal à personne, et personne ne peut vous en faire ; vous pensez ce qu'il vous plaît, et vous le dites sans que personne ne vous persécute ; vous ne connaissez point le fardeau des impôts, continuellement redoublé ; vous n'avez point de cour à faire, vous ne redoutez point l'insolence d'un subalterne important. Il est vrai qu'au mont Krapack nous vivons à peu près comme vous ; mais nous ne devons la tranquillité dont nous jouissons qu'aux montagnes couvertes de neiges éternelles, et aux précipices affreux qui entourent notre paradis terrestre. Encore le diable quelquefois franchit-il, comme dans Milton, ces précipices et ces monts épouvantables pour venir infecter de son haleine empoisonnée les fleurs de notre paradis. Satan s'était déguisé en crapaud pour venir tromper deux créatures qui s'aimaient. Il est venu une fois chez nous dans sa propre figure pour apporter l'intolérance. Notre innocence a triomphé de toute la fureur du diable. (Article « Quakers ».)

Enfin, dans l'*Histoire de l'établissement du christianisme* (1776), Voltaire revient une dernière fois sur les quakers dans le cadre d'un éloge des « primitifs », aux croyances proches des siennes :

> Il le faut avouer avec sincérité et avec admiration, les Philadelphiens, que nous nommons quakers, trembleurs, ont été jusqu'à présent ce peuple de thérapeutes, de socratiens, de chrétiens dont nous parlons : on dit qu'il ne leur a manqué

que de parler de la bouche, et de gesticuler sans contorsion, pour être les plus estimables des hommes. Ils sont jusqu'à présent sans temples, sans autels, comme furent les premiers chrétiens pendant cent cinquante ans ; ils travaillent comme eux ; ils se secourent mutuellement comme eux ; ils ont comme eux la guerre en horreur. Si de telles mœurs ne se corrompent pas, ils seront dignes de commander à la terre, car du sein de leurs illusions ils enseigneront la vertu qu'ils pratiquent. Il paraît certain que les chrétiens du Ier siècle commencèrent à peu près comme nos Philadelphiens d'aujourd'hui ; mais la fureur de l'enthousiasme, la rage du dogme, la haine contre toutes les autres religions, gâtèrent bientôt tout ce que les premiers chrétiens, initiateurs en quelque sorte des esséniens, pouvaient avoir de bon et d'utile. (Chap. XXII : *En quoi le christianisme pouvait être utile.*)

◆ Les antitrinitaires.

Sur ce point aussi, Voltaire n'aura pas varié. On s'en convaincra en rapprochant des *Lettres philosophiques* (1734) les textes suivants :

L'*Essai sur les mœurs* (1756).

• Le théisme, dont le roi faisait une profession assez ouverte, fut la religion dominante au milieu de tant de religions. Ce théisme a fait depuis des progrès prodigieux dans le reste du monde. Le comte de Shaftesbury, le petit-fils du ministre, l'un des plus grands soutiens de cette religion, dit formellement, dans ses *Caractéristiques,* qu'on ne saurait trop respecter ce grand nom de *théiste*. Une foule d'illustres écrivains en ont fait profession ouverte. La plupart des sociniens se sont enfin rangés à ce parti. On reproche à cette secte si étendue de n'écouter que la raison, et d'avoir secoué le joug de la foi : il n'est pas possible à un chrétien d'excuser leur indocilité, mais la fidélité de ce grand tableau que nous traçons de la vie humaine ne permet pas qu'en condamnant leur erreur on ne rende justice à leur conduite. Il faut avouer que, de toutes les sectes, c'est la seule qui n'ait point troublé la société par des disputes ; la seule qui, en se trompant, ait toujours été sans fanatisme : il est impossible même qu'elle ne soit pas paisible. Ceux qui la professent sont unis avec tous les hommes dans le principe commun à tous les siècles et à tous les pays, dans l'adoration d'un seul Dieu ; ils diffèrent des autres hommes en ce qu'ils n'ont ni dogmes ni temples, ne croyant qu'un Dieu juste, tolérant tout le reste, et découvrant rarement leur sentiment. Ils disent que cette religion pure est aussi ancienne que le monde ; qu'elle était celle du peuple hébreu avant que Moïse lui donnât un culte particulier. Ils se fondent sur ce que les lettrés de la Chine l'ont toujours professée ;

mais ces lettrés de la Chine ont un culte public, et les théistes d'Europe n'ont qu'un culte secret, chacun adorant Dieu en particulier, et ne faisant aucun scrupule d'assister aux cérémonies publiques : du moins il n'y a eu jusqu'ici qu'un très petit nombre de ceux qu'on nomme *unitaires* qui se soient assemblés ; mais ceux-là se disent chrétiens primitifs plutôt que théistes. (Chap. CLXXXII.)

• Quant à la religion, elle causa peu de troubles dans cette partie du monde. Les unitaires eurent quelque temps des églises dans la Pologne, dans la Lituanie, au commencement du XVIIe siècle. Ces unitaires, qu'on appelle tantôt *sociniens,* tantôt *ariens,* prétendaient soutenir la cause de Dieu même, en le regardant comme un être unique, incommunicable, qui n'avait un fils que par adoption. Ce n'était pas entièrement le dogme des anciens *eusébéiens.* Ils prétendaient ramener sur la terre la pureté des premiers âges du christianisme, renonçant à la magistrature et à la profession des armes. Des citoyens qui se faisaient un scrupule de combattre ne semblaient pas propres pour un pays où l'on était sans cesse en armes contre les Turcs. Cependant cette religion fut assez florissante en Pologne jusqu'à l'année 1658. On la proscrivit dans ce temps-là parce que ces sectaires, qui avaient renoncé à la guerre, n'avaient pas renoncé à l'intrigue. Ils étaient liés avec Ragotski, prince de Transylvanie, alors ennemi de la république. Cependant ils sont encore en grand nombre en Pologne, quoiqu'ils aient perdu la liberté de faire une profession ouverte de leurs sentiments.

Le déclamateur Maimbourg prétend qu'ils se réfugièrent en Hollande, où « il n'y a, dit-il, que la religion catholique qu'on ne tolère pas ». Le déclamateur Maimbourg se trompe sur cet article comme sur bien d'autres. Les catholiques sont si tolérés dans les Provinces-Unies qu'ils y composent le tiers de la nation, et jamais les unitaires ou les sociniens n'y ont eu d'assemblée publique. Cette religion s'est étendue sourdement en Hollande, en Transylvanie, en Silésie, en Pologne, mais surtout en Angleterre. On peut compter, parmi les révolutions de l'esprit humain, que cette religion, qui a dominé dans l'Eglise à diverses fois pendant trois cent cinquante années depuis Constantin, se soit reproduite dans l'Europe depuis deux siècles, et soit répandue dans tant de provinces sans avoir aujourd'hui de temple en aucun endroit du monde. Il semble qu'on ait craint d'admettre parmi les communions du christianisme une secte qui avait autrefois triomphé si longtemps de toutes les autres communions. (Chap. CLXXXIX.)

L'article « Antitrinitaires » du *Dictionnaire philosophique* (1767) :

Pour faire connaître leurs sentiments, il suffit de dire qu'ils soutiennent que rien n'est plus contraire à la droite raison que ce que l'on enseigne parmi les chrétiens touchant la trinité des personnes dans une seule essence divine, dont la seconde est engendrée par la première, et la troisième procède des deux autres.

Que cette doctrine inintelligible ne se trouve dans aucun endroit de l'Ecriture.

Qu'on ne peut produire aucun passage qui l'autorise, et auquel on ne puisse, sans s'écarter en aucune façon de l'esprit du texte, donner un sens plus clair, plus naturel, plus conforme aux notions communes et aux vérités primitives et immuables.

Que soutenir, comme font leurs adversaires qu'il y a plusieurs *personnes* distinctes dans l'essence divine, et que ce n'est pas l'Eternel qui est le seul vrai Dieu, mais qu'il y faut joindre le Fils et le Saint-Esprit, c'est introduire dans l'Eglise de Jésus-Christ l'erreur la plus grossière et la plus dangereuse, puisque c'est favoriser ouvertement le polythéisme.

Qu'il implique contradiction de dire qu'il n'y a qu'un Dieu, et que néanmoins il y a trois *personnes,* chacune desquelles est véritablement Dieu.

Que cette distinction, un en essence, et trois en personnes, n'a jamais été dans l'Ecriture.

Qu'elle est manifestement fausse, puisqu'il est certain qu'il n'y a pas moins d'*essences* que de *personnes,* et de *personnes* que d'*essences.*

Que les trois personnes de la Trinité sont ou trois substances différentes, ou des accidents de l'essence divine, ou cette essence même sans distinction.

Que dans le premier cas on fait trois dieux.

Que dans le second on fait Dieu composé d'accidents, on adore des accidents, et on métamorphose des accidents en des personnes.

Que dans le troisième, c'est inutilement et sans fondement qu'on divise un sujet indivisible, et qu'on distingue en *trois* ce qui n'est point distingué en soi.

Que si on dit que les trois *personnalités* ne sont ni des substances différentes dans l'essence divine, ni des accidents de cette essence, on aura de la peine à se persuader qu'elles soient quelque chose.

Qu'il ne faut pas croire que les *trinitaires* les plus rigides et les plus décidés aient eux-mêmes quelque idée claire de la manière dont les trois *hypostases* subsistent en Dieu, sans diviser sa substance, et par conséquent sans la multiplier.

Que saint Augustin lui-même, après avoir avancé sur ce sujet mille raisonnements aussi faux que ténébreux, a été forcé d'avouer qu'on ne pouvait rien dire sur cela d'intelligible. Ils rapportent ensuite le passage de ce père, qui en effet est très singulier : « Quand on demande, dit-il, ce que c'est que les *trois,* le langage des hommes se trouve court, et l'on manque de termes pour les exprimer : on a pourtant dit *trois personnes,* non pas pour dire quelque chose, mais parce qu'il faut parler et ne pas demeurer muet. » *Dictum est tres personae, non ut aliquid diceretur, sed ne taceretur.* (*De Trinit.*, lib. V, cap. IX.)

Que les théologiens modernes n'ont pas mieux éclairé cette matière.

Que quand on leur demande ce qu'ils entendent par ce mot de *personne,* ils ne l'expliquent qu'en disant que c'est une certaine distinction incompréhensible, qui fait que l'on distingue dans une nature unique en nombre un Père, un Fils et un Saint-Esprit.

Que l'explication qu'ils donnent des termes d'*engendre* et de *procéder* n'est pas plus satisfaisante, puisqu'elle se réduit à dire que ces termes marquent certaines relations incompréhensibles qui sont entre les trois personnes de la Trinité.

Que l'on peut recueillir de là que l'état de la question entre les orthodoxes et eux consiste à savoir s'il y a en Dieu trois distinctions dont on n'a aucune idée, et entre lesquelles il y a certaines relations dont on n'a point d'idées non plus.

De tout cela ils concluent qu'il serait plus sage de s'en tenir à l'autorité des apôtres, qui n'ont jamais parlé de la Trinité, et de bannir à jamais de la religion tous les termes qui ne sont pas dans l'Ecriture, comme ceux de *Trinité,* de *personne,* d'*essence,* d'*hypostase,* d'*union hypostatique et personnelle,* d'*incarnation,* de *génération,* de *procession,* et tant d'autres semblables qui, étant absolument vides de sens, puisqu'ils n'ont dans la nature aucun être réel représentatif, ne peuvent exciter dans l'entendement que des notions fausses, vagues, obscures et incomplètes.

(*Tiré en grande partie de l'article « Unitaire »,*
*de l'*Encyclopédie.)

Ajoutons à cet article ce que dit dom Calmet dans sa dissertation sur le passage de l'épître de Jean l'Evangéliste : « Il y en a trois qui donnent témoignage en terre, l'esprit, l'eau et le sang; et ces trois sont un. Il y en a trois qui donnent témoignage au ciel, le Père, le Verbe et l'Esprit; et ces trois sont un. » Dom Calmet avoue que ces deux passages ne sont dans aucune *Bible* ancienne; et il serait en effet bien étrange que saint Jean eût parlé de la Trinité dans une lettre, et n'en eût pas dit un seul mot dans son Evangile. On ne voit nulle trace de ce dogme ni dans les évangiles canoniques, ni dans les apocryphes. Toutes ces raisons et beaucoup d'autres pourraient excuser les antitrinitaires, si les conciles n'avaient pas décidé. Mais comme les hérétiques ne font nul cas des conciles, on ne sait plus comment s'y prendre pour les confondre.

Enfin, une lettre à Frédéric II, datée de 1773 (8 novembre), atteste la permanence des idées de Voltaire sur ce point.

> Tout ce qui me fâche, c'est que vous n'établissiez pas une église de sociniens comme vous en établissez plusieurs de jésuites; il y a pourtant encore des sociniens en Pologne. L'Angleterre en regorge, nous en avons en Suisse; certainement Julien les aurait favorisés; ils haïssent ce qu'il haïssait, ils méprisent ce qu'il méprisait, et ils sont honnêtes gens comme lui.

1.2. CE QUE CROIT VOLTAIRE

Nous n'indiquons qu'un canevas qui pourra guider pour la constitution d'un dossier sur la question. Il suffira de se rapporter aux textes, aisément accessibles, dont nous donnons les références, de les analyser, d'en classer les thèmes et les arguments. On pourra ensuite utiliser cet aspect positif des idées de Voltaire pour expliquer ses prises de position critiques, telles que les présentent les *Lettres philosophiques* (Lettres I à VII et Lettre XXV) et la section 1.1. de cette documentation.

A. La métaphysique.

— Elle est vaine (*Zadig,* XX) et contradictoire (*Micromégas,* VII).

— Elle n'est pas du domaine de la raison, ni de celui de la preuve (Lettre XXV, remarques sur les Pensées VI et X).

— Toute connaissance vient des sens (*Micromégas,* VII).

— S'occuper de métaphysique est donc une perte de temps (*Candide,* XXX).

B. Attitude efficace.

— Il faut accepter son destin (*Zadig,* XX), agir sur le plan humain pour améliorer la civilisation dans la mesure de ses moyens (*Candide,* XXX).

— Une religion ramenée à sa plus simple expression : le déisme (Prière à Dieu, dans le *Traité de la tolérance;* texte cité en 1.2. dans la documentation thématique des *Lettres persanes* de Montesquieu, Nouveaux Classiques Larousse).

— Il faut lutter contre le fanatisme (voir *Candide,* documentation thématique II, Nouveaux Classiques Larousse).

2. VOLTAIRE ET LA POLITIQUE

2.1. QUEL EST LE MEILLEUR GOUVERNEMENT ?

Tel est, à peu près, le sous-titre d'un article du *Dictionnaire philosophique* (1767) dont voici le texte.

ÉTATS, GOUVERNEMENTS
QUEL EST LE MEILLEUR?

Je n'ai jusqu'à présent connu personne qui n'ait gouverné quelque Etat. Je ne parle pas de MM. les ministres, qui gouvernent en effet, les uns deux ou trois ans, les autres six mois, les autres six semaines ; je parle de tous les autres hommes qui, à souper ou dans leur cabinet, étalent leur système de gouvernement, réformant les armées, l'Eglise, la robe, et la finance.

L'abbé de Bourzeis se mit à gouverner la France vers l'an 1645, sous le nom du cardinal de Richelieu, et fit ce *Testament politique* dans lequel il veut enrôler la noblesse dans la cavalerie pour trois ans, faire payer la taille aux chambres des comptes et aux parlements, priver le roi du produit de la gabelle ; il assure surtout que, pour entrer en campagne avec cinquante mille hommes, il faut par économie en lever cent mille. Il affirme que « la Provence seule a beaucoup plus de beaux ports de mer que l'Espagne et l'Italie ensemble ».

L'abbé de Bourzeis n'avait pas voyagé. Au reste, son ouvrage fourmille d'anachronismes et d'erreurs ; il fait signer le cardinal de Richelieu d'une manière dont il ne signa jamais, ainsi qu'il le fait parler comme il n'a jamais parlé. Au surplus, il emploie un chapitre entier à dire que « la raison doit être la règle d'un Etat », et à tâcher de prouver cette découverte. Cet ouvrage de ténèbres, ce bâtard de l'abbé de Bourzeis, a passé longtemps pour le fils légitime du cardinal de Richelieu ; et tous les académiciens, dans leurs discours de réception, ne manquaient pas de louer démesurément ce chef-d'œuvre de politique.

Le sieur Gatien de Courtilz, voyant ce succès du *Testament politique* de Richelieu, fit imprimer à la Haye le *Testament de Colbert,* avec une belle lettre de M. Colbert au roi. Il est clair que si ce ministre avait fait un pareil testament, il eût fallu l'interdire; cependant ce livre a été cité par quelques auteurs. Un autre gredin, dont on ignore le nom, ne manqua pas de donner le *Testament de Louvois,* plus mauvais encore, s'il se peut, que celui de Colbert; et un abbé de Chevremont fit tester aussi Charles, duc de Lorraine[133]. Nous avons eu les *Testaments politiques* du cardinal Alberoni, du maréchal de Belle-Isle, et enfin celui de Mandrin.

M. de Bois-Guillebert, auteur du *Détail de la France,* imprimé en 1695, donna le projet inexécutable de la dîme royale sous le nom du maréchal de Vauban.

Un fou, nommé La Jonchère, qui n'avait pas de pain, fit, en 1720, un projet de finance en quatre volumes, et quelques sots ont cité cette production comme un ouvrage de La Jonchère, le trésorier général, s'imaginant qu'un trésorier ne peut faire un mauvais livre de finances.

Mais il faut convenir que des hommes très sages, très dignes peut-être de gouverner, ont écrit sur l'administration des Etats, soit en France, soit en Espagne, soit en Angleterre. Leurs livres ont fait beaucoup de bien : ce n'est pas qu'ils aient corrigé les ministres qui étaient en place quand ces livres parurent, car un ministre ne se corrige point et ne peut se corriger; il a pris sa croissance; plus d'instructions, plus de conseils; il n'a pas le temps de les écouter; le courant des affaires l'emporte; mais ces bons livres forment les jeunes gens destinés aux places; ils forment les princes, et la seconde génération est instruite.

Le fort et le faible de tous les gouvernements a été examiné de près dans les derniers temps. Dites-moi donc, vous qui avez voyagé, qui avez lu et vu, dans quel Etat, dans quelle sorte de gouvernement voudriez-vous être né? Je conçois qu'un grand seigneur terrien en France ne serait pas fâché d'être né en Allemagne; il serait souverain au lieu d'être sujet. Un pair de France serait fort aise d'avoir les privilèges de la pairie anglaise; il serait législateur.

L'homme de robe et le financier se trouveraient mieux en France qu'ailleurs.

Mais quelle patrie choisirait un homme sage, libre, un homme d'une fortune médiocre, et sans préjugés?

Un membre du conseil de Pondichéry, assez savant, revenait en Europe par terre avec un brame, plus instruit que les brames ordinaires. « Comment trouvez-vous le gouvernement du Grand Mogol? dit le conseiller. — Abominable, répondit le brame. Comment voulez-vous qu'un Etat soit heureusement

---

133. Fin de l'alinéa ajouté en 1765.

gouverné par des Tartares? Nos raïas, nos omras, nos nababs sont fort contents, mais les citoyens ne le sont guère, et des millions de citoyens sont quelque chose. »

Le conseiller et le brame traversèrent en raisonnant toute la haute Asie. « Je fais une réflexion, dit le brame; c'est qu'il n'y a pas une république dans toute cette vaste partie du monde. — Il y a eu autrefois celle de Tyr, dit le conseiller, mais elle n'a pas duré longtemps. Il y en avait encore une autre vers l'Arabie Pétrée, dans un petit coin nommé la Palestine, si on peut honorer du nom de république une horde de voleurs et d'usuriers, tantôt gouvernée par des juges, tantôt par des espèces de rois, tantôt par des grands pontifes, devenue esclave sept ou huit fois, et enfin chassée du pays qu'elle avait usurpé. — Je conçois, dit le brame, qu'on ne doit trouver sur la terre que très peu de républiques. Les hommes sont rarement dignes de se gouverner eux-mêmes. Ce bonheur ne doit appartenir qu'à des petits peuples qui se cachent dans des îles, ou entre des montagnes, comme des lapins qui se dérobent aux animaux carnassiers; mais à la longue ils sont découverts et dévorés. »

Quand les deux voyageurs furent arrivés dans l'Asie Mineure, le conseiller dit au brame : « Croiriez-vous bien qu'il y a eu une république formée dans un coin de l'Italie, qui a duré plus de cinq cents ans, et qui a possédé cette Asie Mineure, l'Asie, l'Afrique, la Grèce, les Gaules, l'Espagne et l'Italie entière? — Elle se tourna donc bien vite en monarchie? dit le brame. — Vous l'avez deviné, dit l'autre; mais cette monarchie est tombée, et nous faisons tous les jours de belles dissertations pour trouver les causes de sa décadence et de sa chute. — Vous prenez bien de la peine, dit l'Indien; cet empire est tombé parce qu'il existait. Il faut bien que tout tombe; j'espère bien qu'il en arrivera tout autant à l'empire du Grand Mogol. — A propos, dit l'Européen, croyez-vous qu'il faille plus d'honneur dans un Etat despotique, et plus de vertu dans une république? » L'Indien s'étant fait expliquer ce qu'on entend par honneur, répondit que l'honneur était plus nécessaire dans une république, et qu'on avait bien plus besoin de vertu dans un Etat monarchique. « Car, dit-il, un homme qui prétend être élu par le peuple ne le sera pas s'il est déshonoré; au lieu qu'à la cour il pourra aisément obtenir une charge, selon la maxime d'un grand prince, qu'un courtisan, pour réussir, doit n'avoir ni honneur ni humeur. A l'égard de la vertu, il en faut prodigieusement dans une cour pour oser dire la vérité. L'homme vertueux est bien plus à son aise dans une république; il n'a personne à flatter.

— Croyez-vous, dit l'homme d'Europe, que les lois et les religions soient faites pour les climats, de même qu'il faut des fourrures à Moscou et des étoffes de gaze à Delhi ? — Oui, sans doute, dit le brame ; toutes les lois qui concernent la physique sont calculées pour le méridien qu'on habite ; il ne faut qu'une femme à un Allemand, et il en faut trois ou quatre à un Persan.

Les rites de la religion sont de même nature. Comment voudriez-vous, si j'étais chrétien, que je disse la messe dans ma province, où il n'y a ni pain ni vin ? A l'égard des dogmes, c'est autre chose ; le climat n'y fait rien. Votre religion n'a-t-elle pas commencé en Asie, d'où elle a été chassée ? N'existe-t-elle pas vers la mer Baltique, où elle était inconnue ?

— Dans quel Etat, sous quelle domination aimeriez-vous mieux vivre ? dit le conseiller. — Partout ailleurs que chez moi, dit son compagnon ; et j'ai trouvé beaucoup de Siamois, de Tonquinois, de Persans et de Turcs qui en disaient autant. — Mais, encore une fois, dit l'Européen, quel Etat choisiriez-vous ? » Le brame répondit : « Celui où l'on n'obéit qu'aux lois. — C'est une vieille réponse, dit le conseiller. — Elle n'en est pas plus mauvaise, dit le brame. — Où est ce pays-là ? » dit le conseiller. Le brame dit : « Il faut le chercher[134]. »

2.2. LES SOLUTIONS QUE VOLTAIRE ÉLIMINE

A. La monarchie absolue.

En effet, les rois sont des hommes comme les autres : *Candide,* XXVI ; *Micromégas,* VII. On se reportera aussi au *Siècle de Louis XIV*, et l'on rapprochera de Montesquieu, *Lettres persanes* (et dans le Nouveau Classique Larousse, la Documentation thématique 2.1. : Etude de la monarchie).

B. L'Église et l'État.

Voltaire affirme nettement la primauté du pouvoir civil sur les pouvoirs religieux dans le chapitre CLXVIII de l'*Essai sur les mœurs,* dont voici un extrait significatif :

Elisabeth eut donc le titre de chef de la religion anglicane. Beaucoup d'auteurs, et principalement les Italiens, ont trouvé cette dignité ridicule dans une femme : mais ils pouvaient considérer que cette femme régnait ; qu'elle avait les droits attachés au trône par les lois du pays ; qu'autrefois les souverains de toutes les nations connues avaient l'intendance des choses de la religion ; que les empereurs romains furent souverains pontifes ; que si aujourd'hui dans quelques pays l'Eglise gouverne l'Etat, il y en a beaucoup d'autres où l'Etat

134. Voyez l'article « Genève » dans l'*Encyclopédie*. (Note de Voltaire.)

gouverne l'Eglise. Nous avons vu en Russie quatre souveraines de suite présider au synode qui tient lieu du patriarcat absolu. Une reine d'Angleterre qui nomme un archevêque de Cantorbéry, et qui lui prescrit des lois, n'est pas plus ridicule qu'une abbesse de Fontevrault qui nomme des prieurs et des curés, et qui leur donne sa bénédiction : en un mot chaque pays à ses usages.

Tous les princes doivent se souvenir, et les évêques ne doivent pas perdre la mémoire de la fameuse lettre de la reine Elisabeth à Heaton, évêque d'Ely :

« Présomptueux Prélat,

« J'apprends que vous différez à conclure l'affaire dont vous êtes convenu : ignorez-vous donc que moi, qui vous ai élevé, je puis également vous faire rentrer dans le néant ? Remplissez au plus tôt votre engagement, ou je vous ferai descendre de votre siège.

« Votre amie, tant que vous mériterez que je le sois. »

ELISABETH.

Si les princes et les magistrats avaient toujours pu établir un gouvernement assez ferme pour être en droit d'écrire impunément de telles lettres, il n'y aurait jamais eu de sang versé pour les querelles de l'empire et du sacerdoce.

La religion anglicane conserva ce que les cérémonies romaines ont d'auguste, et ce que le luthéranisme a d'austère. J'observe que de neuf mille quatre cents bénéficiers que contenait l'Angleterre, il n'y eut que quatorze évêques, cinquante chanoines, et quatre-vingt curés, qui, n'acceptant pas la Réforme, restèrent catholiques et perdirent leurs bénéfices. Quand on pense que la nation anglaise changea quatre fois de religion depuis Henri VIII, on s'étonne qu'un peuple si libre ait été si soumis, ou qu'un peuple qui a tant de fermeté ait eu tant d'inconstance. Les Anglais en cela ressemblèrent à ces cantons suisses qui attendirent de leurs magistrats la décision de ce qu'ils devaient croire. Un acte du parlement est tout pour les Anglais ; ils aiment la loi et on ne peut les conduire que par les lois d'un parlement qui prononce, ou qui semble prononcer par lui-même.

C. La démocratie.

Comment serait-elle possible si le peuple est ce que Voltaire nous en décrit dans le chapitre XXXI du *Siècle de Louis XIV* :

Les idées superstitieuses étaient tellement enracinées chez les hommes, que les comètes les effrayaient encore en 1680. On osait à peine combattre cette crainte populaire. Jacques Bernoulli, l'un des plus grands mathématiciens de l'Europe, en répondant à propos de cette comète aux partisans du préjugé, dit que la chevelure de la comète ne peut être un signe de la colère divine, parce que cette chevelure est éternelle; mais que la queue pourrait bien en être un : cependant ni la tête ni la queue ne sont éternelles. Il fallut que Bayle écrivît contre le préjugé vulgaire un livre fameux[135], que les progrès de la raison ont rendu aujourd'hui moins piquant qu'il ne l'était alors.

On ne croirait pas que les souverains eussent obligation aux philosophes; cependant il est vrai que cet esprit philosophique, qui a gagné presque toutes les conditions, excepté le bas peuple, a beaucoup contribué à faire valoir les droits des souverains. Des querelles qui auraient produit autrefois des excommunications, des interdits, des schismes, n'en ont point causé. Si on a dit que les peuples seraient heureux quand ils auraient des philosophes pour rois, il est très vrai de dire que les rois en sont plus heureux quand il y a beaucoup de leurs sujets philosophes.

Il faut avouer que cet esprit raisonnable, qui commence à présider à l'éducation dans les grandes villes, n'a pu empêcher les fureurs des fanatiques des Cévennes, ni prévenir la démence du petit peuple de Paris autour d'un tombeau à Saint-Médard, ni calmer des disputes aussi acharnées que frivoles entre des hommes qui auraient dû être sages : mais, avant ce siècle, ces disputes eussent causé des troubles dans l'Etat; les miracles de Saint-Médard eussent été accrédités par les plus considérables citoyens; et le fanatisme, renfermé dans les montagnes des Cévennes, se fût répandu dans les villes.

Tous les genres de sciences et de littérature ont été épuisés dans ce siècle; et tant d'écrivains ont étendu les lumières de l'esprit humain, que ceux qui en d'autres temps auraient passé pour des prodiges ont été confondus dans la foule.

En 1768, dans les *Dialogues philosophiques, l'A, B, C* (IVe Entretien), Voltaire écrit ceci :

Je vous avouerai que je m'accommoderais assez d'un gouvernement démocratique. Je trouve que ce philosophe avait tort, qui disait à un partisan d'un gouvernement populaire : « Commence par l'essayer dans ta maison, tu t'en repentiras bien vite. » Avec sa permission, une maison et une ville sont deux choses fort différentes. Ma maison est à moi; mes enfants sont à moi; mes domestiques, quand je les paye, sont à moi; mais de quel droit mes concitoyens m'appartiendraient-ils? Tous ceux qui ont des possessions dans le même territoire ont

135. Les *Pensées sur la comète.*

> droit également au maintien de l'ordre dans ce territoire. J'aime à voir des hommes libres faire eux-mêmes les lois sous lesquelles ils vivent, comme ils ont fait leurs habitations. C'est un plaisir pour moi que mon maçon, mon charpentier, mon forgeron, qui m'ont aidé à bâtir mon logement, mon voisin l'agriculteur, et mon ami le manufacturier, s'élèvent tous au-dessus de leur métier, et connaissent mieux l'intérêt public que le plus insolent chiaoux de Turquie. Aucun laboureur, aucun artisan, dans une démocratie, n'a la vexation et le mépris à redouter; aucun n'est dans le cas de ce chapelier qui présentait sa requête à un duc et pair pour être payé de ses fournitures : « Est-ce que vous n'avez rien reçu, mon ami, sur votre partie? — Je vous demande pardon, Monseigneur; j'ai reçu un soufflet de monseigneur votre intendant. »
>
> Il est bien doux de n'être point exposé à être traîné dans un cachot pour n'avoir pu payer à un homme qu'on ne connaît pas un impôt dont on ignore la valeur et la cause, et jusqu'à l'existence.
>
> Etre libre, n'avoir que des égaux, est la vraie vie, la vie naturelle de l'homme; toute autre est un indigne artifice, une mauvaise comédie, où l'un joue le personnage de maître, l'autre d'esclave, celui-là de parasite, et cet autre d'entremetteur. Vous m'avouerez que les hommes ne peuvent être descendus de l'état naturel que par lâcheté et par bêtise.
>
> Cela est clair : personne ne peut avoir perdu sa liberté que pour n'avoir pas su la défendre. Il y a eu deux manières de la perdre : c'est quand les sots ont été trompés par des fripons, ou quand les faibles ont été subjugués par les forts. On parle de je ne sais quels vaincus à qui je ne sais quels vainqueurs firent crever un œil; il y a des peuples à qui on a crevé les deux yeux comme aux vieilles rosses à qui l'on fait tourner la meule. Je veux garder mes yeux; je m'imagine qu'on en crève un dans l'Etat aristocratique, et deux dans l'Etat monarchique.

Voici enfin un extrait de l'article « Démocratie » du *Dictionnaire philosophique :*

> Il n'y a d'ordinaire nulle comparaison à faire entre les crimes des grands, qui sont toujours ambitieux, et les crimes du peuple, qui ne veut jamais, et qui ne peut vouloir que la liberté et l'égalité. Ces deux sentiments, liberté et égalité, ne conduisent point à la calomnie, à la rapine, à l'assassinat, à l'empoisonnement, à la dévastation des terres de ses voisins, etc.; mais la grandeur ambitieuse et la rage du pouvoir précipitent dans tous ces crimes en tous temps et en tous lieux. [...]

Le gouvernement populaire est donc par lui-même moins inique, moins abominable que le pouvoir tyrannique.

Le grand vice de la démocratie n'est certainement pas la tyrannie et la cruauté : il y eut des républicains montagnards, sauvages et féroces; mais ce n'est pas l'esprit républicain qui les fit tels, c'est la nature. L'Amérique septentrionale était toute en républiques. C'étaient des ours.

Le véritable vice d'une république civilisée est dans la fable turque du dragon à plusieurs têtes et du dragon à plusieurs queues. La multitude des têtes se nuit, et la multitude des queues obéit à une seule tête qui veut tout dévorer.

La démocratie ne semble convenir qu'à un très petit pays; encore faut-il qu'il soit heureusement situé. Tout petit qu'il sera, il fera beaucoup de fautes, parce qu'il sera composé d'hommes. La discorde y régnera comme dans un couvent de moines; mais il n'y aura ni Saint-Barthélemy, ni massacres d'Irlande, ni Vêpres siciliennes, ni inquisition, ni condamnation aux galères pour avoir pris de l'eau dans la mer sans payer, à moins qu'on ne suppose cette république composée de diables dans un coin de l'enfer.

2.3. LA TENTATION DU DESPOTISME ÉCLAIRÉ

L'attitude de Voltaire ayant évolué sur ce point, nous donnons les textes dans leur ordre chronologique.

A. Une lettre pleine d'espoir (1736).

Au prince royal de Prusse,

A Paris, le 26 août 1736.

Monseigneur, il faudrait être insensible pour n'être pas infiniment touché de la lettre dont Votre Altesse Royale a daigné m'honorer. Mon amour-propre en a été trop flatté; mais l'amour du genre humain, que j'ai toujours eu dans le cœur, et qui, j'ose dire, fait mon caractère, m'a donné un plaisir mille fois plus pur, quand j'ai vu qu'il y a dans le monde un prince philosophe qui rendra les hommes heureux.

Souffrez que je vous dise qu'il n'y a point d'homme sur la terre qui ne doive des actions de grâces au soin que vous prenez de cultiver, par la saine philosophie, une âme née pour commander. Croyez qu'il n'y a eu de véritablement bons rois que ceux qui ont commencé comme vous par s'instruire, par connaître les hommes, par aimer le vrai, par détester la persécution et la superstition. Il n'y a point de prince qui, en pensant ainsi, ne puisse ramener l'âge d'or dans ses Etats. Pourquoi si peu de rois recherchent-ils cet avantage? Vous le sentez, monseigneur; c'est que presque tous songent plus à la royauté qu'à l'humanité : vous faites précisément le contraire. Soyez sûr que, si, un jour, le tumulte des affaires et la méchanceté des hommes n'altèrent point un si divin caractère, vous serez adoré de vos peuples et chéri du monde entier. Les philosophes dignes de ce nom voleront dans vos Etats ; et, comme les artisans célèbres viennent en foule dans le pays où leur art est plus favorisé, les hommes qui pensent viendront entourer votre trône [...].

Je regarderais comme un bonheur bien précieux celui de venir faire ma cour à Votre Altesse Royale. On va à Rome pour voir des églises, des tableaux, des ruines et des bas-reliefs. Un prince tel que vous mérite bien mieux un voyage : c'est une rareté plus merveilleuse. Mais l'amitié, qui me retient dans la retraite où je suis, ne me permet pas d'en sortir. Vous pensez sans doute, comme Julien, ce grand homme si calomnié, qui disait que les amis doivent toujours être préférés aux rois.

Dans quelque coin du monde que j'achève ma vie, soyez sûr, monseigneur, que je ferai continuellement des vœux pour vous, c'est-à-dire pour le bonheur de tout un peuple. Mon cœur sera au rang de vos sujets ; votre gloire me sera toujours chère. Je souhaiterai que vous ressembliez toujours à vous-même, et que les autres rois vous ressemblent. Je suis avec un profond respect, de Votre Altesse Royale, le très humble, etc.

B. Le pouvoir déforme (1740).

Extrait d'une lettre de Voltaire à Falkener :

Mon roi de Prusse, quand il n'était qu'un homme, aimait passionnément votre gouvernement anglais. Mais le roi a déformé l'homme, et maintenant il goûte le pouvoir despotique autant qu'un Mustapha, un Sélim ou un Soliman. (Juin 1742.)

C. La désillusion (1752).

À Madame Denis.

A Berlin, le 18 décembre 1752.

Je vous envoie, ma chère enfant, les deux contrats du duc de Wurtemberg[136] ; c'est une petite fortune assurée pour votre vie. J'y joins mon testament. Ce n'est pas que je croie à votre ancienne prédiction que le roi de Prusse me *ferait mourir de chagrin*. Je ne me sens pas d'humeur à mourir d'une si sotte mort ; mais la nature me fait beaucoup plus de mal que lui, et il faut toujours avoir son paquet prêt et le pied à l'étrier

---

136. Voltaire avait fait des placements importants sur la terre du duc en France.

pour voyager dans cet autre monde où, quelque chose qui arrive, les rois n'auront pas grand crédit.

Comme je n'ai pas dans ce monde-ci cent cinquante mille moustaches à mon service, je ne prétends point du tout faire la guerre. Je ne songe qu'à déserter honnêtement, à prendre soin de ma santé, à vous revoir, à oublier ce rêve de trois années.

Je vois bien *qu'on a pressé l'orange;* il faut penser à sauver l'*écorce*[137]. Je vais me faire, pour mon instruction, un petit dictionnaire à l'usage des rois.

Mon ami signifie *mon esclave.*

Mon cher ami veut dire *vous m'êtes plus qu'indifférent.*

Entendez par *je vous rendrai heureux, je vous souffrirai tant que j'aurai besoin de vous.*

Soupez avec moi ce soir signifie *je me moquerai de vous ce soir.*

Le dictionnaire peut être long; c'est un article à mettre dans l'*Encyclopédie.*

Sérieusement, cela serre le cœur. Tout ce que j'ai vu est-il possible? se plaire à mettre mal ensemble ceux qui vivent ensemble avec lui! Dire à un homme les choses les plus tendres, et écrire contre lui des brochures! et quelles brochures! Arracher un homme à sa patrie par les promesses les plus sacrées, et le maltraiter avec la malice la plus noire! Que de contrastes! Et c'est là l'homme qui m'écrivait tant de choses philosophiques, et que j'ai cru philosophe! et je l'ai appelé le *Salomon du Nord!*

Vous vous souvenez de cette belle lettre qui ne vous a jamais rassurée. *Vous êtes philosophe,* disait-il; *je le suis de même.* Ma foi, Sire, nous ne le sommes ni l'un ni l'autre.

Ma chère enfant, je ne me croirai tel que quand je serai avec mes pénates et avec vous. L'embarras est de sortir d'ici...

Ma chère enfant, quand je considère un peu en détail tout ce qui se passe ici, je finis par conclure que cela n'est pas vrai, que cela est impossible, qu'on se trompe, que la chose est arrivée à Syracuse[138], il y a quelque trois mille ans. Ce qui est bien vrai, c'est que je vous aime de tout mon cœur et que vous faites ma consolation.

---

137. Allusion aux paroles de Frédéric II : « J'aurai besoin de lui encore un an, tout au plus : on presse l'orange, et on jette l'écorce »; **138.** Allusion à Denys, tyran de Syracuse dans l'Antiquité (IVe siècle av. J.-C.).

2.4. LE SYSTÈME ANGLAIS

A. Voltaire et le Parlement anglais.

On complétera la Lettre VIII à l'aide des textes donnés ci-dessous. On pourra aussi se reporter à l'*Essai sur les mœurs* (chapitre CLXXXII, où Voltaire stigmatise le fanatisme religieux du Parlement anglais, mais fait l'éloge de ses efforts pour le développement du commerce; chapitre CLXXX, où il salue son courage désintéressé). Voici quelques extraits d'autres chapitres du même ouvrage.

◆ Chap. LXXV : la transformation du Parlement au début du XIVe siècle.

Edouard Ier donna du poids à la Chambre des Communes pour pouvoir balancer le pouvoir des Barons. Ce Prince, assez ferme et assez habile pour les ménager et ne les point craindre forma cette espèce de gouvernement qui rassemble tous les avantages de la Royauté, de l'Aristocratie et de la Démocratie, mais qui a aussi les inconvénients de toutes les trois, et qui ne peut subsister que sous un Roi sage. Son fils ne le fut pas, et l'Angleterre fut déchirée.

◆ Chap. XCIV : au temps de Louis XI.

L'Angleterre jetait au milieu de ces divisions les semences de ce gouvernement singulier dont les racines, toujours coupées et toujours sanglantes, ont enfin produit après des siècles, à l'étonnement des Nations, le mélange égal de la Liberté et de la Royauté.

◆ Chap. CVI : au XVe siècle.

La beauté du gouvernement d'Angleterre, depuis que la Chambre des Communes a part à la législation, consiste dans ce contrepoids, et dans ce chemin toujours ouvert aux honneurs pour quiconque en est digne; mais aussi le Peuple étant toujours tenu dans la sujétion, le gouvernement des Nobles en est mieux affermi, et les discordes civiles plus éloignées. On n'y craint point la Démocratie, qui ne convient qu'à un petit canton suisse, ou à Genève.

◆ *Questions sur l'« Encyclopédie »* (1771) : extrait de l'article « Etats généraux ».

Les seconds Etats généraux de l'Europe sont ceux de la Grande-Bretagne. Ils ne sont pas toujours assemblés comme la diète de Ratisbonne, mais ils sont devenus si nécessaires que le Roi les convoque tous les ans. La Chambre des Communes répond précisément aux Députés des Villes reçus dans la Diète de l'Empire; mais elle est en beaucoup plus grand nombre, et jouit d'un pouvoir bien supérieur. C'est proprement la Nation. Les Pairs et les Evêques ne sont en Parlement que pour eux, et la Chambre des Communes y est pour tout le Pays. Ce Parlement d'Angleterre n'est autre chose qu'une imitation perfectionnée de quelques Etats généraux de France.

B. Voltaire et le gouvernement anglais.

◆ Lettre à d'Argenson (8 mai 1739).

Voltaire vient de recevoir le manuscrit de l'ouvrage que son correspondant publiera en 1764 sous le titre : *Considérations sur le gouvernement ancien et présent de la France;* il donne son opinion : « Je trouve toutes mes idées dans votre ouvrage », ajoutant que ce n'est pas un amas de rêves ou de chimères : « C'est ici quelque chose de plus réel [que les rêves de l'abbé de Saint-Pierre ou le *Télémaque* de Fénelon], et que l'expérience prouve de la manière la plus éclatante. » Et il poursuit :

A Cirey, le 8 mai 1739.

[...] Car, si vous en exceptez le pouvoir monarchique, auquel un homme de votre nom et de votre état ne peut souhaiter qu'un pouvoir immense, aux bornes près, dis-je, de ce pouvoir monarchique aimé et respecté par nous, l'Angleterre n'est-elle pas un témoignage subsistant de la sagesse de vos idées? Le roi avec son Parlement est législateur, comme il l'est ici avec son conseil. Tout le reste de la nation se gouverne selon des lois municipales, aussi sacrées que celles du Parlement même. L'amour de la loi est devenu une passion dans le peuple, parce que chacun est intéressé à l'observation de cette loi. Tous les grands chemins sont réparés, les hôpitaux fondés et entretenus, le commerce florissant, sans qu'il faille un arrêt du conseil. Cette idée est d'autant plus admirable dans vous que vous êtes vous-même de ce conseil, et que l'amour du bien public l'emporte dans votre âme sur l'amour de votre autorité. [...]

◆ *La Princesse de Babylone* (1768), chap. VIII.

Après le dîner, pendant que milady versait du thé et qu'elle dévorait des yeux le jeune homme, il s'entretenait avec un membre du Parlement. [...] Amazan s'informait de la constitution, des mœurs, des lois, des forces, des usages, des arts, qui rendaient ce pays si recommandable; et ce seigneur lui parlait en ces termes :

Nous avons longtemps marché tout nus, quoique le climat ne soit pas chaud. Nous avons été longtemps traités en esclaves par des gens venus de l'antique terre de Saturne, arrosée des eaux du Tibre; mais nous nous sommes fait nous-mêmes beaucoup plus de maux que nous n'en avions essuyé de nos premiers vainqueurs. Un de nos rois poussa la bassesse jusqu'à se déclarer sujet d'un prêtre qui demeurait aussi sur les bords du Tibre, et qu'on appelait le *vieux des sept montagnes :* tant la destinée de ces sept montagnes a été longtemps de dominer sur une grande partie de l'Europe habitée alors par des brutes! Après ces temps d'avilissement sont venus des siècles de férocité et d'anarchie. Notre terre, plus orageuse que les mers qui l'environnent, a été saccagée et ensanglantée par nos discordes; plusieurs têtes couronnées ont péri par le dernier supplice; plus de cent princes du sang des rois ont fini leurs jours sur l'échafaud; on a arraché le cœur à tous leurs adhérents, et on en a battu leurs joues. C'était au bourreau qu'il appartenait d'écrire l'histoire de notre île, puisque c'était lui qui avait terminé toutes les grandes affaires.

Il n'y a pas longtemps que, pour comble d'horreur, quelques personnes portant un manteau noir et d'autres qui mettaient une chemise blanche par-dessus leur jaquette ayant été mordues par des chiens enragés, communiquèrent la rage à la nation entière. Tous les citoyens furent ou meurtriers ou égorgés, ou bourreaux ou suppliciés, ou déprédateurs ou esclaves, au nom du ciel et en cherchant le Seigneur.

Qui croirait que de cet abîme épouvantable, de ce chaos de dissensions, d'atrocités, d'ignorance, et de fanatisme, il est enfin résulté le plus parfait gouvernement peut-être qui soit aujourd'hui dans le monde! Un roi honoré et riche, tout-puissant pour faire le bien, impuissant pour faire le mal, est à la tête d'une nation libre, guerrière, commerçante et éclairée. Les grands d'un côté, et les représentants des villes de l'autre partagent la législation avec le monarque.

On avait vu, par une fatalité singulière, le désordre, les guerres civiles, l'anarchie et la pauvreté, désoler le pays quand les rois affectaient le pouvoir arbitraire. La tranquillité, la richesse, la félicité publique, n'ont régné chez nous que quand les rois ont reconnu qu'ils n'étaient pas absolus. Tout était subverti quand on disputait sur des choses inintelligibles; tout a été dans l'ordre quand on les a méprisées. Nos flottes victorieuses portent notre gloire sur toutes les mers, et les lois mettent en sûreté nos fortunes : jamais un juge ne peut les expliquer arbitrairement; jamais on ne rend un arrêt qui ne soit motivé. Nous punirions comme des assassins des juges qui oseraient envoyer à la mort un citoyen sans manifester des témoignages qui l'accusent, et la loi qui les condamne.

Il est vrai qu'il y a toujours chez nous deux partis qui se combattent avec la plume et avec des intrigues; mais aussi ils se réunissent toujours quand il s'agit de prendre les armes pour défendre la patrie et la liberté. Ces deux partis veillent l'un sur l'autre ; ils s'empêchent mutuellement de violer le dépôt sacré des lois ; ils se haïssent, mais ils aiment l'Etat ; ce sont des amants jaloux qui servent à l'envi la même maîtresse.

Du même fonds d'esprit qui nous a fait connaître et soutenir les droits de la nature humaine nous avons porté les sciences au plus haut point où elles puissent parvenir chez les hommes. Vos Egyptiens, qui passent pour de si grands philosophes, vos Babyloniens qui se vantent d'avoir observé les astres pendant quatre cent trente mille années, les Grecs, qui ont écrit tant de phrases et si peu de choses, ne savent précisément rien en comparaison de nos moindres écoliers, qui ont étudié les découvertes de nos grands maîtres. Nous avons arraché plus de secrets à la nature dans l'espace de cent années, que le genre humain n'en avait découvert dans la multitude des siècles. Voilà au vrai l'état où nous sommes. Je ne vous ai caché ni le bien, ni le mal, ni nos opprobres, ni notre gloire ; et je n'ai rien exagéré.

◆ *L'Éloge de la Raison* (1774).

Il me semble que le bonheur de cette nation n'est point fait comme celui des autres ; elle a été plus folle, plus fanatique, plus cruelle, et plus malheureuse qu'aucune de celles que je connais ; et la voilà qui s'est fait un gouvernement unique, dans lequel on a conservé tout ce que la monarchie a d'utile, et tout ce qu'une république a de nécessaire. Elle est supérieure dans la guerre, dans les lois, dans les arts, dans le commerce.

3. VOLTAIRE ET LES PROBLÈMES ÉCONOMIQUES

3.1. PRESTIGE ET BONHEUR MATÉRIEL

L'histoire doit-elle retracer les glorieuses conquêtes, faire la biographie des grands capitaines ou évoquer la vie sociale et économique et citer les hommes qui ont fait progresser la civilisation ? Voltaire répond sans ambiguïté en faveur, chaque fois, de la seconde solution.

On se reportera à l'*Essai sur les mœurs,* chap. LXXXIV ; au *Siècle de Louis XIV,* chap. XXIX, à l'opuscule intitulé *Des embellissements de la ville de Cachemire* (1750). Voici quelques textes complémentaires.

◆ Dans l'*Essai sur les mœurs* (chap. CXVIII), Voltaire oppose Charles Quint et François Ier dans ces termes :

> En Espagne, en Allemagne, en Italie, on voit Charles Quint, maître de tous ces Etats sous des titres différents soutenant le fardeau de l'Europe, toujours en action et en négociation, heureux longtemps en politique et en guerre, le seul empereur puissant depuis Charlemagne, et le premier roi de toute l'Espagne depuis la conquête des Maures; opposant des barrières à l'empire ottoman, faisant des rois et une multitude de princes, et se dépouillant enfin de toutes les couronnes dont il est chargé, pour aller mourir en solitaire après avoir troublé l'Europe.
>
> Son rival de gloire et de politique, François Ier roi de France, moins heureux, mais plus brave et plus aimable, partage entre Charles Quint et lui les vœux et l'estime des nations. Vaincu et plein de gloire, il rend son royaume florissant malgré ses malheurs; il transplante en France les beaux-arts, qui étaient en Italie au plus haut point de perfection.

◆ Turgot ou Necker?

> *À Monsieur De Vaines.*
>
> 8 mai 1775.
>
> Il est digne des Welches de s'opposer aux grands desseins de M. Turgot; et vous, monsieur, qui êtes un vrai Français, vous êtes aussi indigné que moi de la sottise du peuple. Les Parisiens ressemblent aux Dijonnais, qui, en criant qu'ils manquaient de pain, ont jeté deux cents setiers de blé dans la rivière. Les mêmes Dijonnais ont écrit que le style du Bourguignon Crébillon était plus coulant que celui de Racine, et qu'Alexis Piron était au-dessus de Molière : tout cela est digne du siècle.
>
> Nous n'avons point encore à Genève le fatras du Genevois Necker contre le meilleur ministre que la France ait jamais eu. Necker se donnera bien de garde de m'envoyer sa petite drôlerie. Il sait assez que je ne suis pas de son avis. Il y a dix-sept ans que j'eus le bonheur de posséder, pendant quelques jours, M. Turgot dans ma caverne. J'aimais son cœur et j'admirai son esprit. Je vois qu'il a rempli toutes mes vues et toutes mes espérances. L'édit du 13 de septembre me paraît un chef-d'œuvre de la véritable sagesse et de la véritable éloquence. Si Necker pense mieux et écrit mieux, je crois, dès ce moment, Necker le premier homme du monde; mais, jusqu'à présent, je pense comme vous.
>
> Je suis pénétré de vos bontés, monsieur, et de votre manière de penser, de sentir, et de vous exprimer.

◆ Une certaine conception de l'histoire.

Lettre à Thiériot :

> Quand je vous ai demandé des anecdotes sur le siècle de Louis XIV, c'est moins sur sa personne que sur les arts qui ont fleuri de son temps. J'aimerais mieux des détails sur Racine et Despréaux, sur Quinault, Lulli, Molière, Le Brun, Bossuet, Poussin, Descartes, etc., que sur la bataille de Steinkerque. Il ne reste plus rien que le nom de ceux qui ont conduit des bataillons et des escadrons ; il ne revient rien au genre humain de cent batailles données ; mais les grands hommes dont je vous parle ont préparé des plaisirs purs et durables aux hommes qui ne sont pas encore nés. Une écluse du canal qui joint les deux mers, un tableau du Poussin, une belle tragédie, une vérité découverte sont des choses mille fois plus précieuses que toutes les relations de campagnes ; vous savez que chez moi les grands hommes sont les premiers et les héros les derniers. J'appelle grands hommes tous ceux qui ont excellé dans l'utile ou dans l'agréable. Les saccageurs de provinces ne sont que héros. (15 juillet 1735.)

À M. Vernet.

A Cirey en Champagne, le 1er juin 1744.

Monsieur,

[...] Je suis flatté que mes petites réflexions sur l'histoire ne vous aient pas déplu. J'ai tâché de mettre ces idées en pratique dans un essai que j'ai assez avancé sur l'histoire universelle depuis Charlemagne : il me semble qu'on n'a guère encore considéré l'histoire que comme des compilations chronologiques, on ne l'a écrite ni en citoyen, ni en philosophe. Que m'importe d'être bien sûr qu'Adaloaldus succéda au roi Agiluf en 616, et de quoi servent les anecdotes de leur cour ? Il est bon que ces noms soient écrits une fois dans les registres poudreux des temps, pour les consulter une fois peut-être dans la vie. Mais quelle misère de faire une étude de ce qui ne peut ni instruire, ni plaire, ni rendre meilleur ! Je me suis attaché à faire autant que j'ai pu l'histoire des mœurs, des sciences, des lois, des usages, des superstitions ; je ne vois presque que des histoires de rois, je veux celle des hommes. Permettez-moi de vous soumettre ce que je dis dans l'avant-propos de mon essai.

Voici comme je m'exprime : « Je regarde la chronologie et les successions des rois comme mes guides, et non comme le but de mon travail. Ce travail serait bien ingrat si je me borne à vouloir apprendre en quelle année un prince indigne de l'être succéda à un prince barbare. Il me semble, en lisant les histoires, que la terre n'ait été faite que pour quelques souverains, et pour ceux qui ont servi leurs passions; presque tout le reste est abandonné. Les historiens en cela ressemblent à quelques tyrans dont ils parlent, ils sacrifient le genre humain à un seul homme. »

3.2. LA LUTTE CONTRE LES FLÉAUX

A. La guerre et le fanatisme.

Voir *Candide* (III) et Documentation thématique (II); *Micromégas* (VII).

B. L'arbitraire.

◆ La liberté des personnes : *Discours aux Welches* (1764) :

Dans le cinquième siècle de votre ère vulgaire, des Vandales, que vous avez appelés du nom sonore de Bourgonsions ou de Bourguignons, gens d'esprit d'ailleurs, et fort propres, qui oignaient leurs cheveux avec du beurre fort, comme le dit Sidonius Apollinaris, *infundens acido comam butyro,* ces gens-là, dis-je, vous firent esclaves, depuis le territoire de votre ville de Vienne jusqu'aux sources de votre rivière de Seine; et c'est un reste glorieux de ces temps illustres, que des moines et chanoines aient encore des serfs dans ce pays. Cette belle prérogative de l'espèce humaine subsiste parmi vous comme un témoignage de votre sagesse.

Essai sur les mœurs (chap. CXCVII) :

L'homme peut-être qui dans les temps grossiers qu'on nomme du moyen âge, mérita le plus du genre humain, fut le pape Alexandre III. Ce fut lui qui, dans un concile, au XIIe siècle, abolit autant qu'il le put la servitude; c'est ce même pape qui triompha dans Venise, par sa sagesse, de la violence de l'empereur Frédéric Barberousse, et qui força Henri II, roi d'Angleterre, de demander pardon à Dieu et aux hommes du meurtre de Thomas Becket. Il ressuscita les droits des peuples, et réprima le crime dans les rois. Nous avons remarqué qu'avant ce temps toute l'Europe excepté un petit nombre de villes, était partagée entre deux sortes d'hommes, les seigneurs des terres, soit séculiers, soit ecclésiastiques, et les esclaves. Les hommes de loi qui assistaient les chevaliers, les baillis, les maîtres d'hôtel des fiefs dans leurs jugements n'étaient réellement que des serfs d'origine. Si les hommes sont rentrés dans leurs droits, c'est principalement au pape Alexandre III qu'ils en sont redevables; c'est à lui que tant de villes doivent leur splendeur : cependant nous avons vu que cette liberté ne s'est pas étendue partout [...]. On voit même encore en France, dans quelques provinces éloignées de la capitale, des restes de cet esclavage. Il y a quelques chapitres, quelques moines, à qui les biens des paysans appartiennent.

◆ Liberté de pensée et d'expression :

À Monsieur d'Alembert.

[Ferney] 5 avril 1765.

Il y a peu d'êtres pensants. Mon ancien disciple couronné me mande qu'il n'y en a guère qu'un sur mille ; c'est à peu près le nombre de la bonne compagnie ; et s'il y a actuellement un millième d'hommes de raisonnable, cela décuplera dans dix ans. Le monde se déniaise furieusement. Une grande révolution dans les esprits s'annonce de tous côtés. Vous ne sauriez croire quels progrès la raison a faits dans une partie de l'Allemagne. Je ne parle pas des impies qui embrassent ouvertement le système de Spinosa ; je parle des honnêtes gens, qui n'ont point de principes fixes sur la nature des choses, qui ne savent point ce qui est, mais qui savent très bien ce qui n'est pas : voilà mes vrais philosophes. Je peux vous assurer que de tous ceux qui sont venus me voir, je n'en ai trouvé que deux qui fussent des sots. Il me paraît qu'on n'a jamais tant craint les gens d'esprit à Paris qu'aujourd'hui.

L'inquisition sur les livres est sévère : on me mande que les souscripteurs n'ont point encore le *Dictionnaire encyclopédique*. Ce n'est pas seulement être sévère, c'est être très injuste. Si on arrête le débit de ce livre, on vole les souscripteurs et on ruine les libraires. Je voudrais bien savoir quel mal peut faire un livre qui coûte cent écus. Jamais vingt volumes *in-folio* ne feront de révolution ; ce sont les petits livres portatifs[139] à trente sous qui sont à craindre. Si l'Evangile avait coûté douze cents sesterces, jamais la religion chrétienne ne se serait établie.

Pour moi, j'ai mon exemplaire de l'*Encyclopédie,* en qualité d'étranger et de Suisse. On veut bien que les Suisses se damnent ; mais on veille de près, à ce que je vois, sur le salut des Parisiens. Si vous pouviez m'envoyer quelque chose pour achever ma damnation, vous me feriez un plaisir diabolique, dont je vous serais obligé. Je ne peux plus travailler, mais j'aime à me donner du bon temps, et je veux quelque chose qui pique.

C. La misère.

Essai sur les mœurs (chap. CXVIII, sur le XVIe siècle) :

Ce qui frappe encore dans ce siècle illustre, c'est que malgré

---

139. Allusion probable au *Dictionnaire philosophique portatif* — de Voltaire —, daté de 1764.

les guerres que l'ambition excita et malgré les querelles de religion qui commençaient à troubler les Etats, ce même génie qui faisait fleurir les beaux-arts à Rome, à Naples, à Florence, à Venise, à Ferrare, et qui de là portait sa lumière dans l'Europe, adoucit d'abord les mœurs des hommes dans presque toutes les provinces de l'Europe chrétienne. La galanterie de la cour de François Ier opéra en partie ce grand changement. Il y eut entre Charles Quint et lui une émulation de gloire, d'esprit de chevalerie, de courtoisie, au milieu même de leurs plus furieuses dissensions; et cette émulation qui se communiqua à tous les courtisans, donna à ce siècle un air de grandeur et de politesse inconnu jusques alors. Cette politesse brillait même au milieu des crimes; c'était une robe d'or et de soie ensanglantée.

L'opulence y contribua; et cette opulence, devenue plus que générale, était en partie (par une étrange révolution) la suite de la perte funeste de Constantinople : car bientôt après, tout le commerce des Ottomans fut fait par les chrétiens, qui leur vendaient jusqu'aux épiceries des Indes, en les allant charger sur leurs vaisseaux dans Alexandrie, et les portant ensuite dans les mers du Levant. Les Vénitiens surtout firent ce commerce.

3.3. L'ACTION DIRECTE

◆ *Essai sur les mœurs* (chap. CXVIII, sur le XVIe siècle) :

L'industrie fut partout excitée. Marseille fit un grand commerce. Lyon eut de belles manufactures. Les villes des Pays-Bas furent plus florissantes encore que sous la maison de Bourgogne. Les dames appelées à la cour de François Ier en firent le centre de la magnificence, comme de la politesse. Les mœurs étaient plus dures à Londres où régnait un roi capricieux et féroce; mais Londres commençait déjà à s'enrichir par le commerce...

◆ Lettre à Cideville (25 novembre 1758).

Le fait est que j'ai acheté, à une lieue des Délices, une terre qui donne beaucoup de foin, de blé, de paille et d'avoine; et je suis à présent

Rusticus abnormis sapiens crassaque Minerva[140].

J'ai des chênes droits comme des pins, qui touchent le ciel, et qui rendraient grand service à notre marine, si nous en avions une. Ma seigneurie a d'aussi beaux droits que

140. « Un paysan philosophe sans règle, à l'intellect épais » (Horace, *Satires*, II, 2, 3).

La Motte; et nous verrons, quand nous nous battrons, qui l'emportera.

Nunc itaque et versus caetera ludicra pono[141].

Je sème avec le semoir; je fais des expériences de physique sur notre mère commune; mais j'ai bien de la peine à réduire Mme Denis au rôle de Cérès, de Pomone et de Flore; elle aimerait mieux, je crois, être Thalie à Paris; et moi, non : je suis idolâtre de la campagne, même en hiver. Allez à Paris; allez, vous qui ne pouvez encore vous défaire de vos passions.

Urbis amatorem Fuscum salvere jubemus
Ruris amatores[142].

L'ami des hommes, ce M. de Mirabeau [143], qui parle, qui parle, qui parle, qui décide, qui tranche, qui aime tant le gouvernement féodal, qui fait tant d'écarts, qui se blouse si souvent, ce prétendu ami du genre humain n'est mon fait que quand il dit : Aimez l'agriculture. Je rends grâces à Dieu, et non à ce Mirabeau, qui m'a donné cette dernière passion...

◆ Lettre à Monsieur Dupont de Nemours (7 juin 1769) :

À Monsieur Dupont de Nemours [économiste et poète, disciple de Quesnay]

7 juin 1769.

Rien n'est plus beau, à mon gré, qu'une vaste maison rustique, dans laquelle entrent et sortent, par quatre grandes portes cochères, des chariots chargés de toutes les dépouilles de la campagne; les colonnes de chêne qui soutiennent toute la charpente sont placées à des distances égales sur des socles de roche; de longues écuries règnent à droite et à gauche; cinquante vaches, proprement tenues, occupent un côté avec leurs génisses; les chevaux et les bœufs sont de l'autre; leur pâture tombe dans leurs crèches du haut de greniers immenses; les granges où l'on bat les grains sont au milieu; et vous savez que tous les animaux, logés chacun à leur place dans ce grand édifice, sentent très bien que le fourrage, l'avoine qu'il renferme, leur appartiennent de droit.

Au midi de ces beaux monuments d'agriculture sont les basses-cours et les bergeries; au nord sont les pressoirs, les celliers, la fruiterie; au levant, les logements du régisseur et de trente domestiques; au couchant s'étendent les grandes prairies pâturées et engraissées par tous ces animaux, compagnons du travail de l'homme.

---

141. « Maintenant, j'abandonne les vers et les autres divertissements » (Horace, *Epîtres,* I, 1, 10); **142.** « Amis de la campagne, nous disons adieu à Fuscus, ami de la ville » (Horace, *Epîtres,* I, 10, 1); **143.** Le père de celui que la Révolution française rendit célèbre; c'était un économiste physiocrate.

Les arbres du verger, chargés de fruits à noyaux et à pépins, sont encore une autre richesse. Quatre ou cinq cents ruches sont établies auprès d'un petit ruisseau qui arrose ce verger; les abeilles donnent au possesseur une récolte abondante de miel et de cire, sans qu'il s'embarrasse de toutes les fables qu'on a débitées sur ce peuple industrieux, sans rechercher très vainement si cette nation vit sous les lois d'une prétendue reine.

Il y a des allées de mûriers à perte de vue; les feuilles nourrissent ces vers précieux qui ne sont pas moins utiles que les abeilles.

Une partie de cette vaste enceinte est fermée par un rempart impénétrable d'aubépine proprement taillée, qui réjouit l'odorat et la vue.

La cour et la basse-cour ont d'assez hautes murailles.

Telle doit être une bonne métairie.

3.4. LA SYNTHÈSE DE L'ACTION ET DE LA RÉFLEXION : FERNEY

À M. l'abbé Baudeau [économiste, partisan des idées de Turgot]

1775.

Je ne puis assez vous remercier, monsieur, de la bonté que vous avez de me faire envoyer vos *Ephémérides*. Les vérités utiles y sont si clairement énoncées que j'y apprends toujours quelque chose, quoique, à mon âge, on soit d'ordinaire incapable d'apprendre. La liberté du commerce des grains y est traitée comme elle doit l'être; et cet avantage inestimable serait encore plus grand, si l'Etat avait pu dépenser en canaux de province à province la vingtième partie de ce qu'il nous en a coûté pour deux guerres, dont la première fut entièrement inutile, et l'autre funeste. S'il y a jamais eu quelque chose de prouvé, c'est la nécessité d'abolir pour jamais les corvées. Voilà deux services essentiels que M. Turgot veut rendre à la France; et, en cela, son administration sera très supérieure à celle du grand Colbert. J'ai toujours admiré cet habile ministre de Louis XIV, bien moins pour ce qu'il fit que pour ce qu'il voulut faire; car vous savez que son plan était d'écarter pour jamais les traitants. La guerre plus brillante que sage de 1672 détruisit toute son économie. Il fallut servir la gloire de Louis XIV, au lieu de servir la France; il fallut recourir aux emprunts onéreux, au lieu d'imposer un tribut égal et proportionné, comme celui du dixième.

Que la France soit administrée comme l'a été la province de Limoges, et alors cette France, sortant de ses ruines, sera le modèle du plus heureux gouvernement.

Je suis bien content, monsieur, de tout ce que vous dites sur les entraves des artistes, sur les maîtrises, sur les jurandes. J'ai sous mes yeux un grand exemple de ce que peut une liberté honnête et modérée en fait de commerce, aussi bien qu'en fait d'agriculture. Il y avait dans le plus bel aspect de l'Europe après Constantinople, mais dans le sol le plus ingrat et le plus malsain, un petit hameau habité par quarante malheureux dévorés d'écrouelles et de pauvreté. Un homme, avec un bien honnête, acheta ce territoire affreux, exprès pour le changer. Il commença par faire dessécher des marais empestés ; il défricha ; il fit venir des artistes étrangers de toute espèce, et surtout des horlogers, qui ne connurent ni maîtrise, ni jurande, ni compagnonnage, mais qui travaillèrent avec une industrie merveilleuse, et qui furent en état de donner des ouvrages finis à un tiers meilleur marché qu'on ne les vend à Paris.

M. le duc de Choiseul les protégea avec cette noblesse et cette grandeur qui ont donné tant d'éclat à toute sa conduite.

M. d'Ogny les soutint par des bontés sans lesquelles ils étaient perdus.

M. Turgot, voyant en eux des étrangers devenus Français, et des gens de bien devenus utiles, leur a donné toutes les facilités qui se concilient avec les lois.

Enfin, en peu d'années, un repaire de quarante sauvages est devenu une petite ville opulente, habitée par douze cents personnes utiles, par des physiciens de pratique, par des sages dont l'esprit occupe les mains. Si on les avait assujettis aux lois ridicules inventées pour opprimer les arts, ce lieu serait encore un désert infect, habité par les ours des Alpes et du mont Jura.

Continuez, monsieur, à nous éclairer, à nous encourager, à préparer les matériaux avec lesquels nos ministres élèveront le temple de la félicité publique.

J'ai l'honneur d'être, avec une reconnaissance respectueuse, monsieur, etc.

JUGEMENTS SUR LES « LETTRES PHILOSOPHIQUES » ET SUR VOLTAIRE PHILOSOPHE

XVIIIe SIÈCLE

Cet homme, dites-vous, est né jaloux de toute espèce de mérite. [...] Cet homme, dites-vous, est ingrat. [...] (C'est un) insensé. Mais ce jaloux est un octogénaire qui tint toute sa vie son fouet levé sur les tyrans, les fanatiques et les autres grands malfaiteurs de ce monde. Mais cet ingrat, constant ami de l'humanité, a quelquefois secouru le malheureux dans sa détresse et vengé l'innocence opprimée. Mais cet insensé a introduit la philosophie de Locke et de Newton dans sa patrie, attaqué les préjugés les plus révérés sur la scène, prêché la liberté de penser, inspiré l'esprit de tolérance, soutenu le bon goût expirant, fait plusieurs actions louables et une multitude d'excellents ouvrages. Son nom est en honneur dans toutes les contrées et durera dans tous les siècles.

Diderot,
Lettre à Naigeon (1772).

Comment se remplira le vide immense qu'il a laissé dans presque tous les genres de littérature? Je dirais que ce fut le plus grand homme que la nature ait produit, que je trouverais des approbateurs; mais si je dis qu'elle n'en avait point encore produit, et qu'elle n'en produira peut-être pas un aussi extraordinaire, il n'y aura guère que ses ennemis qui me contrediront.

Diderot,
Essais sur les règnes de Claude et de Néron (1778).

Tout cela me montre un homme que je n'aurais pu estimer et avec qui je n'aurais guère aimé vivre. Ajoutez les vertus austères et mâles souvent livrées à la risée du vice souple et poli; les louanges éternelles prodiguées à notre luxe, à nos vins, à nos cuisiniers, et l'ironie versée à pleines mains sur les hommes qui ont méprisé tous ces biens, sur les peuples qui ne les ont point connus, et où une sainte égalité ne permettait pas à un petit nombre de citoyens de s'engraisser de la faim d'autrui.

Toutefois, ouvrons d'autres pages, et nous y verrons la vertu aimée et respectée, et peinte de couleurs dignes d'elle; nous y verrons le vice traîné dans la boue, la grandeur accompagnée de crimes foulée aux pieds, les usurpations en tout genre attaquées avec véhémence ou avec un sel âcre et pénétrant qui n'est pas moins efficace, enfin tous les droits de l'humanité soutenus avec une éloquence si forte et si persuasive que je m'étonne toujours que des pensées si contraires soient nées dans la même tête, et que cette dernière partie de ses écrits n'ait pas obtenu de lui qu'il supprimât l'autre.

A. Chénier,
Sur la perfection des arts (posthume, 1840).

XIXe SIÈCLE

Voltaire édifie et renverse; il donne les exemples et les préceptes les plus contraires. [...] Tandis que son imagination vous ravit, il fait luire une fausse raison qui détruit le merveilleux, rapetisse l'âme et montre sous un jour hideusement gai l'homme à l'homme. Il charme et fatigue par sa mobilité; il vous enchante et vous dégoûte; on ne sait quelle est la forme qui lui est propre : il serait insensé s'il n'était si sage, et méchant si sa vie n'était remplie de traits de bienfaisance.

Chateaubriand,
Génie du christianisme (1802).

La sagesse a vaincu, et, en ce moment, nous vivons sous le régime plus équitable que Voltaire nous a préparé; nous avons de la peine à comprendre la grandeur de son rôle; mais il y a des temps malheureux où les vérités éternelles sont des nouveautés, et le sens commun du génie.

Pourtant, malgré cette justice si volontiers rendue à Voltaire, s'il revenait tel qu'il a été autrefois, nous ne serions pas en tout des siens. Sa raison, sûre et excellente, est trop timide : instrument merveilleux qui ploie dès qu'il enfonce. Il faut le garder et le retremper. [...] L'amour du droit n'est pas le cœur humain tout entier, et surtout il n'en est pas le fond. La passion de Voltaire est la raison émue, c'est toujours la raison; elle n'entend que les gémissements causés par l'injustice, et ne plaint que les maux qu'elle peut guérir.

E. Bersot,
la Philosophie de Voltaire (1848).

Sans jamais y viser, il a souvent atteint, par la seule et merveilleuse agilité de sa compréhension, la véritable profondeur. En proposant, d'ailleurs, pour les problèmes que nous agitons encore entre nous, des solutions trop simples et par cela même, si l'on peut ainsi dire, éminemment contestables, il n'en a pas moins fait le tour des idées. Et puis, et enfin, voltairiens que nous sommes sans le savoir et même en ne voulant pas l'être, c'est là que nous avons nos origines.

F. Brunetière,
Études critiques (1880).

Il est trop léger pour être cruel. Il dit des choses énormes en pirouettant sur son talon. Mais il est admirable pour se contredire, pour aller d'un bond jusqu'au bout d'une idée et d'un autre élan jusqu'au bout de l'idée contraire, pour être inconséquent avec une souveraine intrépidité de certitude, pour être athée, déiste, optimiste, pessimiste, audacieux novateur, réactionnaire enragé, toujours avec la même netteté de pensée et décision d'argument, toujours comme s'il ne pensait jamais autre chose, ce qui fait que chaque livre de lui est une merveille de limpidité, et son œuvre un prodige d'incertitude. Ce grand esprit, c'est un chaos d'idées claires.

E. Faguet,
XVIIIe siècle (1890).

XXe SIÈCLE

Où l'influence de Voltaire (au XIXe siècle) a été immense, évidente et continue, c'est sur le pamphlet et le journalisme, sur toutes les formes de la polémique. Il a été le maître de l'ironie agressive et du ridicule meurtrier. Il a enseigné les tours malins, les fictions imprévues, les transpositions facétieuses qui forcent l'attention du public; il a montré comment une question considérable se désosse, se simplifie, se réduit à quelques vérités de bon sens, comment les thèses des adversaires se traduisent en propositions absurdes qu'on n'a pas besoin de réfuter, comment on se répète sans lasser pour faire entrer l'idée dans la tête du lecteur en se répétant, par l'inépuisable renouvellement des formes piquantes et des symboles drôles qui la manifestent.

Il a été un grand artiste dans des écrits d'où la note d'art, à l'ordinaire, était absente, et c'est de lui que procèdent les polémistes du XIXe siècle qui ont relevé l'actualité par l'invention artistique.

G. Lanson,
Voltaire (1906).

De toutes ses remarques sur l'Angleterre, il fait un bloc qu'il jette sur les institutions fondamentales de la France. Otez ce qu'il critique : l'unité religieuse oppressive, la richesse du clergé, sa puissance politique; le despotisme royal; les privilèges de la noblesse. Supposez ce qu'il désire : l'égalité du marchand et du noble, la proportionnalité de l'impôt, la séparation de la foi et de la raison, la souveraineté de la méthode expérimentale, la liberté de la science et de la littérature. Que reste-t-il de la France de Louis XV? N'y a-t-il pas toute une révolution dans ce programme?

Les *Lettres philosophiques* sont la première bombe lancée contre l'Ancien Régime.

Id., *ibid.*

Malgré ses inexactitudes, ses erreurs, ses omissions, ses partis pris et une documentation souvent hâtive, les *Lettres philosophiques* sont le brûlot le mieux construit, le plus finement armé, à la fois le plus léger et le plus hardi, qu'un pamphlétaire ait jamais lancé contre les vaisseaux de ligne d'une vieille civilisation. [...] Son livre ne satisfait pas la curiosité : tant s'en faut. Il est incomplet et paraît même superficiel. Mais l'esprit en reçoit une perpétuelle excitation. Il en sort des étincelles susceptibles d'allumer un incendie. Le parlement ne s'y trompa pas : c'était une déclaration de guerre à notre société telle que l'avaient édifiée des siècles de monarchie et de catholicisme. D'autre part, le lendemain de son apparition, l'Angleterre était à la mode et devait le rester une soixantaine d'années.

A. Bellesort,
Essai sur Voltaire (Perrin, 1925).

Les contemporains ne s'y sont pas trompés. L'hommage rendu au poète ne les a pas empêchés de reconnaître en Voltaire une puissance critique exceptionnelle. La bagarre de l'*Encyclopédie,* malgré le peu de part qu'il y prend, le fait désigner par les adversaires comme l'« oracle des nouveaux philosophes »; et si la plupart des grands esprits de son temps se sont développés en dehors de lui, son exemple a fortement contribué à autoriser leur émancipation. Comme dit Goethe à Eckermann, qui s'étonne de la fécondité de la France en hommes de génie au XVIIIe siècle : « Ce fut Voltaire qui suscita des esprits comme Diderot, d'Alembert, Beaumarchais et autres, car, pour être simplement quelque chose à côté de lui, on devait être beaucoup. »

R. Naves,
Voltaire, l'homme et l'œuvre (1942).

Ce qui me frappe le plus quand je relis ces *Lettres,* ce n'est pas leur audace, pourtant manifeste; c'est au contraire leur mesure et la maîtrise d'une pensée déjà équilibrée et qui n'affirme jamais brutalement et sans nuances. [...] Ce qu'il veut, c'est exercer le jugement de ses compatriotes, et peut-être aussi celui de ses hôtes préférés : ils ont sans doute beaucoup à apprendre les uns des autres, sans fausse honte, mais aussi sans snobisme aveugle. Or ce choix averti des qualités, ce discernement des mérites portent un nom bien cher à Voltaire et qu'il a contribué à vulgariser : cela s'appelle le goût; et la première leçon des *Lettres anglaises* est une leçon de goût.

R. Naves,
Introduction à l'édition des *Lettres philosophiques*
(Garnier, 1951).

Puisqu'il faut absolument qu'on juge, Voltaire reste l'un de ceux qui l'ont fait avec le plus de pertinence. Même quand les reproches qu'il adresse à tel auteur ou à tel écrit nous irritent — parce qu'ils nous semblent mesquins —, on peut rarement contester qu'ils soient fondés. Il a compté tous les trébuchements de Corneille, mais on cherche en vain, dans Corneille, un beau vers dont il n'ait pas senti la beauté. Sa critique, comme celle de Boileau, survit aux changements qui semblaient devoir la ruiner.

Emmanuel Berl,
Introduction aux Mélanges de Voltaire
(Bibl. de la Pléiade, Gallimard, 1961).

Les *Lettres philosophiques,* plus rapides et surtout moins composites que les *Lettres persanes,* soulèvent les principaux problèmes que l'esprit du siècle rencontre sur sa route, mais à la faveur d'une promenade à travers un pays que l'on découvre; elles renseignent plus qu'elles n'enseignent.

Jacques Vier,
Histoire de la littérature française au XVIIIe siècle
(A. Colin, I).

Lorsque Voltaire entreprenait, en 1728, dans ses *Remarques sur les « Pensées » de M. Pascal,* de réfuter un moraliste chrétien, ses conclusions étaient moins convaincantes qu'il ne l'imaginait, et son argumentation ne dépassait guère le niveau du malentendu.

Il est rare que Voltaire ait prise sur Pascal, et la plupart du temps, soit mauvaise foi, soit incompréhension, il le frôle ou l'esquisse plus qu'il ne lui fait face.

Robert Mauzi,
l'Idée de bonheur au XVIIIe siècle
(A. Colin, 1960).

SUJETS DE DEVOIRS ET D'EXPOSÉS

Certains de ces travaux sont à faire, totalement ou partiellement, en équipe.

● Voltaire, Montesquieu et l'Angleterre.

● Les limites de l'objectivité de Voltaire dans sa comparaison de la France et de l'Angleterre. Vous utiliserez ces quelques lignes de R. Naves pour vous guider ou comme réactif : « Bref, si les *Lettres philosophiques* passent avec raison pour une satire des mœurs et des institutions françaises, il ne faut pas croire que l'Angleterre, dont le portrait souvent favorable alimente cette satire, soit présentée comme l'Eldorado de *Candide :* Voltaire ne manque pas une occasion de critiquer sur des points précis le modèle dont il révèle l'intérêt général; son but n'est pas de substituer une civilisation, qui a ses défauts, à une autre civilisation, qui peut avoir ses qualités; toute admiration globale est fausse. »

● Après avoir réuni les renseignements historiques nécessaires, organisez le débat sur les idées de Voltaire par référence à son temps dans les différents domaines évoqués par les *Lettres philosophiques :* conservatisme ou réformisme; originalité ou non des positions prises; risques représentés par la diffusion de ces idées : chances d'efficacité sur l'esprit du public — et de quel public, etc.

● Constituez, suivant le même procédé que Voltaire, un dossier des contrastes entre deux pays, deux courants d'idées. Présentez le résultat sous forme d'un reportage en plusieurs articles, dans le même esprit, accompagnés des illustrations (visuelles et/ou sonores) que vous jugerez utiles.

● Discutez ce jugement de R. Naves sur les *Lettres philosophiques :* « Ces ambitions, ces joies, ces rêves sont déjà contenus dans les *Lettres anglaises,* et ce sont eux qui en font l'unité et l'intérêt profond; plus qu'un document sur l'étranger, plus même qu'un témoignage précieux de cosmopolitisme, les *Lettres* nous présentent Voltaire tout armé, clairement orienté vers la mission de toute sa vie, qui devait être d'émanciper les hommes et de les réconcilier avec leur destin. »

● Dans quel sens peut-on être d'accord avec cette affirmation de J. Vier : « La philosophie de Voltaire est portative, communicative, explosive; elle se ressentira toujours de la bastonnade qui compromit une éclatante carrière poétique »?

● Que pensez-vous de cette explication donnée par E. Berl : « [Voltaire] avait toujours haï le fanatisme; cette haine remontait à ses toutes jeunes années. [...] La haine du fanatisme tenait, d'abord, à son caractère ennemi de toute brutalité; elle lui avait été aussi inculquée en même temps que la haine des jansénistes »?

● Voltaire et Descartes : la critique et sa portée.

● « Voltaire, écrit E. Berl, a jugé que le monde de Newton était plus vrai [que celui de Descartes], parce que Dieu y est plus manifeste. »

● La conception de la liberté que se fait Voltaire.

● Analysez et jugez sur le plan de la méthode polémique ce texte de Voltaire (variante de la fin de la présentation concernant les Remarques sur Pascal) : « Au reste, on ne peut trop répéter ici combien il serait absurde et cruel de faire une affaire de parti de cette critique des *Pensées* de Pascal : je n'ai de parti que la vérité. Je pense qu'il est très vrai que ce n'est pas à la Métaphysique de prouver la Religion chrétienne, et que la Raison est autant au-dessous de la Foi que le Fini est au-dessous de l'Infini. Il ne s'agit ici que de Raison, et c'est si peu de chose chez les hommes que cela ne vaut pas la peine de se fâcher. »

● Dans quelle mesure ces lignes de R. Naves sur la lettre XXV sont-elles exactes : « On voit que le but avoué de ce commentaire est de prouver la faiblesse du raisonnement de Pascal dans un domaine qui n'est pas du ressort de la raison et où seule la foi peut décider. Un autre but, aussi évident, sera de réconcilier l'homme avec la vie et avec l'action, de l'arracher à la contemplation vaine de sa destinée et de lui indiquer qu'à l'intérieur de ses limites il a beaucoup à faire et à aimer » ?

● « Sa critique, comme celle de Boileau, servit aux changements qui semblaient devoir la ruiner », écrit E. Berl à propos des *Lettres* portant sur la littérature. Qu'en pensez-vous ?

● Voltaire juge de Shakespeare : en quoi est-il essentiellement tributaire de l'esthétique classique ?

● « L'Angleterre offrit à Voltaire la première meule à aiguiser sa prose », écrit J. Vier à propos des *Lettres philosophiques*. Expliquez et discutez.

● Analysez dans quelle mesure ce jugement d'André Bellessort est juste : « Avec l'*Histoire de Charles XII*, [les *Lettres philosophiques*] consacraient Voltaire prosateur. Toutes ses qualités s'y manifestaient : la clarté, la simplicité, la rapidité, la malice, le sens du comique, le persiflage, le choix du trait définitif qui se grave en vous comme une maxime, un art fait de sacrifices, de fantaisie très discrètement mais très étroitement surveillée, la science de n'offrir au public que ce qui portera sur lui. »

● Les *Lettres philosophiques* considérées comme le reportage d'un envoyé spécial : les traits qui le justifient; le type de journal qui, actuellement, accueillerait cette série d'articles.

● La technique de Voltaire comme écrivain appartenant à l'opposition politique.

● Les procédés publicitaires dans les *Lettres philosophiques* : leur exploitation, leur impact.

● Voltaire et la manipulation de l'opinion : comment fait-il passer le lecteur moyen du conformisme dû à l'habitude à l'opposition lucide?

● Le goût de Voltaire en matière littéraire et ses idées dans les domaines social et politique, pour son temps : y a-t-il conformité, contraste, inégale évolution?

● Quelle catégorie sociale et quel type d'individus peuvent se trouver favorisés, vers 1734, par le « système anglais » tel que Voltaire le présente?

● Dans quelle mesure la politique anglaise — telle que la dépeint Voltaire — est-elle efficace contre le fanatisme?

● Critique négative et critique constructive d'après les *Lettres philosophiques* en matières économique, politique, sociale.

● Quel profit peut-on encore retirer des *Lettres philosophiques* actuellement sur le plan socio-politique?

● Le modernisme de Voltaire : doit-il être examiné uniquement d'après les idées émises ou bien peut-on encore apprendre quelque chose sur le plan des techniques d'expression et d'action?

TABLE DES MATIÈRES

Pages

Mame Imprimeurs - 37000 Tours
Dépôt légal Juin 1972. — N° 13719. — N° de série Éditeur 14345
IMPRIMÉ EN FRANCE *(Printed in France)*. — 870 188 G Janvier 1988